ИНТРИГА

Дорис Мортман

Истинные цвета

ИЗДАТЕЛЬСТВО
МОСКВА
2000

ББК 84 (7США)
М29

Серия основана в 1996 году

Doris Mortman
TRUE COLORS
1994

Перевод с английского С.Б. Николаева и В.В. Комаровой

Серийное оформление А.А. Кудрявцева

*В оформлении обложки использована работа,
предоставленная агентством FOTObank.*

Мортман Д.

М29   Истинные цвета: Роман / Пер. с англ. С.Б. Николаева
и В.В. Комаровой. — М.: ООО «Издательство АСТ», 2000. —
416 с. — (Интрига).

ISBN 5-17-004207-8

Две названые сестры. Две судьбы. Два противостояния смертельной
опасности. Два противоборства любви и ненависти...

Изабель. Художница, чьи полотна потрясают, чей талант стал легендой.
Но ни успех, ни мужские объятия не в силах заставить ее забыть одну-
единственную ночь. Ночь, когда свершилось страшное преступление...

Нина. Самая отважная и беспощадная из журналисток Америки.
Женщина, готовая рискнуть не только собственной жизнью, но и счастьем
близких во имя славы — и во имя истины...

Две названые сестры. Две таинственные истории. Две безжалостные
мести — и две пламенные страсти...

Пролог

Санта-Фе, штат Нью-Мексико (США)
1990 год

Темное небо над Ла-Каса озарялось всполохами огня и сверкающими лентами дыма. Под звуки труб и гром ритмических гитар ансамбля марьячи над головами неистовствовавшей публики взлетали вверх зеленые, оранжевые, красные, голубые гроздья фейерверка. Глядя на большой помост вокруг каменного фонтана, который розовые и пурпурные огни прожекторов превратили в сказочный цветок, люди хором скандировали одно и то же имя, требуя выхода своей звезды.

И вот на платформе за длинным столом, уставленным бумажными цветами, появилась молодая женщина. Высокая, стройная, она была одета в длинное, с низким вырезом платье, белизна которого только сильнее подчеркивала золотистый оттенок ее загорелой кожи. Под свободной одеждой угадывались высокая грудь, тонкая талия и длинные красивые ноги. Поражали почти полное отсутствие косметики, умело подобранные украшения. Ну а карие миндалевидные глаза Изабель де Луна придавали ее облику некую таинственность.

Услышав бурные аплодисменты, Изабель густо покраснела.

Почти всех присутствующих она знала с детства, среди них выросла. Однако среди собравшихся гостей не было тех, кто сыграл в жизни Изабель особую роль: тети

Флоры, Нины и мужчины, который сумел завоевать ее сердце.

Впрочем, не успела она и глазом моргнуть, как кто-то подал ей палку. Перекрывая музыку, собравшиеся громкими голосами наперебой призывали Изабель разбить пиньяту — свешивающийся с ветки дерева горшочек со сладостями. Изабель в растерянности оглядела толпу в поисках поддержки и наткнулась взглядом на Дюранов — воспитавшую ее супружескую пару. В глубине души она считала их своими родителями. Ободряющая улыбка Миранды и приветственный жест Луиса, казалось, придали ей смелости.

Подняв палку, Изабель изо всех сил стукнула по ослику из папье-маше, что висел на ветке перед ней. Ничего не получилось. Пришлось ударить снова. На третий раз брюшко животного лопнуло, и из него на окружающих посыпались леденцы и безделушки.

— Загадывай желание! — крикнула из переднего ряда какая-то молодая женщина, бросив в Изабель горсть конфетти.

— Да чего ей еще желать? — удивилась ее соседка. — У нее и так все есть.

Изабель недовольно поморщилась. Наверное, им и вправду кажется, что у нее все есть. Ведь она художник с мировым именем и неисчерпаемым банковским счетом, ей принадлежат квартира и студия в Нью-Йорке, дом предков в Барселоне и небольшая студия здесь, в Ла-Каса. Ее картины выставлены в самых престижных музеях мира, ее фотографии украшают обложки самых респектабельных журналов США и Европы — от «Вог» и «Ньюсуик» до «Пари матч» и «Тэтлера». Изабель де Луна считается самой понятной, чувственной, глубоко эмоциональной художницей Америки со времен Джорджии О'Кифф.

Любому постороннему и впрямь покажется, что Изабель больше ничего не надо. Однако именно теперь все, чем она дорожила, оказалось под угрозой.

* * *

Поправив прическу, Изабель глубоко вздохнула и, дунув на праздничный торт, одним махом погасила на нем все свечи — тридцать четыре по числу прожитых ею лет плюс одна дополнительная на удачу, которая ей сейчас так нужна. Но как только языки пламени погасли, в глазах именинницы вдруг потемнело. Изабель тотчас схватилась за стол.

Обмороки начались несколько месяцев назад и сначала сводились к кратковременной потере сознания. Затем, однако, приступы стали более длительными и тяжелыми.

Чья-то крепкая рука обхватила ее за талию, и Изабель резко открыла глаза. Ее учащенное, неровное дыхание сразу пришло в норму, едва она разобрала, что ее обнимает один из тех немногих, кому можно доверять.

Луис Дюран тем временем улыбнулся и повернулся к толпе:

— Конечно, поклонников творчества Изабель восхищает ее гений, но нас с Мирандой привлекает прежде всего красота ее души. — Голос Дюрана задрожал от волнения. — О лучшей дочери, чем она, нельзя и мечтать.

Улыбнувшись, Изабель потянулась, чтобы поцеловать Луиса, и в этот миг сзади вдруг послышались шаги. Девушка встревоженно обернулась, но ничего подозрительного не заметила. И в то же время Изабель не давало покоя ощущение, что ее кто-то преследует.

Хуже того, она подозревала, что где-то в тайниках ее сознания хранится ответ на вопрос, кто это, однако до сих пор образ преследователя оставался лишь смутным пятном.

Нина пристально посмотрела на цветную фотографию, которую издатель решил поместить на обложке ее будущей книги «Истинные цвета: частная биография Изабель де Луна». Этот фотоснимок Изабель, по мнению Нины, был чересчур слащавый, а потому она в раздражении перевер-

5

нула книгу и принялась изучать собственную черно-белую фотографию, занимавшую последнюю страницу обложки.

Скавулло неплохо сделал свое дело — на снимке Нина выглядела просто великолепно. Серые глаза отливали серебром, длинные светлые волосы небрежно рассыпались по плечам. По словам Скавулло, у Нины была чрезвычайно сексуальная улыбка, тем не менее на снимке ей надлежало выглядеть совершенно серьезной. Ведь если уж ты открываешь публике темные стороны жизни Изабель, не следует слишком веселиться — это просто неприлично.

Бросив взгляд на календарь, Нина отметила, что сегодня день рождения Изабель. Судя по всему — Нина оценила разницу во времени, — сейчас Изабель как раз должна задувать свечи на праздничном пироге. «Толпа народу, фейерверк, марьячи — все в стиле Дюрана», — с презрением подумала Нина, отмахиваясь от воспоминаний о тех временах, когда и сама была не прочь также повеселиться.

А может, ей все-таки туда съездить — показать им всем, кем она теперь стала? Встретить их ревниво-уважительные взгляды и фальшивые улыбки, услышать похвалы в свой адрес, в которых явственно звучит зависть. Нет, отправиться туда значит вернуться назад, а Нина всегда смотрит только вперед.

В то время как восхождение к вершине многие совершают ради богатства, Нина добивалась не денег, а признания. Собственно, ради этого она и написала биографию Изабель, не получив согласия героини. Теперь из сложившейся ситуации было два выхода: или вся пресса набросится на Нину, или Нина, раздув скандал вокруг фигуры Изабель, сумеет перевести стрелки на нее.

Разумеется, Нина думала только о себе.

Слово «чудак», как правило, относится или к очень богатым, или к очень старым.

Флора Пуйоль относилась именно к категории «чудаков». Ее поведение отличалось крайней необычностью, и было таковым на протяжении всех восьмидесяти девяти лет ее жизни.

Аристократка по рождению, она отвергала почти все условности своего круга. Мало этого, эксцентричными поступками одинокая художница всегда ставила в тупик отца, вызывала восторг у внучатой племянницы и возмущение у наиболее ревностных хранителей традиций.

Сегодняшний день, похоже, был последним в ее жизни, однако Флора по-прежнему не видела причин, по которым ей следовало бы соблюдать традиции. Кроме того, хихикая, подумала Флора, те, кого она любит больше всего на свете, Алехандро Фаргас и Изабель, всегда говорили, что именно она определяет норму, так как без ее чудачеств невозможно сказать, что соответствует правилам этикета, а что нет.

Нижняя губа Флоры внезапно задрожала. Ее опечалила мысль о том, что придется расстаться с Алехандро и Изабель. Ни о чем другом она не сожалела.

Слабость все усиливалась — сердце постепенно сдавало.

Когда солнце начало клониться к западу и послеполуденные тени протянулись через всю комнату, Флора позвала сиделку.

— Мои четки, — прошептала она, удивившись тому, что раздавшийся в ее сознании громкий голос еле-еле звучит. Старушка собиралась предаться медитации.

Рука Флоры дрожала, когда ее пораженные артритом пальцы ухватились за первую косточку четок — ближайшую к золоченой шелковой закладке. Вдох. Выдох. С каждым вздохом пальцы Флоры перемещались от одной бусинки к другой, подчиняясь ритму, выработанному четыре тысячи лет назад.

Закрыв глаза, стараясь медленно и глубоко дышать, умирающая взывала к хранителям тайн.

— Она в опасности, — внезапно вырвалось у Флоры. — Я не могу уйти, пока она в опасности!

Вдох. Выдох.

— Он знает, что таится в ее сознании. Пожалуйста, отпусти ее!

Флора сжала последнюю бусинку. По щеке скатилась слеза.

В комнате было темно. Небо хмурилось, по стеклу упорно барабанил дождь. Сидя у окна, мужчина напряженно вслушивался в отдаленное ворчание грома. Сегодня грохот бури особенно действовал ему на нервы.

«Спокойно, — пронеслось у него в голове, — все под контролем». Ведь он давно уже жестко просчитывает все свои поступки и эмоции, проявляя предельную осторожность в выборе друзей, врагов и даже любовниц.

Гнев и отчаяние лишь однажды овладели им с такой силой, что он, не помня себя, наворотил такого!.. Впрочем, это было много лет назад и за прошедшие годы он сумел вычеркнуть неприятный эпизод из памяти, убедив себя в случайности происшедшего. Но иногда в темноте, особенно один на один с грозой, прошлое настигало его, беспощадно напоминая о том, что он был вовсе не единственным свидетелем своего позора.

Хотя раз прошло столько времени, а свидетельница так о себе и не напомнила, логично предположить, что страх перед увиденным породил высокую и прочную стену молчания, оградившую мир от правды.

Впрочем, и самые неприступные стены иногда дают трещины.

Празднество давно кончилось, а Изабель почему-то не спалось. Возможно, мешала гроза, беспрестанно громыхавшая за окнами, — Изабель всегда беспокойно реагировала на природные катаклизмы. Гром, молния, порывы ветра, пелена дождя — все это она подсознательно связывала с насилием.

Не спалось еще и потому, что утром надо улетать в Барселону.

Нынешняя ее поездка особенно тяжела. Изабель беспрестанно мучила мысль о том, что ей предстоит увидеть, как уходит из жизни Флора. Сестра бабушки была ее единственной родственницей, но дело тут не только в родственных узах. Именно Флора научила Изабель эстетическому восприятию действительности, именно она разбудила в ней творческое воображение.

Во многом гнетущее состояние девушки объяснялось каким-то смутным подозрением, но каждый раз, когда она пыталась во всем разобраться, перед ее мысленным взором вставала Барселона. Ехать или не ехать? Где опасность — там или здесь? Неужели кто-то и впрямь угрожает ее жизни, или неприятные предчувствия навеяны скорбью по Флоре?

Сейчас ей ужасно недоставало любимого. Не хватало его рассудительности, его силы духа, его способности раскладывать все по полочкам; не хватало его крепких объятий. Но Изабель его отвергла. Она не могла бы этого полностью объяснить, но одной любви ей всегда было недостаточно. Ей хотелось защищенности, а с ним она не чувствовала себя в безопасности. Как, впрочем, и с любым другим.

Незаметно для себя Изабель заплакала.

Похоже, надвигается что-то страшное. Подумав об этом, Изабель вздрогнула, поскольку подобные предчувствия одолевали ее уже не в первый раз.

Тогда, много лет назад, тот, кого она любила, умер ужасной смертью. Теперь Изабель боялась, что и ее настигнет та же жестокая рука.

Глава 1

Испания, Барселона
26 августа 1956 года

В пять часов пополудни Альтея де Луна почувствовала первый приступ, но так как до назначенного срока оставалось еще восемь дней, а врач сказал, что «первые дети так просто не вываливаются», она не обратила на боль особого внимания. Чуть позже, во время ужина, боль усилилась.

— Мартин, кажется, началось, — не желая беспокоить окружающих, шепотом сказала Альтея.

— Срок ведь выходит только через неделю! — ахнул Мартин. — Если бы знать заранее... мы... я никогда не повез бы тебя сюда, в Кампинас. Отсюда ведь больше часа до больницы!

— Я сама тебя просила, — напомнила Альтея. — Ты же знаешь, для меня этот ужин очень важен.

Альтея была художницей. В отличие от тех испанских живописцев, кто во имя свободы творчества предпочел покинуть родину, она осталась. И тут же для нее стало делом чести всячески обходить установленные режимом Франко цензурные рогатки.

Для того чтобы добиться этого, она стала переносить свои произведения на ткань. Как главный дизайнер «Дрэгон текстайлз», принадлежавшей семье Мартина компании по производству тканей, Альтея быстро поняла, что текстиль тоже может служить весьма эффективным идеологическим оружием.

Возмущенная тем, как обходятся с ее товарищами-художниками, Альтея вместе с тетей Мартина, Флорой Пуйоль, стала тайной защитницей каталонского искусства. Дом Флоры с множеством комнат и потайных ходов в Кампинасе, маленькой деревушке, что пряталась среди холмов неподалеку от Барселоны, служил надежным убежищем для инакомыслящих. Те из художников, чьи мастерские были разгромлены полицией, работали в башне Кастель, другие хранили здесь свои работы. Более того, при первой же возможности Альтея и Флора вступали в сговор с наиболее отважными владельцами барселонских картинных галерей и устраивали выставки гонимых художников, тематика работ которых шла вразрез с официально одобренной государством. Вот и в этот вечер Флора пригласила в Кастель несколько молодых живописцев, чтобы обсудить с ними детали проведения подобного вернисажа.

Очередные схватки заставили Альтею напрячься, ее полные губы скривились от боли.

— Все! — отрезал вконец расстроенный Мартин. — Мы уезжаем!

Увидев стоящий на дорожке автомобиль, Альтея вскрикнула от восхищения. Классические авто всегда были страстью Мартина, и хотя его коллекция включала весьма изысканные модели, ни одной из них по красоте никогда не сравниться с нынешней.

— И что это тебе пришло в голову?.. — спросила ошеломленная Альтея.

— Любовь, — с усмешкой ответил Мартин, отвесив грациозный поклон. — Случай весьма подходящий. Раз уж ты вот-вот родишь нашего ребенка, то вполне заслуживаешь, чтобы с тобой обращались как с королевой.

За годы жизни с Мартином Альтея так научилась разбираться в машинах, что без труда узнала в стоящем перед ней «роллс-ройсе» модель «Фантом-1» — длинный, изящный автомобиль с шикарной отделкой.

Не успела машина отъехать от Кампинаса и на пять миль, как у Альтеи отошли воды. Схватки все учащались.

— Дыши! — приказала Флора, прекрасно понимая, что до больницы Альтею скорее всего довезти не удастся, и роды придется принимать прямо в машине. — Дыши, как я тебя учила.

— Уже! — вдруг закричала Альтея.

Машина остановилась, задняя дверь открылась, и в салон вскочил Мартин.

— Мартин! — застонала Альтея и протянула руку к своему мужу.

Повинуясь приказу Флоры, Мартин залез на сиденье и прижал Альтею к своей груди, удерживая ее, пока она тужилась, и шепча ей на ухо слова ободрения.

Судорожно вздохнув, Альтея снова напряглась. Еще толчок — и показались плечики ребенка. Через мгновение из тела матери выскользнуло крошечное человеческое существо, отныне ставшее частью мира.

Флора тотчас перевернула младенца головой вниз — чтобы прочистить ему легкие. Раздался истошный крик. Завернув новорожденную в одеяло, Флора положила ее на живот Альтеи и на миг застыла, наблюдая за счастливыми родителями.

После того как мать и дитя были доставлены в больницу, Мартин и Флора отправились в городской дом семейства де Луна на Пассейг-де-Грасиа. Когда тетка ушла спать, племянник заперся в библиотеке и вытащил сделанную еще в восемнадцатом веке семейную Библию в серебряном переплете и с выложенным драгоценными камнями большим крестом на обложке.

Потом, откинув крышечку медной чернильницы, Мартин окунул в черную жидкость гусиное перо и под своим собственным — Мартин Хосеф Ильдефонс де Луна — вывел имя, которое они с Альтеей решили дать дочери, — Изабель Беатрис Роза де Луна.

Сидя в полумраке, он задумался о семействах — своем и Альтеи, а также о том, какой станет их собственная семья. Интересно, что именно Изабель унаследует от своих предков? Жаль, если от одной ветви она возьмет больше, чем от другой.

Но в конце концов, тут от его желания ничего не зависит. Все решит сочетание генов. Малышке есть чем гордиться, как, впрочем, и есть что искупать.

Родившемуся в «роллс-ройсе», как правило, уготована беззаботная жизнь, и Изабель не стала исключением. Девочку баловали все, и в первую очередь родители.

Дня не проходило, чтобы Мартин не принес дочке какой-нибудь подарок — игрушку, конфету, книжку — или не пригласил прокатиться «на папиной машине».

12

Альтея заботилась о дочке не меньше, только выражалось это по-иному. Она водила Изабель по улицам Барселоны и рассказывала о великом архитекторе Антони Гауди, чей талант ярко проявился в облике всего города; о таких художниках, как Пикассо, Миро и Дали, о таких музыкантах, как Пабло Казальс. Она возила девочку на семейный виноградник собирать виноград, а когда она стала постарше — на принадлежащую «Дрэгон текстайлз» текстильную фабрику.

— Нарисуй маме красивую картинку, — попросила как-то Альтея, усадив четырехлетнюю Изабель за стол.

Через полчаса Альтея решила посмотреть, что получилось.

— Я перенесу рисунок на ткань, — произнесла она, разглядывая очередной образчик абстракционизма.

С минуту подумав, дочь пожала плечами и согласилась.

— Только дай мне кусочек, — серьезно добавила она.

Следующие несколько дней мать и дочь посвятили наблюдениям за процессом производства ткани. Сопровождавший их начальник производства «Дрэгон» Диего Кадис терпеливо рассказывал девочке, как хлопок превращается в пряжу, которая наматывается на большие шпули, как на ткацком станке отдельные нити соединяются в полотно и как на это полотно наносятся краски. Когда из чрева машины непрерывным потоком поползла ткань с рисунком, в котором Изабель немедленно распознала свой, она захлопала в ладоши от восхищения.

Альтея, как и обещала, церемонно преподнесла дочери лоскут ткани, расцеловала девочку в обе щеки, шарфом набросила его на шею и торжественно объявила, что занесет этот образец в каталог тканей «Дрэгон». Сияя от гордости, раскрасневшаяся Изабель под аплодисменты собравшегося персонала сделала низкий реверанс и прижала ткань к груди так крепко, словно та была выткана из чистого золота.

По субботам семейство де Луна или навещало в Кампинасе Флору, или прогуливалось по Лас-Рамблас.

13

Теперь здесь, на расположенном посреди проезжей части бульваре, делали покупки, встречались с друзьями, обедали, крутили романы, обсуждали дела. Здесь же рождались слухи, начинались демонстрации.

От городского дома де Луна на Пассейг-де-Грасиа до Рамбласа было рукой подать, однако быстро добраться до него обычно не удавалось, поскольку приходилось поминутно раскланиваться с прохожими, выражавшими свое восхищение Изабель. Несмотря на то что Изабель действительно была симпатичным и коммуникабельным ребенком, интерес окружающих на самом деле вызывали ее родители.

Во-первых, на многих производило впечатление их происхождение. Мартин был потомком двух известнейших в Каталонии знатных семей, Альтея — дочерью андалузских аристократов, среди предков которых были не только короли, но и Бартоломе Эстебан Мурильо — один из самых знаменитых испанских художников. Другим импонировали их богатство и независимое поведение, граничащее с вызовом режиму Франсиско Франко. Однако особое внимание жителей Барселоны привлекали скандальные обстоятельства их брака.

Убежав с мужчиной, социальный статус которого не удовлетворял ее родителей, Альтея разрушила все их планы, за что и была лишена наследства. В свою очередь, Мартин, считавшийся одним из самых завидных женихов Барселоны, заключив брак с совершенно неизвестной столпам барселонского общества женщиной, разбил тем самым не один десяток сердец. В результате супругу его в Барселоне встретили весьма прохладно.

Однако вскоре отношение к Альтее резко изменилось, и прежде всего из-за ее внешности. Длинноногая, с прекрасной фигурой, с длинными каштановыми волосами, она выглядела чрезвычайно сексуально. Взгляд ее темных глаз из-под густых ресниц, казалось, говорил, что эта женщина предпочитает интимный полумрак блеску светского

общества. Полные губы, прямой и тонкий нос, класси́-
ческий абрис лица, бледная нежная кожа...

Даже по прошествии некоторого времени, после столь
одиозной свадьбы, многие жители Барселоны по-прежнему проявляли интерес к Мартину и Альтее. Для тех, кто
испытывал страсть лишь в воспоминаниях, поведение четы
де Луна служило постоянным свидетельством того, что
любовь все же существует.

Многим казалось, что рождение ребенка изменит их отношения, ослабив ту бесконечную привязанность, которую
они испытывали друг к другу. Когда же стало ясно, что любовь к дочери только усилила их взаимное восхищение, часть
барселонцев почувствовала зависть, другие же только плечами пожимали: такая страсть посещает лишь избранных.

На самом деле Мартина с Альтеей соединял не только
секс и семейные узы, но и искусство. Сам Мартин осо-
бым художественным талантом не обладал, но он так же,
как жена и тетка, всячески препятствовал наступлению режима на культуру. Супруг субсидировал не только Альтею,
но и галерею Авды на Консель-де-Сент. Рафаэль Авда был
его другом детства. В свое время дед Рафаэля открыл свою
галерею, одолжив деньги у деда Мартина, а теперь Мартин
старался не допустить ее закрытия.

Собственно говоря, для этого и не требовалось больших
усилий. Воспользовавшись в 1953 году улучшением отношений с Америкой, Рафаэль в поисках новых произведений туда и отправился.

Первая выставка американских художников была весьма скромной — Рафаэль хотел выяснить реакцию как посетителей, так и цензоров. Когда первые отреагировали
положительно, а вторые не отреагировали никак, он расширил экспозицию. Для подстраховки Рафаэль оформил
все это как культурный обмен, пригласив в Барселону американских дилеров, которые привезли с собой работы своих клиентов. Одновременно они должны были отобрать
картины испанских художников для выставки в США.

Замысел Рафаэля полностью удался.

* * *

По дороге в Барселону Миранда Дюран очень волновалась. Все остальные члены делегации уже завоевали себе имя в мире искусства, а кто она? И хотя последние пять лет Миранда вполне успешно управляла галереей «Очарование», она прекрасно понимала, что, пока не расплатится с долгами, владельцем галереи она будет только числиться.

В ночь перед открытием выставки Миранда испытала нервный срыв. Успокоилась она, лишь осознав свое явное преимущество перед коллегами — она говорит по-испански!

Внезапно почувствовав прилив сил, Миранда протиснулась сквозь толпу и встала у экспозиции тех художников, чьи работы она привезла на выставку.

Эту женщину Миранда заметила уже давно — просто невозможно было не обратить на нее внимания. Стройная, в длинном белом платье, Альтея была ослепительна.

— Какая необычная цветовая гамма! — сказала она, наклоняясь, чтобы получше рассмотреть абстрактную картину, написанную молодым индейцем. Затем, не глядя на Миранду, спросила:

— Как вы считаете... Как, говорите, зовут художника?

— Бен Фарсайд.

— Меня зовут Альтея де Луна. — Она протянула Миранде руку. — Здесь, в Барселоне, нам принадлежит «Дрэгон текстайлз». — Не дождавшись от девушки ответа, Альтея продолжила: — Я работаю там директором по дизайну. У нас есть свои художники, но мне интересно привлечь таланты со стороны. Ради самобытности — ну вы понимаете.

Миранда с умным видом кивнула, хотя, по правде сказать, в текстильном производстве она не разбиралась.

— Вы индианка? — неожиданно выпалила Альтея. — Рафаэль говорил, что у вас там живет много индейцев. Вот я и решила, что вы индианка.

— Я испаноамериканка. В Новой Мексике нас тоже много.

— Простите мне мою глупость, — заметно смутилась Альтея и тут же попыталась сменить тему разговора: — Рафаэль говорил мне, что Санта-Фе очень красивый город.

— Приезжайте и посмотрите сами. Можете остановиться в нашей гостинице, — удивляясь самой себе, сказала Миранда. — Я покажу вам достопримечательности и представлю Бену Фарсайду и другим художникам, чей стиль может вас заинтересовать.

— Замечательная идея! Мы с Мартином никогда не были в Америке. И моей дочери там наверняка понравится. А у вас есть дети?

— Да, — ответила Миранда. — Нине сейчас шесть.

Альтея на миг задумалась, а потом протянула:

— Тетушка мужа считает, что в жизни нет ничего случайного. Каждый, кого мы встречаем, или тот, кого мы знали в прошлой жизни и в ком больше не нуждаемся, или тот, с кем должны познакомиться. — Она замолчала. По спине пробежал знакомый холодок. — Конечно, это звучит глупо, но, мне кажется, мы должны были встретиться.

Уютно устроившись на коленях Мартина, Изабель прижалась носом к стеклу. Пока взрослые о чем-то разговаривали, она наблюдала, как исчезает за горизонтом Альбукерке. Вскоре у нее перед глазами замелькали голая равнина да редкие холмы.

Несмотря на то что дорога, по которой сейчас ехали путники, соединяла крупнейший город штата Нью-Мексико с его столицей, окрестности имели совершенно первобытный вид. По словам мужа Миранды, Луиса, эта земля была тем не менее обитаемой и представляла собой цепь индейских резерваций.

Когда машина приблизилась к Санта-Фе, Миранда сообщила Изабель, что первое поселение индейцы основали здесь шестьсот или семьсот лет назад и назвали его «Место, где танцует солнце». Не успела девочка задать и половины всех возникших у нее вопросов, как машина подъехала к Ла-Каса.

Проехав под аркой, Луис по каменной дорожке въехал во внутренний дворик, где росли два гигантских развесистых вяза и тополя, а также возвышался какой-то причудливый многоэтажный дом.

Пройдя в помещение за своими родителями, Изабель отметила, что входные двери здесь выкрашены в яркий бирюзовый цвет.

Небольшой, скромно оформленный холл с закругленными углами по туристической классификации вряд ли мог претендовать больше чем на одну звезду. На полу лежал слегка потертый ковер работы индейцев навахо, выполненный в красных, черных и золотистых тонах. В дальнем углу, напротив стойки администратора, располагался глиняный очаг, откуда уютно тянуло дымком.

У огня грела руки маленькая девочка. Она стояла так неподвижно и была такой бледной, что Изабель сначала чуть не приняла ее за статую. Жемчужно-белая кожа, глаза, золотистые волосы — все в этой девочке казалось хрупким и деликатным, однако, судя по манерам, характер у нее был сильный и упрямый.

— Добро пожаловать в Ла-Каса. Очень рада с вами познакомиться, — медленно и отчетливо выговаривая заученные фразы, сказала Нина. Вежливо улыбаясь, она не отрывала взгляда от маленькой темноволосой Изабель.

Улыбнувшись в ответ, та поспешила спрятаться за спину отца.

Все члены семьи де Луна произвели на Нину неизгладимое впечатление. Альтея вообще казалась ей настоящей богиней. Ее внешность, то, как она одевается, как ходит, как разговаривает — все в ней было непривычным и в то же время представлялось совершенным. Эта женщина умела играть с шестилетним ребенком, могла без всякого стеснения ползать по полу вместе с четырехлетней Изабель, а самое главное — прекрасно знала, как маленькие девочки любят наряжаться!

Однажды днем девочки вместе с Альтеей заперлись в ее спальне и принялись примерять одежду и экспериментировать с косметикой. Под хихиканье Изабель Альтея с помощью разного рода губок, кисточек, гребней и лака для волос быстро превратила Нину в прекрасную сеньориту Дюран.

Затем надела на девочку одно из своих шелковых платьев и обмотала шарфом ее детскую талию. Сунув ноги в чересчур для себя просторные, на высоких каблуках, туфли Альтеи, Нина принялась неуклюже расхаживать по комнате. Сейчас она чувствовала себя настоящей красавицей.

Подойдя к шкафу, Альтея вытащила веер из красиво упакованной коробки.

— Это тебе, — присев, сказала она Нине. — Такие веера носят все элегантные испанские сеньориты.

Приняв сверхсоблазнительную позу, она низко склонила голову, повела плечами и томно захлопала глазами, вызвав у девочек приступ неудержимого смеха.

Воспоминание об этом, как и сам веер, всегда будут дороги Нине.

Что же касается Мартина, то даже годы спустя Нина сразу же вспоминала поездку в Таос.

В тот год в горах к северу от Санта-Фе снег выпал необычно рано, искушая любителей лыж попытать свои силы. И вот, приехав на место, Альтея повела Изабель на маленькую горку, а Мартин с Ниной направились на склон покруче.

Нельзя сказать, что Нина никогда не стояла на лыжах — она каталась на них уже много раз, — однако в Таосе зеленых новичков в общем-то не было, поскольку гора изобиловала крутыми склонами и узкими спусками.

Снег был свежим и пушистым, лыжи сами скользили вниз. Они спустились трижды и уже собрались спуститься четвертый раз, но тут снова пошел снег. Стемнело, видимость ухудшилась, и Мартин предложил спуститься с горы на подъемнике. Нина тотчас скривилась, и Мартин сдался.

Они преодолели уже полпути, когда Нина, потеряв равновесие, упала в сугроб, ноги ее переплелись, и она испугалась. Не в состоянии самостоятельно встать, девочка стала ждать оклика Мартина. Довольно скоро он действительно позвал ее.

— Я здесь! — крикнула Нина.

Наконец из-за белого занавеса появился де Луна. Закусив губу, Нина попыталась принять бодрый вид.

Едва Мартин освободил девочку из снежного плена, как она попыталась встать, но тут ее левая нога подогнулась, и она вскрикнула от боли.

— Ну что ж, — спокойно сказал Мартин, поднял девочку, а затем поставил ее на свои лыжи. — Посмотрим, сможем ли мы вдвоем ехать на одной паре.

Кивнув, Нина попыталась улыбнуться. Снег валил так, что в трех шагах уже ничего не было видно. Мартин, впрочем, ничуть не беспокоился, хотя ему приходилось в одной руке держать обе палки, а другой прижимать к себе Нину.

Пока они медленно скользили вниз, он рассказывал девочке о том, как катаются на лыжах в Пиренеях и швейцарских Альпах, и пел испанские детские песенки.

Внизу, в базовом лагере, их ждали Альтея и Изабель. Увидев путешественников, Изабель с плачем бросилась им навстречу.

— Я так испугалась, папа! — воскликнула она. — Я думала, что с вами что-то случилось.

Не отпуская Нину, Мартин тут же подхватил Изабель на руки.

— Нина упала и ушиблась, — улыбнувшись, сказал он, — но в общем, все в порядке. Верно, подружка?

— Ага, все отлично! — отозвалась та.

Изабель ее обняла, Альтея поцеловала, а Мартин все еще держал на руках. Нога отчаянно болела, и тем не менее это был один из лучших дней в жизни Нины.

Миранда и Луис встретили семейство де Луна в палате больницы Святого Винсента. Несмотря на заверения семейного врача о том, что травма у Нины неопасная, Миранда хлопотала вокруг дочери как наседка, защищая ее от всех мыслимых и немыслимых несчастий.

Альтея наблюдала за ней с большим интересом, ибо совсем недавно выяснила, что Нина — приемная дочь Дюранов.

— Она об этом знает? — спросила тогда же Альтея.

— В прошлом году мы ей сказали.

— Вы не хотели ей это говорить? — удивилась Альтея, почувствовав в ответе неуверенность.

— Я хотела подождать, пока она подрастет.

— Почему?

— Считала, что девочка сильно огорчится.

— И что, огорчилась?

Миранда улыбнулась:

— Нет. Напротив, как будто понравилось, что мы предпочли ее другим, что она наша дочь не потому, что мы ее родители, а потому, что желанна.

Взгляд Альтеи потемнел.

— Замечательно! — воскликнула она. — Мои отец с матерью так ни разу и не дали мне понять, что я любима и желанна. Уж лучше бы у меня были приемные родители — такие, как вы и Луис.

— Вы преувеличиваете, — сказала Миранда.

— Если бы так! — с горечью ответила Альтея. — Мои родители всегда мечтали о красивых вещах, животных и слугах. Детей они не хотели. — Она взглянула на Миранду. — И почему у тех, кому дети не нужны, они есть, а у тех, кому нужны, — нет?

Миранда отвела взгляд.

— У нас с Луисом был ребенок, — немного помолчав, вдруг призналась она. — Габриель умер в трехлетнем возрасте. Невробластома, разновидность рака почек — ее еще называют опухолью Уилма.

21

Альтее хотелось бы утешить Миранду, но как?

— Прошло несколько лет, прежде чем мы с Луисом решились завести еще одного ребенка. Но тут выяснилось, что мы не можем его зачать. — Она закусила губу. — Правда, спустя какое-то время мы нашли Нину.

— Чудесно! — откликнулась Альтея. — Вы нашли ее через агентство?

Миранда отреагировала мгновенно: глаза ее расширились, тело напряглось. Она как-то разом насторожилась и отрезала:

— Вроде того. — Затем поднялась и принялась убирать чашки. Когда она вновь повернулась к Альтее, той стало абсолютно ясно: вопрос об усыновлении Нины закрыт для обсуждения раз и навсегда.

Дюраны просто очаровали Мартина. Каждый из них представлял собой разносторонне развитую личность. Миранда не только управлялась с «Очарованием» и Ла-Каса, она еще и вела бухгалтерские книги, отлично готовила и очень много читала. Луис тоже был парень не промах: в конце концов Мартин узнал, что тот окончил местный университет и получил диплом инженера. С Мирандой они познакомились еще в школе и поженились вскоре после ее окончания, а в Санта-Фе перебрались, чтобы Луис мог учиться в университете. На жизнь оба зарабатывали в Ла-Каса: Луис устроился ночным управляющим и ремонтником, а Миранда уборщицей и на полставки поварихой. Мало того, им разрешили жить в крошечной комнате на первом этаже.

Гостиница была маленькой, всего на семьдесят пять номеров, однако являлась неотъемлемой частью Санта-Фе. К несчастью, последний ее владелец, проматывавший деньги в Росвелле, мало интересовался управлением своей (уже заложенной в банке) собственностью. В конце концов ему пришлось объявить дефолт, и банк лишил его права выкупа закладной. Об этом стало известно широкой общественности, и группа торговцев решила поддержать Дюранов, которые вот уже многие годы успешно управляли Ла-Каса. Сложившись, благодетели выкупили гостиницу у банка с тем, чтобы Дюраны затем выкупили гостиницу уже у них. За восемь лет Луис и Миранда ни разу не пропустили срок платежа. Для них это было не столько финансовым обязательством, сколько делом чести.

Несмотря на то что Мартин родился в состоятельной семье, он был истинным каталонцем, а значит, умел ценить труд. Тем более, что испанская экономика сейчас была в ужасном состоянии. Наиболее доходные отрасли промышленности отошли к государству. Захватив, кроме того, железные дороги, сталелитейные предприятия и банки, оно лишило частной собственности такие семьи, как Пуйоль и де Луна. И хотя «Дрэгон текстайлз» и некоторые машиностроительные предприятия все еще приносили прибыль, Мартин, как и многие другие, частенько задумывался над тем, сколько еще времени он сможет выдержать продолжающиеся атаки на свое состояние.

Де Луна покинули Санта-Фе за несколько дней до Рождества, оставив хозяевам щедрые подарки и обещание вернуться — обещание, которое они выполнили летом следующего года, в Рождество и еще через год. Дружба между семьями все крепла, тем более что с каждым приездом де Луна круг их общих с Дюранами друзей в Санта-Фе становился все шире.

Изабель, дети Хоффманов и Нина всюду ходили вместе. В этой четверке Изабель была самой младшей, поскольку Ребекка Хоффман была ровесницей Нины, а Сэм Хоффман — так и вовсе на два года старше. Если Изабель чего-то не умела, ее учили, если хотела что-то увидеть — показывали. Через год Изабель уже умело, по-западному, скакала на лошади, а ее английский был почти так же хорош, как испанский приятелей.

В то время как Альтея выезжала на этюды в сельскую местность, Мартин усиленно занимался физическими упражнениями. Он ежедневно ездил на лошади и на велосипеде, причем зачастую вместе с Изабель и ее друзьями.

В то утро Мартин и Изабель поехали на прогулку одни. Они собирались подняться вверх по каньону, устроить там пикник, а затем вернуться обратно. Подъем оказался очень крутым, Изабель же было всего шесть лет, и у нее простонапросто не хватало сил. Поняв, что так они никогда не доедут до места, Мартин длинной веревкой связал велосипеды и взял дочку на буксир.

Когда подъем кончился, Мартин ослабил веревку, и Изабель сразу же отстала. Впрочем, даже на расстоянии она хорошо видела крупную фигуру отца. Внезапно горизонт опустел. Невероятно! Собравшись с силами, девочка вскоре подъехала туда, где лежал Мартин — смертельно бледный и едва ли не бездыханный. В панике Изабель принялась звать отца, тормошить его, плакать — все тщетно. Девочка не знала, что и делать: оставаться здесь — страшно, уйти — еще страшнее.

К счастью, вдалеке послышался шум мотора.

Спустя какое-то время Мартина доставили в больницу. Потом стол с ним куда-то укатили, захлопнув двустворчатые двери перед самым носом Изабель.

— Папа! — закричала она и забарабанила кулачками в дверь.

Наконец какая-то сердобольная медсестра, поговорив с девочкой, вызвала Альтею. Мать метеором ворвалась в отделение и провела девочку в палату, где лежал Мартин. Оказалось, он уже пришел в себя. Рядом сидел Джонас Хоффман.

Поднеся к губам руку Изабель, Мартин по очереди перецеловал все ее маленькие пальчики.

— Со мной все хорошо, милая. Это жара. Ничего серьезного.

Альтея пристально посмотрела на мужа. По рекомендации Джонаса мать с дочерью задержались в палате всего на несколько минут, а затем поехали в Ла-Каса.

Результаты анализов были готовы спустя несколько часов. Мартин как раз сидел в кабинете Джонаса, когда медсестра принесла тому пачку листков.

— Что-нибудь серьезное?

— Очень. — Джонас отложил результаты анализов и взглянул Мартину прямо в глаза. — На языке медицины это называется кардиомиопатией. Наследственное заболевание. Ты скорее всего давно уже испытываешь его симптомы: одышка, отек ног, усталость...

Мартин покачал головой. Надо же, а он-то всегда приписывал эти симптомы курению. Ведь он молод еще, физически активен...

— И сколько мне осталось? — не отрывая глаз от врача, спросил Мартин.

— Точно ничего сказать нельзя. Может, год, может — десять.

Вздохнув, де Луна закрыл лицо руками. Как он сообщит об этом Альтее? И стоит ли ей вообще говорить? Удастся ли ему когда-либо смириться с тем, что жизнь не бесконечна?

Глава 2

Испания, Барселона
1963 год

С момента возвращения в Испанию ночи превратились для Мартина в пытку. Он представлял себе, как его дочь останется без отца, представлял, как Альтея останется без мужа и как трудно ей будет в обществе, где не очень-то жалуют женщин-предпринимательниц. Возможно, ей придется обратиться за помощью к своим родителям. Но самое мучительное — осознавать то, что в конце концов кто-то другой заполнит в ее жизни пустоту, образовавшуюся в результате его, Мартина, ухода.

В то роковое воскресенье Джонас согласился сказать Альтее, что случившееся с Мартином было результатом перенапряжения. Де Луна же обещал отныне наблюдаться у кардиолога, что впоследствии и сделал, а Альтею решил сказать правду дома, при удобном случае. К сожалению, случая все не было, ибо стоило Мартину представить возможную реакцию жены — гнев или жалость, — как он тут же отступал. Итак, Мартин молчал, заставляя Альтею ломать голову над причиной перемен в его поведении, а перемены действительно были.

Лекарство, которое прописал врач, имело неприятный побочный эффект — резкие перепады настроения. Мартин то был общителен, то впадал в глубокую меланхолию, то развивал бурную деятельность, то целыми днями валялся в постели.

Флора, впрочем, считала это вполне объяснимым, ибо для многих мужчин сорок лет — критический возраст. Женщинам и в голову не приходило, что все дело в здоровье, ведь с виду Мартин был по-прежнему полон сил. Кто бы мог подумать, что он таким образом готовится к смерти?

В июле стояла изнуряющая жара, и Изабель с нетерпением ждала отъезда на Мальорку, где она подолгу с удовольствием плавала в бирюзовых водах Пальмы и играла на белом прибрежном песке с подругами.

Кроме всего прочего, Изабель также надеялась, что смена обстановки благоприятно повлияет на отношения ее родителей, которые в последнее время заметно испортились.

На следующий день после их приезда на Мальорку в том же самом отеле поселилась лучшая подруга Альтеи, Палома Сервантес, и Мартин стал уделять долговязой брюнетке чересчур много времени. Он всюду ходил с Паломой, обняв ее за голые плечи и нашептывая на ухо нечто пикантное, отчего оба весело хохотали. Изабель все это не нравилось, но она молчала; Альтея же откровенно высказывала мужу все, что думала.

Поскольку ничего не изменилось, Альтея начала принимать ухаживания тех, кого привлекла ее красота. О, тут уж Мартин пришел в настоящую ярость! Особенно возненавидел он одного из многочисленных ухажеров, которого Альтея называла Пако.

В действительности его звали Пасква Барба. Говорили, что он друг детства Альтеи. Загорелый, с черными как смоль волосами и кареглазый, этот человек прямо-таки излучал сексуальность.

К концу недели Мартин понял, что события выходят из-под контроля. Пако не просто наверстывал упущенное, он неумолимо двигался вперед. Палома же становилась все требовательнее, желая получить от Мартина все сполна. Мартина охватила тоска, в нем заговорили чувства вины, страха, ревности — все вместе.

Тщательно все обдумав, он решил сообщить Альтее правду о себе.

— Не пора ли вам спать? — желая поскорее избавиться от Барбы, спросил Мартин.

— Вы сами меня укроете, или попросить Альтею? — с вызывающей улыбкой поинтересовался тот.

Такого откровенного хамства Мартин не ожидал.

— Хватит! — взорвавшись, вскочил он с места. — Убирайся отсюда! И если я увижу тебя ближе чем в трех метрах от Альтеи, я переломаю тебе все кости!

Коротышка поднялся и невозмутимо улыбнулся Альтее.

— Теперь я понимаю, почему ты его полюбила, — сказал он, склонившись к ее руке. — Он очарователен.

Чуть позже супруги де Луна снова поссорились, на сей раз в переполненном ресторане. На следующее утро, после еще одной сцены на террасе, Альтея упаковала вещи и заказала для себя и дочери билеты на ближайший рейс в Барселону.

Вместо того чтобы отправиться в городской дом на Пас-сейг-де-Грасия или в замок в Кампинасе, Альтея посели-лась в отеле «Ритц». Нельзя сказать, чтобы Изабель была против — нет, она просто не понимала, почему они с ма-мой не живут дома вместе с папой.

Через несколько дней Мартин наконец нашел их. По дороге в отель он с десяток раз повторил про себя заранее подготовленные извинения, но, увидев прямо в холле, как его жена и дочь попивают чай с Пасквой Барбой, сразу же забыл обо всем. Подскочив к сопернику, он тут же вырвал из-под него стул.

Не оборачиваясь, Барба вернул стул на место и как ни в чем не бывало продолжил разговор с Альтеей:

— Думаю, Изабель понравится на ранчо, как в свое время нравилось тебе. — Он засмеялся. — Помнишь, как мы учились бросать лассо, и ты вместо теленка поймала моего отца?

— Садись, — подавив улыбку, произнесла в ответ Аль-тея и, взяв Мартина за руку, посадила на свободный стул.

Изабель тут же взобралась к нему на колени.

— Папа! — сияя от радости, с восторгом закричала она. — Я так рада тебя видеть! Я ужасно по тебе скучала.

— Я тоже скучал по тебе, малышка. — Мартин заклю-чил ее в объятия, чуть не плача от счастья. — Я пришел за тобой и за мамой.

— А если мама идти не захочет? — язвительно спросил Барба.

— Спасибо, я могу ответить и сама, — резко бросила Альтея.

— Тогда скажи, что оставляешь его и уезжаешь со мной.

— Я никуда не поеду с тобой, Пако.

— Ты зря пытаешься бороться со своими чувствами, Альтея.

— А ты пытаешься обмануть себя. — Наклонившись че-рез стол, она взяла его за руку. — Я никогда тебя не любила. В противном случае я вышла бы за тебя замуж, когда ты предлагал.

— Вы слышали, что сказала дама? — торжествующе проговорил Мартин.

Барба встал.

— Ты была мне обещана, Альтея, — ледяным тоном произнес он. — Однажды ты выполнишь это обещание.

— А если нет? — вскочив с места и схватив его за рубашку, крикнул Мартин.

Вырвавшись, Барба отскочил назад. Мартин тотчас настиг обидчика, но тот лишь рассмеялся ему в лицо:

— Скоро, де Луна, я заберу у тебя жену.

— Никогда! — игнорируя любопытные взгляды окружающих, вскричал Мартин. — Ты что, не слышал? Она тебя не любит.

— Не важно, — звенящим от гнева голосом отозвался Барба. — Я знаю, чего хочу. И не остановлюсь, пока не добьюсь этого.

Мартин долго еще смотрел ему вслед. Однако если де Луна надеялся на воссоединение с женой, то он глубоко ошибся. На предложение помочь упаковать вещи супруга ответила отказом.

— То, что я никуда не поеду с ним, еще не значит, что я поеду с тобой.

Забравшись в постель, Изабель сунула голову под подушку. Она попыталась заглушить доносящийся из соседней комнаты шум ссоры. Ничего не получалось — она все равно слышала, как ее родители кричат друг на друга, обвиняя в измене и предательстве.

Внезапно все стихло; вроде бы хлопнула дверь. Изабель высунула голову из-под подушки. На улице, судя по всему, начиналась гроза. Дождь барабанил в окна, выходящие на Гран-виа-де-лес-Кортес-Каталанес. Молнии пронизывали низкое черное небо. Время от времени, сотрясая комнату, грохотал гром. Испуганная Изабель решила найти убежище у мамы.

Соскользнув с кровати, она босыми ногами прошлепала к двери, открыла ее и выглянула в гостиную. Пусто. За стеной послышался плеск воды. Должно быть, мама ушла к себе в спальню и собирается принять ванну. Раздался очередной удар грома, и пол под ногами снова задрожал. Изабель опять захотелось к маме, но на глазах у нее выступили слезы, а мама терпеть не могла плакс.

Вернувшись в свою комнату, девочка закрыла за собой дверь, вновь забралась на громадную кровать и сунула руку под подушку за своим спасательным кругом — кусочком ткани, который они с Альтеей создали во время ее первого визита на «Дрэгон». Прижав его к себе, Изабель начала листать книжку, однако спустя некоторое время вроде бы раздался стук, и дверь номера открылась. Девочка улыбнулась: это папа.

— Тебе здесь нечего делать! — раздался крик Альтеи. — Я хочу, чтобы ты ушел. И сейчас же!

Изабель подалась к двери. Мать ее снова потребовала, чтобы посетитель убирался прочь, но голос ее теперь звучал как-то испуганно. Странно, мама боится папу?

Под нарастающий рев бури девочка прислушивалась к происходящему в соседней комнате. Она могла бы поклясться, что в какой-то миг услышала незнакомый мужской голос.

Внезапно погас свет — не только в номере, но и во всем городе. Мама громко закричала, затем как будто что-то упало на пол, потом послышался шум борьбы. Родители не раз повторяли Изабель, чтобы она не лезла, куда не надо, но сейчас ей было слишком страшно.

Крадучись она подошла к двери и повлажневшими от страха ладонями чуть-чуть приоткрыла дверь. Взглянув туда, откуда доносился шум, она ничего не увидела: глаза еще не привыкли к темноте. Правда, вот какие-то неясные тени, чей-то сдавленный крик. А потом послышались какие-то странные хрюкающие звуки и шлепки, словно чья-то рука била по полу. Сердце девочки отчаянно колотилось в груди. Застыв в дверях, она вся окаменела от ужаса.

И тут за окном вдруг сверкнула молния, и комната на миг озарилась холодным голубым светом. В это мгновение Изабель увидела то, что ей не следовало видеть: ее мать лежала обнаженная на полу, а над ней навис мужчина в темном костюме. И прежде чем девочка успела отскочить за дверь, мужчина повернулся и встретился с ней взглядом.

Насмерть перепуганная малышка бросилась в спальню, дрожа от страха, залезла в стенной шкаф и там, прижавшись к стене, свернулась калачиком. Если спрятаться как следует, то он, может быть, не найдет ее и не сможет наказать.

«Пожалуйста, Господи, не дай ему меня найти», — молилась девочка, стараясь не шуметь, даже не дышать, чтобы мужчина ее не услышал. Она задерживала дыхание так долго, что потеряла сознание.

Очнулась она в объятиях Мартина. Прижав дочь к груди, целуя и утешая, он через черный ход вынес ее на улицу. Изабель ничего не соображала, голова раскалывалась от боли. Прежде чем снова потерять сознание, она спросила, что с мамой.

Она никогда не вспомнит, что ответил отец. И вообще больше ничего не вспомнит о той ужасной ночи.

Несмотря на все попытки Мартина скрыть ужасную правду, Изабель вскоре все узнала: ее мать убита, и в убийстве подозревают отца.

Флора тем временем переехала в городской дом, чтобы присматривать за племянницей. Мартин же, пытаясь найти способ выпутаться из обрушившихся на него неприятностей, заперся со своим адвокатом Алехандро Фаргасом.

— У них есть свидетели вашей ругани с Альтеей в коридоре гостиницы, свидетели вашей ссоры на Мальорке и свидетели того, как вы в ярости выскочили из гостиницы. — Фаргас перелистал страницы блокнота. — В номере везде твои отпечатки пальцев.

— Я признаю, что там был. Но я ее не убивал.

— На ковре и под ногтями Альтеи запекшаяся кровь — той же группы, что и у тебя.

— В городе полно людей с такой же группой крови. Это ничего не значит. — Вскочив с кресла, Мартин начал расхаживать по комнате. — Альтея была моей женой. Мы вели очень интенсивную половую жизнь. Зачем мне ее насиловать? Бессмыслица какая-то!

Прищурившись, Фаргас посмотрел на клиента:

— К сожалению, Мартин, со стороны все выглядит по-другому. Откровенно говоря, ты флиртовал у нее на глазах с Паломой Сервантес. В присутствии целой группы людей ты, как ревнивый дурак, орал на нее и Паскву Барбу. Совершенно очевидно, что у вас были семейные неурядицы. Судьи с легкостью предположат, что вы некоторое время не спали вместе, что, злясь на тебя, она не допускала тебя к себе и что ее бегство с Мальорки ты воспринял как вызов, а потому, оказавшись в ее номере, постарался самоутвердиться.

— А почему бы тем же судьям не предположить, что это Пако Барба решил самоутвердиться? — возразил Мартин, продолжая мерить комнату шагами. — Все знают, что он с детства от нее без ума. — Внезапно остановившись, он посмотрел на Фаргаса. — Он ведь был в гостинице, Алехандро, сидел там и распивал чай с моей женой и дочерью. Пако Барба был там в день убийства. Он упрекал Альтею в том, что она нарушила некое обещание, и заявил, что ей все-таки придется его выполнить. Что это, если не угроза? Почему же никто не исследовал его группу крови? Почему он вне всяких подозрений?

— Потому что вел себя несдержанно именно ты, — сухо отозвался адвокат, — а не он. Смерть наступила от удушения, — продолжал Фаргас. — Коронер констатировал, что во время изнасилования Альтея сопротивлялась. Преступник, очевидно, для того чтобы она лежала неподвижно, рукой прижал ее к полу и, раздавив хрупкие кости шеи, убил ее почти мгновенно.

— Я не насиловал свою жену и не убивал ее, — сжав кулаки, сквозь зубы ответил Мартин. — Да, я ругался с ней, оскорблял ее. Обманывал ее — да простит меня Бог! Но, — его голос дрогнул, — я любил ее. И никогда не смог бы причинить ей боль.

Рухнув в кресло, Мартин закрыл лицо руками. Алехандро медленно подошел к великану и ободряюще похлопал его по плечу.

— Я верю тебе, мой друг, — печально сказал он. — Проблема в том, что остальные тебе не верят.

Смерть Альтеи де Луна вызвала в Барселоне много кривотолков. На Рамбласе только и говорили об этом. На всех углах, в каждом магазине и ресторане бесконечно рассуждали о том, виноват Мартин или нет.

Говорили и о самой убитой. Несмотря на то что она родилась в Мадриде, жители Барселоны считали ее своей. Как предприниматель, сумевший вдохнуть жизнь в «Дрэгон текстайлз», одно из крупнейших предприятий города, как хранительница каталонских традиций, она приобрела здесь большую популярность, став чем-то вроде местной героини.

А поэтому неудивительно, что на похороны Альтеи пришла вся городская интеллигенция. Согласно воле покойной, ее следовало похоронить под зонтичной сосной на маленьком семейном кладбище в Кампинасе.

Кроме художников, архитекторов, владельцев картинных галерей, писателей и издателей, друзей и соседей, на похороны Альтеи де Луна собрались и все работники «Дрэгон текстайлз». Пришла и целая бригада детективов. Оцепив кладбище, полицейские внимательно вглядывались в лица скорбящих, чтобы впоследствии их допросить. Когда Мартин, Изабель и Флора проследовали за гробом к могиле, толпа в знак уважения расступилась перед ними, детективы же сосредоточили свое внимание на подозреваемом.

Рядом с Мартином стояла шестидесятидвухлетняя тетя Флора. По очереди она проводила здесь в последний путь своих родителей и трех сестер. Флора любила их всех без исключения и все еще скорбела об утратах, но сегодня ее горе было безмерным. Она, естественно, оплакивала Альтею, бывшую для нее и дочерью, и другом, а еще оплакивала свой устоявшийся привычный мирок, который в одночасье рухнул. Прошлое, конечно, не было идеальным, но будущее и вовсе сулило одни неприятности. Мартин пал духом, лишился жизненного стержня, а вскоре может лишиться и свободы. Изабель потеряла мать, что для маленькой девочки уже само по себе трагедия.

С момента смерти матери прошло уже пять дней, но малышка все еще с трудом ориентировалась в происходящем. Каждую ночь ее мучили страшная головная боль и загадочные кошмары, каждое утро она просыпалась с надеждой, что вот-вот появится мама и все будет хорошо.

Она, волнуясь, пыталась вспомнить события той ночи, ибо все вокруг, похоже, считали, будто девочка что-то знает. Ее допрашивала полиция, спрашивали Флора и Мартин. Что она видела? Что слышала? Ничего не видела и не слышала, отвечала отцу Изабель. Ее испугала гроза; она листала книжки в постели; потом, должно быть, уснула и теперь помнит только, что проснулась в своей спальне в городском доме.

Кивнув Мартину, священник жестом подозвал их с Изабель к могиле. Рука Мартина, дрогнув, повисла в воздухе, потому что он никак не мог заставить себя бросить землю на гроб с телом любимой. Тем более что повисшую на кладбище мертвую тишину вдруг прорезал оглушительный крик:

— Не смейте!

Собравшиеся разом обернулись. Расталкивая толпу, к могиле пробиралась незнакомая пара.

Изабель перевела взгляд на тетю Флору, силясь понять, что это за люди. К могиле тотчас приблизилась группа полицейских: надо было разобраться, что происходит.

В толпе пробежал шепоток: каждый старался получше разглядеть родителей Альтеи — графа Хавьера и графиню Эстрелью Мурильо. Они считались близкими друзьями Франсиско Франко и заклятыми врагами Мартина де Луна.

— У Альтеи нет родителей, — устремив тяжелый взгляд на приблизившегося к нему мужчину, заявил Мартин.

— Только потому, что вы ее их лишили, — отозвалась Эстрелья Мурильо высоким звенящим голосом. — А теперь лишили ее жизни.

Она бросилась к Мартину, но отец Лорка и Алехандро Фаргас преградили ей путь, напоминая о том, что кладбище не место для выяснения отношений.

Изабель тем временем во все глаза смотрела на родителей ее матери, стараясь отыскать сходство между ними.

Но тут девочка заметила *его*. Он стоял в толпе, довольно далеко от края могилы, в широкополой шляпе, закрывавшей лицо. И все же Изабель узнала в нем мужчину с пляжа — человека, который пил с ними чай и которого ее мать называла Пако. Должно быть, он почувствовал на себе ее взгляд, потому что поднял глаза и пристально посмотрел на малышку. Не выдержав, она отвернулась, а когда через несколько секунд, собрав все свое мужество, снова посмотрела в его сторону, он уже исчез.

Разместив Мурильо с левой стороны могилы, а де Луна с правой, отец Лорка продолжил ритуал. Придерживая Изабель за руку, он прошептал ей на ухо соответствующие инструкции и, ободряюще улыбнувшись, мягко подтолкнул вперед. С величайшей торжественностью Изабель подняла комок земли и бросила его в яму с ящиком, в котором ее мама будет спать вечным сном. К сожалению, сейчас, в присутствии стольких людей, она ничего не может сказать маме. Что ж, когда-нибудь она сюда еще вернется и попрощается с ней как следует.

Глава 3

Вечером, когда Мурильо вернулись в свое имение, расположенное неподалеку от Мадрида, Эстрелья сразу удалилась в спальню. Усевшись в глубокое кресло, она принялась рассматривать многочисленные розы на обоях. Графиня боялась закрыть глаза, чтобы, не дай Бог, снова не увидеть, как земля поглощает тело ее единственного ребенка.

Не легче было и Хавьеру. Устроившись у окна, он рассеянно смотрел на освещенный прожекторами английский парк.

В дверь тихо постучали. Хавьер вопросительно уставился на дворецкого.

— Сеньор Барба желает выразить вам свое соболезнование.

— Это он во всем виноват, — заявила Эстрелья. — Он смирился с ее отказом, вместо того чтобы за нее бороться. Если бы он тогда женился на ней, *этого* бы не случилось!

Зная, что не переубедит супругу, Хавьер оставил ее и поспешил на встречу с молодым человеком, которого когда-то надеялся назвать своим сыном.

Эстрелья тем временем подошла к стоявшему в углу комнаты широкому туалетному столику и разложила детские фотографии Альтеи — ангельское личико и огромные глаза. Затем взяла в руки фото, на котором были запечатлены Альтея и Пако в восемнадцатилетнем возрасте. Вот они стоят рядом в костюмах для верховой езды возле своих лошадей — такие элегантные, такие благородные! Оба так подходят друг другу!

Когда в свое время родители представили Эстрелью Хавьеру, ее обрадовал их выбор. Хавьер принадлежал к одной из влиятельнейших севильских семей, давшей миру известного в Испании художника. У него был титул.

В случае с ее дочерью опять-таки, согласно традициям высшего общества все повторялось: Альтея Мурильо и Пако Барба были предназначены друг другу. Родители молодых людей старались почаще сводить их вместе, а по достижении брачного возраста Альтея и Пако должны были пожениться. Задача облегчалась тем, что стороны были друг к другу неравнодушны.

Пока не появился Мартин де Луна, который все погубил.

Эстрелья принялась искать в коробке единственную фотографию Мартина и Альтеи. Снимок был сделан на приеме, который устроили для молодых незамужние тетки Мартина. Альтея прислала его вместе с письмом, в котором умоляла мать признать ее брак и мужа.

На глаза Эстрельи навернулись слезы. Но даже сейчас не желая признавать правоту своей дочери, Эстрелья засунула фотографию обратно в коробку. Карточка оказалась рядом со снимком, к которому было приколото письмо. На снимке был запечатлен грудной ребенок, а в сопровождающем письме содержалась еще одна просьба Альтеи к родителям признать ее брак, а заодно и ребенка — их внучку.

И тут, пристально вглядываясь в лицо девочки, Эстрелья вдруг поняла, как можно отомстить убийце ее дочери.

Примерно через неделю после убийства Альтеи Алехандро Фаргас сообщил Мартину скверные новости:

— Мурильо оформляют опекунство над Изабель.

— Ни за что! — стукнул кулаком по столу Мартин. — Им своя-то дочь никогда нужна не была, и теперь они ни за что не получат мою!

Похлопав друга по руке, Алехандро понимающе кивнул.

— Не знаю, как и помочь тебе, Мартин. Если тебя признают виновным, то скорее всего приговорят к пожизненному заключению. Кто-то же должен тогда заботиться об Изабель, а как ни крути, они все-таки ее бабушка и дедушка.

— Я назначу ее опекуном Флору. Они с Изабель обожают друг друга — об этом знают все и вся. — Мартин словно пытался убедить самого себя в весомости своих аргументов. —

Изабель никогда не встречалась с Мурильо и вряд ли знает, кто они такие.

— Не важно, посадят тебя или нет, — тихо произнес Фаргас. — Мурильо хотят заполучить Изабель даже в том случае, если ты будешь оправдан.

— Что?!

— Родители Альтеи утверждают, что только они способны обеспечить ребенку должные воспитание и любовь.

— Какая чепуха!

— Ты забываешь о дружбе Хавьера с Франко. У нас не демократия, Мартин, а диктатура. Сейчас закон — это Франко. Побеждает тот, кто имеет к нему доступ.

— Другими словами, у меня нет никаких шансов.

— Шансов у тебя немного.

После ухода Алехандро Мартин отсутствовал где-то несколько часов. Вернувшись, он пригласил Флору в библиотеку и пересказал ей утреннюю беседу с Фаргасом.

— Ты мне поможешь? — спросил он, когда Флора тихо ахнула.

— Это ты убил Альтею? — в ответ спросила она.

— Нет, — без колебаний отозвался Мартин.

Флора решила ему поверить — впрочем, она всегда ему верила.

Улыбнувшись, Мартин крепко обнял тетушку.

— Я хочу, чтобы ты увезла Изабель до того, как они заберут ее.

Обычно семилетних детей папы на плечах уже не носят. Однако благодаря своему гигантскому росту Мартин мог позволить себе это удовольствие. Окружавшие Кастель холмы служили им с Изабель излюбленным местом для прогулок, особенно ранним вечером, когда лучи опускающегося за дубовым лесом солнца создавали ощущение абсолютного мира и покоя.

Добравшись до любимой полянки, откуда открывался восхитительный вид на Барселону, Мартин снял дочку со своих плеч и усадил ее на траву. Расположившись рядом, он сразу же заговорил:

— Для нас настало тяжелое время, Изабель. Мы оба потеряли женщину, которую любили больше всего на свете, женщину, благодаря которой наша жизнь только и имела смысл. Нам следовало бы вместе оплакивать эту потерю, но полиция не оставит нас в покое.

Вспомнив беседы с детективами из следственной бригады, Изабель нахмурилась.

— Я сказала им все, что знала, папа, но они приходят снова и снова и спрашивают одно и то же. Я не знаю, чего они хотят. Мне страшно!

Подхватив дочь на руки, Мартин крепко прижал ее к себе. Он-то прекрасно знал, чего хотят от нее полицейские: ей всего лишь надо сказать, что она видела отца на месте преступления.

— Вот почему я попросил тетю Флору отвезти тебя к Дюранам, — отозвался он.

— Это слишком далеко, — не в силах сдержать слез, тотчас захныкала Изабель. — Я хочу остаться здесь, с тобой!

— Это ненадолго, — стараясь утешить ее, сказал Мартин, — пока я не выкручусь из этой истории. Тогда ты вернешься, мы приведем дела в порядок и будем жить вместе, как и подобает отцу и дочери. Я тебе обещаю.

Обычно, когда Мартин ее обнимал, Изабель успокаивалась. На сей раз, несмотря на силу его объятий, несмотря на искренность его обещаний, дочь продолжала плакать.

На следующее утро одна из верных служанок Флоры, Консуэла Серрат, встав намного раньше обычного, осторожно натянула на себя взятое из гардероба хозяйки черное платье с длинными рукавами, черные чулки и туфли, накинула на голову и плечи кружевную черную шелковую шаль и взяла в руки черную кожаную сумку.

Десятилетняя дочь Консуэлы, Тереза, для девочки своих лет, к счастью, была очень маленькой — потому к счастью, что одежда Изабель вполне ей подошла.

Около восьми часов Консуэла и Тереза сели в «мерседес» и отправились в аэропорт, откуда вылетели в Венесуэлу.

Заранее связавшись с подпольем, Мартин снабдил фальшивыми документами всех действующих лиц этой маленькой драмы. Консуэла и Тереза получили паспорта на имя Флоры Пуйоль и Изабель де Луна, а Флора и Изабель — совершенно липовые бумаги на вымышленные имена. После их благополучного прибытия на место Алехандро со специальным курьером пришлет им настоящие документы.

Тем временем муж Консуэлы, Педро, сообщил о своей готовности сеньорите Флоре, и она двинулась к выходу. Мартин тотчас подхватил Изабель на руки и крепко прижал к себе. Девочка была так расстроена, что ночью почти не спала, и отцу пришлось все время сидеть рядом с ней, утешая. Теперь глаза Изабель были красными и припухшими, подбородок дрожал.

Осторожно усадив дочку в грузовик, Мартин произнес:

— Знай, что я люблю тебя, Изабель. — Этот отцовский тон девочка запомнила на всю жизнь. — Знай, что я сделал все, что мог. — Расцеловав Изабель в щеки, Мартин тихо прошептал: — Помни, как я люблю тебя и как буду скучать по тебе.

— Хорошо, п-папа, — запинаясь пробормотала Изабель. Флора и Педро уже усаживались в грузовик рядом с ней.

Не желая расставаться, девочка обернулась, встала на колени и уткнулась носом в заднее стекло кабины.

И хотя Изабель еще долго видела прощально поднятую руку отца, она так и не разглядела слез, катившихся по его щекам, и не узнала, каким одиноким и испуганным чувствует себя без нее отец.

Услышав по телефону от Мартина о том, что произошло, Миранда Дюран сразу согласилась помочь. Но через два дня, когда Дюраны встретили самолет, на котором прилетели Флора и Изабель, Миранда усомнилась в правильности своего решения. Конечно, она предполагала, что

Изабель будет расстроена, но не до такой же степени!.. Раньше девочка всегда с радостью бежала к Миранде и Луису, а вот теперь, когда при встрече они попытались ее обнять, резко отшатнулась. Заслужившая в Ла-Каса репутацию почемучки, сейчас она не задавала никаких вопросов — вообще едва разговаривала.

Когда вконец измученная девочка заснула, Флора отправилась в личные апартаменты Дюранов.

— Изабель спит? — усевшись на кушетку, спросила Миранда.

— Это ненадолго, — ответила Флора. Из-за скудного английского Флоры все говорили по-испански. Ее же мягкая кастильская речь казалась строгой и экзотичной. — После смерти Альтеи девочку мучают кошмары.

Миранда покачала головой:

— Она еще слишком мала. Потерять мать — ужасно само по себе, но переживания о том, что отца могут посадить в тюрьму, — это уж слишком!

— И не говорите. Хотелось бы считать, что все ее страхи необоснованны, но это, увы, не так.

— А другие подозреваемые есть?

Вздохнув, Флора слабо улыбнулась:

— Есть один человек, который в день убийства тоже был в гостинице. Несомненно, Мурильо его защищают.

— У Мурильо есть основания считать его виновным?

— Я не знаю ответа на ваш вопрос, — ответила Флора. — Я знаю только, что они явно хотят обвинить во всем Мартина. Обвинить и устранить. И еще они хотят забрать Изабель.

— Не беспокойтесь, у нас Изабель будет в полной безопасности, — похлопав ее по руке, сказала Миранда.

У Мартина отчаянно болела поясница. Последние три часа ему пришлось просидеть на металлическом стуле, слишком маленьком для мужчины его габаритов. Под ярким светом лампы глаза его покраснели, зрачки сузились, а от длительного пребывания в сыром подвале, где производился допрос, суставы рук и ног отчаянно ныли.

— Такой простой вопрос, де Луна: где вы были пятнадцатого августа между семью и девятью тридцатью вечера?

В барселонской полиции Мануэль Гарсия служил главным следователем. Назначенный на свой пост по распоряжению Франсиско Франко, он имел репутацию отъявленного негодяя, применяющего самые жестокие методы расследования. Однако в деле Мартина де Луна он явно проявлял сдержанность, и тот никак не мог понять почему.

— Уже в двадцатый раз повторяю: я был дома.

— Может кто-нибудь подтвердить ваше алиби?

— Я сделал несколько телефонных звонков. Алехандро Фаргасу. Сеньорите Пуйоль. Франсуа Леверру в Канны. — Заметив недоумение Гарсии, Мартин пояснил: — Он занимается продажей антикварных автомобилей.

— Значит, вы собирались бежать. Думаю, во Францию, и таким вот образом зондировали почву, чтобы иметь деньги наготове.

— Это просто смешно! — грустно засмеялся Мартин. — Во-первых, подобные сделки сразу не совершаются, тут требуются недели, а не минуты. Кроме того, эти телефонные звонки были сделаны за несколько часов до убийства Альтеи. Как мог я планировать бегство после преступления, о котором и не помышлял?

— А кто вас навещал? — Внезапная смена темы разговора обнадежила Мартина. Ведь Гарсия тем самым признавал, что аргументы подозреваемого убедили его. — Кто-то входил в ваш дом около двух дня. Кто это был?

— Пасква Барба.

— Я правильно расслышал? — нагнувшись, спросил Гарсия. — Вы сказали, что Пасква Барба приходил в ваш дом в день убийства вашей жены?

— Да.

— Тот самый Пасква Барба, который преследовал ее на Мальорке? Тот самый, с кем вы ругались в чайной комнате в «Ритце»? — Мартин неохотно кивнул. — И какова же была цель его визита?

— Я выставил на продажу «Дрэгон текстайлз». И несколько месяцев подряд вел переговоры с сеньором Рамиресом. В то утро мы подписали договор. Барба приходил затем, чтобы сказать, что за Рамиресом стоял он.

Глаза Гарсии удивленно расширились.

— Зачем Барбе текстильная компания в Барселоне, если его предприятия находятся в Мадриде и Севилье?

— Альтея была в «Дрэгон» главным дизайнером. Он хотел заполучить компанию, чтобы заполучить ее!

— Если «Дрэгон» так много значила для Альтеи, почему вы решились ее продать?

— Среди наших домовладений есть дома с престарелыми жильцами. Они понадобились правительству, поэтому власти подняли налоги, чтобы вынудить нас продать их. Старикам стало бы негде жить, вот мы и решили сохранить эти дома, продав что-нибудь другое. За «Дрэгон» дали бы максимальную цену. Альтея это понимала.

— Но ведь у вас были плохие отношения. Возможно, она решила, что вы продаете «Дрэгон», чтобы наказать ее. А Барба выкупил «Дрэгон» ей в подарок. В ее глазах он — герой, а вы — негодяй.

Мартин с трудом сдержался, чтобы не закричать.

— Вы не правы, Гарсия, — только и сказал он.

— Неужели? — Следователь вплотную приблизил свое лицо к лицу Мартина. — Вы ссорились с ней. Люди все это видели. И слышали.

— Барба тоже с ней ссорился. И тоже на людях. Почему бы вам не допросить его?

Гарсия отступил назад и взял себя в руки. Как смеет этот несчастный указывать ему, что делать, да еще в присутствии подчиненных?!

— Он так и не простил ей, что она вышла за меня замуж. Подойдя к их столику, я услышал, что он снова ее умоляет. Конечно, я не слишком обрадовался, увидев его рядом с Альтеей, но и он не выказал своего расположения. Да, мы крупно поговорили, но когда Альтея отказалась с ним ехать, именно Барба пришел в бешенство! Ведь это его отвергли. И это он ее убил! Неужели сами не видите?

— Я вижу лишь раздраженного, ревнивого мужа. Барба вас перехитрил. Он пришел в ваш дом посмеяться над вами, а потом пошел в «Ритц», чтобы сообщить вашей жене о своем триумфе. Вы были унижены и оскорблены. Вы не смогли помешать ему забрать вашу компанию, поэтому решили не дать ему забрать вашу жену.

— Я не убивал Альтею, — к разочарованию Гарсии, тихо и спокойно ответил Мартин. — Это Пако пришел в ярость, Гарсия. Альтея выставила его дураком, и это ему не понравилось. Почему бы вам не спросить его, где он был с семи до девяти?

— Я его спрашивал, — с победной усмешкой ответил Гарсия. — Он сидел в кафе с вашими тестем и тещей. У нас полно свидетелей, которые видели его с Мурильо в кафе на Рамбласе. Потом они втроем ужинали в «Рено», чему есть неоспоримые доказательства. Извините, де Луна, но рассказ Барбы подтверждается, а ваш нет. Так что давайте продолжим работу.

Последовали очередные два часа допроса с пристрастием, а затем Мартина освободили. Несмотря на все приемы следователя, он твердо придерживался своей версии.

Глядя на Мартина, выходящего из полицейского участка, Гарсия злобно усмехнулся. Несмотря ни на что, дни великана сочтены. К концу недели против Мартина выдвинут официальное обвинение и арестуют его. Суд состоится очень скоро, и не важно, сколько он продлится — Мартина де Луна все равно признают виновным.

В один прекрасный день Нина обнаружила Изабель сидящей на скамеечке у окна гостиной. Схватившись, словно за спасательный круг, за свой талисман, она напряженно вглядывалась в окружавшие Санта-Фе горы Сангре-де-Кристо, однако Нина готова была поклясться, что их величие малютку совершенно не трогает — она смотрит куда-то сквозь них, в таинственную бесконечность. Нина, не способная даже на мгновение представить себя на месте Изабель, вдруг прониклась острой жалостью к грустной гостье.

Для Нины Альтея всегда была образцом совершенства, любимицей богов. Она была красива, прекрасно воспитана, умна, талантлива, ее обожал муж, любила дочь, все ею восхищались и мало этого — ей еще можно было гордиться и знатным происхождением.

Только из-за одного этого об Альтее можно горевать.

«Тем не менее, — думала Нина, — у Изабель остался Мартин, а он такой восхитительный!»

— Как ты себя чувствуешь? — спросила Нина, подойдя к Изабель.

Девочка повернула к ней голову и стало ясно, что она плакала. На часах было около четырех. Мартин обычно звонил в три.

— Все в порядке? — снова спросила Нина, боясь, что Мартина арестовали.

Изабель кивнула, но не слишком бодро.

— Я слышала, как ты ночью плакала. — Комната Нины располагалась рядом с той, где остановились Изабель и Флора. — Какие они? — поинтересовалась Нина. — Я имею в виду — кошмары.

— Синие, — ответила Изабель, наморщив лоб, словно видения вновь встали у нее перед глазами. — Все окрашено в яркий синий цвет. Все выглядит как-то неправильно — лица, вещи. Все неясно, все сине, как будто кто-то вылил на мои сны банку синей краски. — Она вздрогнула. — Вот почему они так ужасны. Из-за этой синевы.

— Ты думаешь, это сделал твой папа?

— Нет, — отрезала Изабель так твердо, что Нина выпрямилась в восхищении.

— Но ты же спала!

45

— Спала. Но папа сказал, что не делал этого, а я ему верю.

— Изабель, твой папа отличный парень, и вряд ли он натворил такое, но если бы и так, он не стал бы тебе сообщать об этом.

— Мой отец не обманывает! — мгновенно взорвалась Изабель. — Если он говорит, что не делал этого — значит, не делал!

— Прости меня, я не хотела, — Нина тотчас схватила девочку за руку, — правда не хотела, Из. Прости.

Изабель кивнула, но так и не успокоилась.

Мартин курил не переставая, прикуривая одну сигарету от другой.

— Ты скоро переломишься пополам, — неодобрительно сказал Алехандро, наблюдая, как его клиент содрогается от мучительного кашля.

— Значит, я не умру от рака легких!

В последнее время Мартину приходилось особенно нелегко, нервы у него были на пределе. После допроса у Гарсии за ним постоянно следили. Вокруг дома поставили охрану. Все, кто когда-либо имел с ним контакты — не важно, делового или личного характера, — подвергались допросам.

— Непонятно только одно, — вдруг сказал Мартин, — почему Гарсия так со мной церемонится? Это не в его стиле.

— Ну, это яснее ясного, — возразил Фаргас. — Убийство Альтеи — дело не политическое, а ты слишком известен, чтобы выбивать из тебя признание. Им совсем ни к чему делать из де Луна мученика.

Худшие опасения Фаргаса оправдались незамедлительно, когда вечером того же дня Гарсия явился со своей командой арестовывать Мартина.

— Держи связь с Флорой, — хриплым от напряжения голосом сказал он Алехандро по телефону незадолго до этого. — Пусть приедет и свидетельствует в мою пользу.

— А как насчет Изабель? — спросил Фаргас. — Ей тоже возвращаться домой?

— Нет, — твердо проговорил Мартин, игнорируя щелчок в трубке, свидетельствующий о том, что теперь их кто-то подслушивает. — До тех пор, пока все не кончится, — ни за что.

Вернувшись в Барселону, Флора звонила ежедневно в определенное время, но все ее сообщения только усиливали страхи Изабель. Чувствуя, что тетка многого не договаривает, Изабель давала волю своему воображению и, естественно, впадала в депрессию. Чем дальше, тем тяжелее становилось у нее на душе. Не зная о ходатайстве своих бабушки и дедушки, девочка не видела смысла в своем пребывании в США, а логика подсказывала ей, что ее отсутствие могут истолковать как доказательство папиной вины. Если бы она была рядом с отцом, то наверняка смогла бы его защитить.

Миранда и Луис пытались как-то утешить Изабель, однако их туманные рассуждения о том, что дело Мартина гораздо сложнее, чем ей представляется, только усиливали ее беспокойство.

Все эти дни Изабель оставалась вялой и апатичной, оживляясь лишь около половины четвертого, когда звонила Флора. Но во вторник телефон почему-то зазвонил утром. Нина была в школе, Миранда в галерее, а Луис трудился в гостинице. Не зная, что делать, Изабель после нескольких звонков все же сняла трубку.

— Тетя Флора, что случилось? — Ответом на ее вопрос стала весьма длительная пауза, и девочка уже решила, что их разъединили. — Тетя Флора! Ты меня слышишь?

— Да, но у меня для тебя ужасная новость, детка.

— Папа?! Что случилось с папой? — Сердце Изабель бешено забилось. Задержав дыхание, она закрыла глаза, как будто это могло помочь ей выдержать удар.

— Он умер. — На миг Флора потеряла над собой контроль, тем не менее ее рыданий девочка не услышала. —

Изабель, — собравшись с силами, спросила Флора, — ты меня слышишь?

— Его убили?

Голос Изабель был таким тихим и печальным, что Флоре отчаянно захотелось прижать ее к своей груди. К сожалению, они были слишком далеко друг от друга, впрочем, будь они рядом, такому горю все равно никакими утешениями не поможешь.

— Нет, милая. У папы случился сердечный приступ.

Услышав это, Изабель лишилась чувств и непременно упала бы, если бы не Миранда. Вернувшись в Ла-Каса минуту назад, она подхватила и уложила потерявшего сознание ребенка на кушетку. С помощью воды ей удалось привести Изабель в чувство, однако слезы катились по щекам девочки неудержимым потоком.

Мартин умер в камере от сердечного приступа. После вскрытия врачи засвидетельствовали, что у него был врожденный порок сердца. К тому же на состоянии здоровья де Луна сказался стресс, вызванный следствием, арестом, заключением и судебным процессом. Естественно, повлияло и то, что он постоянно и много курил.

— Я не оспариваю мнение врачей, — сказала Флора Миранде по телефону, — но не это послужило причиной смерти. Его убили смерть Альтеи и разлука с дочерью. Сердце Мартина не выдержало и разорвалось.

— Разорвалось не только его сердце, — глядя на вздрагивающее тельце Изабель, произнесла Миранда. — Так что мне теперь делать?

— Пока ничего не предпринимайте. Нам с Алехандро нужно узнать, что планируют Мурильо. — Флора всячески старалась сдержать свои эмоции. — Не хватало еще потерять Изабель. Пожалуйста, позаботьтесь о девочке. Присмотрите за ней. Будьте с ней поласковее.

— Конечно, Флора, — отозвалась Миранда. Поглаживая Изабель по спине, она чувствовала, как вздрагивают от рыданий ее худенькие плечи. — Но и вы берегите себя. Она не выдержит еще одной потери.

С тех пор Изабель на многие месяцы погрузилась в тяжелую депрессию. Большую часть времени она проводила в своей комнате. Лежа на постели, глядела в окно на далекие вершины гор, словно искала там ответа на мучившие ее вопросы. Миранда приводила ее к столу; иногда девочка ела, но в основном лишь молча ковыряла еду. Пытаясь вывести Изабель из этого состояния, Луис каждое утро предлагал ей заняться тем или иным делом, но девочка упрямо отказывалась. Каждый вечер Миранда укладывала ее спать — Изабель беспрестанно плакала. К ней то и дело подходила Нина и предлагала поиграть, поговорить. И хотя Изабель понимала, что все они действуют из лучших побуждений, и по-своему это ценила, сказать ей было нечего.

Меньше чем за два месяца она потеряла обоих родителей и, как ей казалось, потеряла дом, утратила самую основу своего существования. А ведь ей было всего семь лет.

Глава 4

Приехав в Ла-Каса, Алехандро Фаргас был потрясен видом Изабель. От природы худощавая, сейчас она выглядела прямо-таки изможденной. Серый цвет лица, потухшие глаза. Она попыталась рвануться навстречу Алехандро, но ноги отказывались ее нести. Маленькими, неуверенными шагами девочка двинулась ему навстречу, нижняя губа дрожала, из глаз катились крупные слезы. Не в силах выдержать это печальное зрелище, Алехандро буквально в два прыжка преодолел разделявшее их расстояние и крепко сжал Изабель в своих объятиях.

Изабель звала его *тио* — дядей, но он всегда считал ее внучкой. До сих пор играть роль дедушки — встречать с девочкой праздники, рассказывать сказки, рассматривать вместе марки — ему было легко и приятно. Просто Изабель была ласковым ребенком, принимавшим его любовь и отвечавшим ему тем же.

Однако сейчас, обнимая Изабель, Фаргас понимал, что и у любви есть свои узы. Мартина и Альтею он любил как родных детей и искренне горевал об их безвременной кончине, но видеть Изабель в таком состоянии оказалось тяжелее, чем опускающиеся в землю гробы ее родителей.

— *Тио,* — сказала она, впервые заговорив после того, как узнала о смерти отца, — ты приехал, чтобы увезти меня домой?

— Нет, моя *перикита,* — ответил он, невольно вспомнив тот день, когда впервые назвал девочку этим ласковым прозвищем. Изабель как раз исполнилось четыре года, и Алехандро принес ей в подарок длиннохвостого попугая — по-испански «перикита».

— Но почему? — с отчаянием спросила Изабель. — Почему мне нельзя домой?

Алехандро молча усадил Изабель к себе на колени. Миранда и Луис тактично отошли в сторону.

— После того как папа умер, начались споры насчет имущества, денег, банковских счетов... Мы с тетей Флорой пытаемся все урегулировать, а еще бьемся на другом фронте, — продолжил он, погладив ее по голове. — Ты помнишь людей, которые устроили скандал на маминых похоронах? Помнишь Мурильо?

Изабель снова кивнула, но в глазах ее мелькнуло беспокойство.

— Знаешь, кто они?

— Мамины родители, — ответила девочка. — Мои бабушка и дедушка. — Она почему-то скривилась.

— Правильно. — Алехандро на секунду умолк, на губах его заиграла нервная улыбка. — Они хотят, чтобы ты жила с ними.

— Нет! — Изабель отчаянно замотала головой. — Мне они не нравятся. Они плохо вели себя с папой. Пожалуйста, *тио,* не отдавай меня им!

50

— Ш-ш-ш! — поцеловал ее в щеку Алехандро. — Я и не собираюсь, моя *перикита*. Но если ты уедешь со мной обратно в Барселону, они тебя заберут. Сейчас они просто не знают, где ты.

Алехандро приехал в Санта-Фе кружным путем — через Ниццу, Париж и Чикаго. Как он объяснил Дюранам, в завещании Мартина тот объявлял их опекунами Изабель, не указывая точного адреса. Мурильо же знали только то, что Дюраны живут где-то в Европе или Южной Америке.

Несколько минут Изабель молчала. Казалось, она старается оценить ситуацию и что-то решить. Понимая, что семилетний ребенок все — и хорошее, и плохое — воспринимает слишком близко к сердцу, Алехандро и Дюраны ее не торопили. В случае необходимости Алехандро объяснил бы все подробнее, но из сострадания не стал. Изабель вполне хватит и того, что она услышала.

— Когда? — коротко спросила Изабель таким тихим голосом, что Алехандро пришлось наклониться, чтобы ее услышать. — Когда я смогу вернуться домой к тебе и тете Флоре?

— Как только мы будем уверены, что тебе не грозит никакая опасность. Я не знаю, сколько это продлится, но обещаю тебе от имени своего и Флоры, что мы заберем тебя при первой же возможности.

Позднее, когда Изабель заснула, Луис и Алехандро разговорились.

— Позапрошлым летом Мартин упал в обморок, — начал Луис. — Наш общий друг, доктор Джонас Хоффман, поставил ему диагноз — кардиомиопатия. Мартин взял с него слово, что тот будет хранить молчание. И только после смерти Мартина Хоффман все рассказал.

— Очевидно, Мартин тоже поклялся держать это в тайне. — Алехандро до сих пор не мог понять, почему де Луна скрывал эту ужасную правду. Из гордости? Из страха? — Пожалуй, были признаки того, что не все в порядке. Мы с Флорой заметили в нем чрезмерную рассудительность, странный интерес к недвижимости и тому подобным вещам. — Взвешивая упущенные возможности, он задумчиво тер подбородок. — Если бы я расспросил его поподробнее...

Луис кивнул. Мир полон таких вот «если».

— Джонас считал, что Мартин сам должен рассказать все Альтее. Сделай он это, ситуация сложилась бы по-другому.

Алехандро загасил сигару.

— Ненадолго. Насколько я понимаю, он был обречен.

— Да, но он не запятнал бы свое имя. А это имеет большое значение для Изабель, — отозвался Луис.

Алехандро кивнул и отпил хереса, несколько пристыженный тем, что не подумал о девочке. Луис прав. Изабель унаследовала бремя вины отца, а это тяжелая ноша, особенно если ты обрел ее в детском возрасте.

— Мне неудобно об этом спрашивать, — замявшись, начал Луис, — но я небогатый человек. Мартин оставил что-нибудь Изабель в наследство?

Фаргас смущенно покачал головой.

— Оставил, но правительство аннулировало его завещание. Желания Мартина не имеют значения.

— Как же это может быть? — недоверчиво спросил Луис.

Алехандро похлопал его по колену.

— Американцам трудно представить, что такое диктатура. Правительство конфисковало всю собственность де Луна: фабрики, дома, деньги на банковских счетах — в общем, все, за исключением его коллекции машин и драгоценностей Альтеи, которые та — наверное, по наущению свыше — завещала Флоре.

— Как же это им удалось?

Фаргас переменился в лице.

— Да простит меня Господь, им помог я. — Луис в замешательстве посмотрел на собеседника. — Изабель — единственная наследница Мартина. Так как мы спрятали ее от Мурильо, имущество стало выморочным.

— Что это значит?

— Если при открытии наследства наследник или мертв, или его нельзя найти, все достается государству. Если мы привезем Изабель в Барселону, она, конечно, получит то, что ей причитается — за вычетом громадных налогов, но тогда она наверняка попадет под опеку Мурильо. Они нас поймали, и знают об этом.

Встав с кушетки, Луис подошел к камину и с отсутствующим видом принялся помешивать уголья.

— Я, видимо, проявил неоправданную беспечность, добавив в вашу семью лишний рот, — заключил Алехандро. — Мы с Флорой не в состоянии сейчас взять Изабель к себе, но мы поможем всем, чем сможем. — Смутившись, он замолчал.

— Что ж, — покачал головой Луис, очевидно, уже приняв решение. — На свете случайностей нет. — Он помолчал, собираясь с мыслями. — Наш с Мирандой сын умер в трехлетнем возрасте. Мы хотели родить других детей, но у нас ничего не получилось. Мы думали, что так угодно Богу, но тут Господь послал нам Нину. Теперь же Он посылает нам Изабель. Пусть живет у нас столько, сколько захочет.

Время шло, но Изабель по-прежнему горевала. Всячески стараясь вывести несчастного ребенка из этого состояния, Миранда постоянно заговаривала с ней, водила на прогулки в город, возила в горы, но увы... Та твердость, та решимость, которые проявила Изабель во время визита Алехандро, испарились без следа. Тем не менее Миранда не теряла надежды.

И вот в один прекрасный день, проходя из столовой на кухню, она увидела в окно Изабель, сидящую в саду прямо на земле. Сломанной веткой Изабель рисовала на песке что-то похожее на цветы и деревья. Миранда тут же вспомнила свой разговор с дочерью насчет Изабель.

— Она очень молчаливая, мама, — жаловалась ей Нина. — Я пытаюсь ее разговорить, а она все время грустит. Но ты ведь знаешь, как я люблю писать в своем дневнике? — продолжила она. Миранда утвердительно кивнула. — Так вот, Изабель его весь изрисовала. Она также рисует странные лица на клочках бумаги и в тетрадке, которую хранит в тумбочке возле своей кровати.

Поразмышляв над этим, Миранда вспомнила последний визит де Луна всей семьей. Тогда, сидя в этом самом саду, Альтея частенько рисовала открывшуюся перед ней панораму. Вертевшаяся рядом Изабель всячески стремилась подражать матери. С серьезным видом вглядываясь в ландшафт, она медленно водила карандашом по бумаге, оставляя на ней пусть безыскусные, но все же вполне узнаваемые образы. На Миранду все это произвело большое впечатление, о чем она не преминула сказать Альтее.

«Она очень талантлива, — с нескрываемой гордостью ответила Альтея. — Так как у нее мое чувство линии и то же исключительное чувство цвета, что и у Флоры, приходится признать, что Изабель унаследовала все лучшее от нас обеих. Конечно, ей всего шесть лет — кто знает, что будет дальше».

«Действительно, кто знает», — подумала Миранда и вечером за ужином объявила, что ей нужна помощь Изабель.

Не выказав особого интереса, Изабель лишь утвердительно кивнула.

На следующий день Миранда отвела Изабель в галерею. Выставленные там красочные картины, по замыслу Миранды, должны были вызвать у девочки хоть какую-то реакцию, но Изабель осталась безучастной. Показав ей, как перышками смахивать пыль с картин, Миранда удалилась к себе в кабинет и исподтишка через открытое окно принялась наблюдать за происходящим.

Первую картину Изабель протерла быстро, то же произошло и со второй. Третьей она уже уделила немного внимания, а у четвертой так и вовсе задержалась. Сердце Миранды учащенно забилось. Отступив на шаг назад, девочка явно разглядывала работу: склонила голову налево, направо, прищурилась, затем снова широко раскрыла глаза.

Миранде хотелось, чтобы Изабель поделилась с ней своими эмоциями от увиденного, однако до конца дня девочка так и не проронила ни слова. Что ж, давить на нее не стоит.

Через две недели Миранда поменяла экспозицию. На этот раз она отражала жизнь американских индейцев в прошлом веке. Изабель с интересом остановилась у картины, изображавшей индейскую скво, которая кормит младенца.

Другая картина изображала индейских юношей во время ритуального танца. На их разгоряченных лицах с налобными повязками застыл такой восторг, что Изабель не удержалась от улыбки.

Наконец-то Миранда сумела подобрать ключик к Изабель. Теперь оставалось только терпеливо ждать.

Второй, после Изабель, лучшей подругой Нины была маленькая книжечка в кожаном переплете, хранившая ее самые большие тайны.

Ее страницам с розовым обрезом Нина поверяла свою душу с почти религиозным фанатизмом, и с благоговением перечитывала затем написанное. Девочка мечтала стать писательницей, а потому, представляя свой дневник рукописью романа, не считала для себя зазорным несколько приукрасить происшедшее за день или слегка подредактировать свои мысли так, чтобы они выглядели глубже и лиричнее.

В реальности Дюраны с трудом сводили концы с концами, и Нина прекрасно это знала, поскольку помогала по дому и на кухне. Однако на страницах ее дневника все выглядело иначе. Дюраны были богачами, Нина — принцессой, и вообще ей было не десять лет, а двадцать, и за ней ухаживали первые красавцы королевства. Иногда же из приемной дочери она превращалась в девочку, из-за которой упрямо спорили родители — Дюраны и неизвестные «они».

После встречи Нины с супругами де Луна та элегантная богиня, которая была ее матерью, стала походить на Альтею, а отец оказался вылитый Мартин.

Узнав, что Альтеи не стало, Нина долго плакала, а со смертью Мартина примириться ей было еще труднее. Де Луна всегда казался Нине непобедимым героем, которому были нипочем напасти, роковые для простых смертных. Неужели его мог свалить какой-то прозаический сердечный приступ?

Девочка дала событиям свое толкование. Из-за скоротечности своего визита в Санта-Фе Алехандро ничего не успел сообщить о похоронах Мартина, что делало версию Нины вполне жизнеспособной. Она свято верила в то, что Мартин на самом деле жив, а Изабель он оставил в Штатах потому, что сердится на нее. Ведь сообщи она полиции то, что видела в ночь убийства, его бы не арестовали. Но дочь следствию ничего не сказала, и Мартин в наказание отослал ее прочь. Стыдясь его жестокости, Флора и Алехандро решили пойти на обман, сказав Изабель, что ее отец умер, а не отказался от нее.

Боль утраты со временем утихнет, а вот горечь от сознания того, что тебя бросили, не пройдет никогда.

В конце ноября Дюранам позвонил управляющий Национальным банком Санта-Фе и предложил встретиться для приватной беседы. Хотя и не без внутреннего трепета, Миранда и Луис согласились.

— Прошу прощения, что я не стал ничего сообщать по телефону, — войдя в кабинет Луиса, произнес Оскар Йонт, — но меня проинструктировали соответствующим образом. — Открыв кожаный «дипломат», он достал оттуда большой бумажный конверт. — Вы, конечно, не станете отрицать, что знакомы с сеньором Алехандро Фаргасом из Барселоны, и понимаете, к чему такая осторожность. — Йонт достал из конверта какие-то бумаги и два чека.

Услышав имя Алехандро, Миранда несколько успокоилась. По крайней мере гостиницу у них не отберут.

— Да, мы знакомы с сеньором Фаргасом.

— Он предоставляет вам право распоряжаться наследством... — Йонт замешкался, отыскивая в одной из бумаг имя завещателя.

— Мартина де Луна, — подсказала Миранда.

— Совершенно верно. — Банкир утвердительно кивнул. — В своем письме мистер Фаргас сообщил мне, что вы уже знаете о том, что случилось с большей частью наследства.

— Оно отошло государству, — огорченно закивал Луис.

— По словам сеньора Фаргаса, оставшаяся часть наследства мистера де Луна состоит из драгоценностей его жены и коллекции антикварных автомобилей.

Луис кивнул.

— Сеньорита Пуйоль поместила драгоценности в безопасное место так, чтобы Изабель получила их, когда вырастет, и продала машины, чтобы погасить долги своего племянника. К сожалению, денег после этого осталось не очень много. Сеньор Фаргас поручил мне передать это вам. — Йонт подал один чек Луису, а другой — Миранде. — Вот чек на десять тысяч долларов, которые вы можете использовать по своему усмотрению. Алехандро и Флора просили вас принять этот чек с любовью и благодарностью от них самих и Мартина. — Он помолчал, тактично выжидая, пока Миранда утрет навернувшиеся на глаза слезы. — А чек на двадцать пять тысяч долларов предназначен для содержания Изабель.

— Нет, — сказала Миранда, — чтобы любить Изабель, деньги мне не нужны.

— Совершенно верно, — искренне улыбнулся Йонт. — Я думаю, они мыслят так же, миссис Дюран, но, если позволите мне высказать свое мнение, делают это не только ради вас, но и ради самих себя.

Подвинувшись к жене, Луис похлопал ее по плечу:

— Послушай мистера Йонта, Миранда. Алехандро и Флора не платят нам, они просто заботятся об Изабель единственно доступным им способом.

— Совершенно верно! — Встав, Йонт защелкнул свой «дипломат» и, довольно улыбаясь, протянул руку Луису. — Если вам нужен совет по поводу инвестиций, буду рад вам помочь.

К Рождеству появились первые признаки выздоровления Изабель. Она перестала замыкаться в себе, и хотя по-прежнему не заговаривала первой и все еще не смеялась, настроение ее стало не таким мрачным, как раньше.

В канун праздника Дюраны обычно приглашали всех постояльцев и человек пятьдесят соседей в вестибюль гостиницы петь рождественские гимны, пить подогретый сидр и украшать рождественскую елку. После праздничного ужина все отправлялись на полуночную мессу. Единственное изменение, которое внесла Миранда в обычную программу праздника, было число приглашенных на ужин — на сей раз Дюраны ждали лишь Джонаса Хоффмана, его жену Рут — журналистку, работавшую в местной газете, и их детей, Ребекку и Сэма. Хоффманы и Дюраны часто встречали праздники вместе. В Рождество Хоффманы помогали наряжать рождественскую елку в Ла-Каса, а в первый день хануки — Хоффманы были евреями — Дюраны отправлялись к ним, чтобы вместе зажечь свечи на меноре.

Когда настало время переодеваться к ужину, Миранда преподнесла девочкам сшитые ею платья из ярко-красного бархата. Платье Изабель было с белым пикейным воротничком, большим черным бантом и выглядывавшими исподнизу накрахмаленными белыми нижними юбками. Платье Нины смотрелось более утонченно — черный бархатный воротничок, манжеты и шарф вокруг талии.

— Счастливого Рождества! — произнесла Миранда, с радостью положив платья на кровати. Ну какая девочка устоит перед красным бархатом?!

Нина, конечно же, не устояла. Восхищенно взвизгнув, она схватила платье и побежала с ним в ванную, где немедленно принялась вертеться перед зеркалом, прикладывая к себе его то так, то этак. Изабель же, не двигаясь с места, молча стояла у кровати.

Миранде хотелось сквозь землю провалиться. Пытаясь поднять настроение Изабель, она вместо этого напомнила девочке о том, что было навеки утрачено.

Примерно через час, когда все собрались в обеденном зале гостиницы, Нина блистала в шикарном красном платье, Изабель же вышла в траурном темно-синем платьице, но настроение у нее было приподнятым.

Остаток вечера, по мнению Миранды, прошел хорошо. Луис предложил провести празднование именно в гостиничной столовой, а не на квартире, и, как оказалось, это была блестящая идея. Разговоры и смех гостей заполняли комнату, создавая веселую атмосферу шумного праздника. Никто не избегал Изабель, но никто и не навязывал ей своего участия.

Вниманием аудитории завладела Нина, рассказавшая последние голливудские сплетни — от подробностей бурного романа Тейлор — Бартона до скандала вокруг выбора исполнительницы главной роли в «Моей прекрасной леди».

Миранда с интересом следила за дочерью, поскольку та явно хотела произвести впечатление на Сэма Хоффмана. В свои тринадцать лет Сэм уже проявлял хорошие манеры своего симпатичного отца и был одарен умом и обаянием своей журналистки-матери. Миранду немало позабавило, что ее десятилетняя дочь не прочь с кем-либо пофлиртовать, но именно этим та сейчас и занималась.

Десерт прервал устроенное Ниной представление. Теперь она с нетерпением ждала, когда подадут яблочный пирог. Сэм же, который сидел между Ниной и Изабель, решил воспользоваться выдавшейся возможностью поговорить с Изабель. Его очень огорчали те перемены, которые произошли в ней за последние месяцы — веселая, любознательная девочка превратилась в какую-то бледную тень. Нельзя сказать, что он не понимал, почему это произошло. Однако Сэм верил в дружбу, верил в то, что если сейчас поддержать Изабель, то она сможет вернуться к жизни.

— Должно быть, ты теперь самая умная девочка в мире, — понизив голос, сказал он.

Изабель посмотрела на него с изумлением.

— Раньше ты задавала миллион вопросов, теперь же ни у кого ничего не спрашиваешь, поэтому я решил, что у тебя на все готов ответ.

Изабель хотела возразить, но, увидев смешинки в глазах Сэма, поняла, что он шутит. Она ничего не сказала, но на губах ее промелькнула легкая улыбка.

Желая вновь привлечь к себе внимание Сэма, Нина встала, подняла свой бокал и громко провозгласила:

— За Изабель!

— За Изабель, за Изабель!

Подняв бокалы, все дружно выпили за девочку в темно-синем платье. И хотя Изабель робко заулыбалась, Миранда понимала, что это ненадолго.

— Пойдемте наряжать елку — ведь сегодня Рождество, — предложила она.

Мгновенно вскочив с места, Нина попыталась схватить Сэма за руку, но тот воспротивился и тут же наклонился к Изабель. Ребекка тотчас дружески толкнула девочку в бок. Превозмогая ревность, Нина последовала ее примеру.

Изабель кивнула и вышла из столовой.

Миранда проводила ее взглядом. Похоже, дела идут на лад: голова девочки высоко поднята, походка уверенная. Миранда многозначительно кивнула Луису.

После мессы Дюраны возвратились в свою квартиру, чтобы распаковать подарки. Нина получила пушистый розовый свитер, перчатки, специальный выпуск журнала «Лайф», посвященный президенту Кеннеди, маленький фотоаппарат и последние альбомы «Битлз» и ее любимца Элвиса Пресли.

В свою очередь, Изабель обзавелась книгами, пижамами, парой джинсов, блокнотами и масляными красками, акварелью, карандашами и пастельными мелками.

— А вот это вам прислали почтой, — сказала Миранда, доставая еще два пакета. — Это от Флоры и Алехандро.

Нина совсем не ждала от них подарка, тем более такого изысканного — филигранной работы золотой крестик. Надев крестик на шею, она прочитала сопроводительную открытку и покраснела.

«Счастливого Рождества ангелу-хранителю Изабель», — значилось там.

Если бы Флора и Алехандро только знали, сколько раз Нина мечтала о том, чтобы Изабель увезли домой, как часто злилась, что все так носятся с «несчастной сиротой»!

Изабель прислали фотоальбом со снимками Мартина и Альтеи, Флоры, Алехандро и ее самой. Последняя фотография была сделана в день рождения Мартина, как раз перед злосчастной поездкой на Мальорку. Семья последний раз собралась в полном составе: Изабель на плечах Мартина, Альтея у него на коленях, а рядом Флора и Алехандро. Все явно хулиганят перед камерой, стараясь скривиться посмешнее. Вспомнив об этом эпизоде, Изабель засмеялась, но уже через несколько секунд ее смех перешел в рыдания.

Быстро подхватив ребенка на руки, Миранда крепко прижала его к себе.

— Ты понесла ужасную утрату, но ты не одна. У тебя остались чудесные воспоминания, с тобой любовь тети Флоры и Алехандро. У тебя новые друзья, такие, как Ребекка и Сэм. И у тебя есть новая семья, которая заботится о тебе и любит тебя.

— Мама права, — подхватила Нина. — Не важно, кто что сделал и кто знает правду о том, что произошло.

— Я знаю правду, — обернувшись к Нине, сказала Изабель. Щеки девочки внезапно раскраснелись, в голосе звучали металлические нотки. В глазах ее не было слез — в них можно было разглядеть лишь непоколебимую веру в собственную правоту. — Я знаю, что папа не убивал маму. И знаю, что он любил ее и меня — до самой своей смерти!

Глава 5

1968 год

Когда Изабель смирилась с тем, что останется в Санта-Фе, здешняя жизнь показалась ей вполне сносной. Местные обычаи, конечно, отличались от барселонских, но дети, как правило, легко привыкают к обстановке. Уже через несколько месяцев Изабель говорила по-английски без всякого акцента, а благодаря тому, что Нина всюду таскала ее за собой, у маленькой испанки скоро появилось много новых друзей.

Привыкнув к специям, она с удовольствием ела то, что готовила Миранда. Что же касается обновок, то Изабель с радостью экспериментировала со старыми платьями, создавая различные сочетания цветов и тканей.

С Ниной, как та и предполагала, они стали сестрами. Девочки жили в одной комнате, делились секретами, обменивались различными безделушками. В свои пятнадцать лет Нина уже превратилась в очень красивую молодую женщину. Высокая — ростом под сто восемьдесят сантиметров, — сероглазая, с шелковистыми льняными волосами, длинноногая и с безупречной фигурой, она вызывала зависть у всех коротышек города. Изабель же, которой только что исполнилось двенадцать, выглядела типичной девочкой-подростком — худой и высокой, с густыми каштановыми волосами.

Что еще поражало в Нине, так это то, что она видела все фильмы, которые привозили в город, интересовалась жизнью всех кинозвезд, могла напеть песни абсолютно всех известных певцов. Кроме того, она знала подноготную всех жителей Санта-Фе и всегда «питалась» слухами. И хотя Ребекка Хоффман говорила, что половину сказанного Нина сама же и придумала, а вторую половину приукрасила до неузнаваемости, на Изабель рассказы старшей сестры производили сильное впечатление. Возможно, потому, что Нина всегда была очень уверена в себе.

После пяти лет жизни под одной крышей Изабель знала Нину как никто другой. В то время как все считали, будто самоуверенность Нины связана с ее красотой, Изабель не раз видела, как подруга льет слезы по поводу того, что она слишком высокая и бледная, а потому, дескать, не представляет интереса для мальчиков. Изабель знала также, как Нина боится, что у нее не хватит таланта написать книгу, которая, судя по всему, уже находится у нее в голове.

Нина, впрочем, тоже знала Изабель как никто другой. Она слышала, как девочка в ужасе кричит от ночных кошмаров, и какая надежда звучит в ее голосе, когда она рассказывает о своей мечте стать художницей. Сестре было известно кроме того, как настойчива Изабель в овладении искусством художника и как робка она с мальчиками.

А Миранда и Луис относились к Изабель с истинной любовью, и было вполне естественно, что девочка ценила их доброту. Впрочем, Луис вел себя весьма сдержанно, чтобы Изабель не казалось, что он пытается заменить собой Мартина. Менее практичная и более чувствительная Миранда, напротив, всячески пыталась отогреть окоченевшую душу Изабель.

Когда Миранда впервые привезла Изабель в северо-западную часть Нью-Мексико, вид громадных столовых гор поразил и испугал девочку. Но страх наконец прошел, на смену ему явился восторг.

Во время той первой поездки в горы, когда они устроили пикник прямо на земле, Миранда рассказала Изабель о Джорджии О'Кифф — удивительной женщине, которая родилась в 1887 году на ферме в Висконсине, а теперь проживала в доме, приютившемся высоко на скале в местечке под названием Абиквиу.

— Я там выросла, — сказала Миранда.

— А вы когда-нибудь видели, как О'Кифф рисует?

— В своей студии она всегда работала за закрытыми дверями, но мне посчастливилось увидеть несколько набросков, когда наступила моя очередь вести ее домой.

— Вести домой? — удивилась Изабель.

— С возрастом мисс Джорджию стало подводить зрение. Но она не желала показывать, что от кого-то зависит — вставала на рассвете и уходила на этюды в долину рано утром. Она работала там до захода солнца. В темноте же она почти ничего не видела. Поэтому кто-нибудь из жителей Абиквиу провожал ее домой. В глубине души, я думаю, она была нам благодарна, но гордость не позволяла ей выказывать это.

— Расскажите мне о ее картинах, — попросила Изабель.

Миранда расплылась в улыбке от удовольствия.

В следующую вылазку Миранда показала Изабель сделанные О'Кифф рисунки красных холмов, которыми столь славятся бесплодные земли Нью-Мексико. И снова Изабель была в восхищении от мастерства О'Кифф. Казалось, будто мисс Джорджия сейчас рассматривает холмы в бинокль, в линзах которого отражается каждая складка местности.

Вскоре Изабель полюбила пустыню, отчасти потому, что находилась с ней наедине, если не считать Миранды, но главным образом потому, что училась у природы. С карандашами наготове Изабель любовалась ландшафтом, стараясь понять, как солнечный свет влияет на цвет предметов, как тень изменяет их форму и как их взаимное расположение создает перспективу.

Но иногда девочка давала волю своему воображению. Она изображала желтое небо над красными холмами пур-

пурной пустыни; рисовала зеленую реку с красными берегами, над которыми на черном небе сияла оранжевая луна. Как все это выглядит на самом деле, ее не интересовало. Она рисовала то, что чувствовала, цвет стал средством для выражения этих чувств. Единственный цвет, который Изабель никогда не использовала, был ярко-синий.

Сибил Крофт прибыла в Санта-Фе из Дувра, штат Вермонт, мечтая об успехе. Робкой и незаметной Сибил очень важно было уметь то, что не мог больше никто другой. И таким умением для нее стало искусство.

Убежденная в том, что призвана отразить в своем творчестве героический дух Новой Англии, Сибил начала изучать соседей и их привычки. Наблюдая за ними во время работы, отдыха, во время молитвы, она постоянно делала наброски, стараясь ухватить суть характера своих героев. Результатом ее трудов стала хроника жизни простых обитателей Новой Англии — открытых, немногословных людей с развитым чувством долга и строгой моралью.

Поэтому неудивительно, что курсовую работу в колледже — серию произведений на одну тему и в одной и той же манере — Сибил представила пятью большими полотнами под общим названием «Просто Вермонт».

«Просто Вермонт» получил первую премию. В выпуске Беннингтонского колледжа 1955 года Сибил Крофт была признана лучшей.

Через месяц после окончания колледжа Сибил собралась в Нью-Йорк — пора было начинать трудовую жизнь, но тут у матери обнаружили рак. Следующие два года Сибил, ухаживая за матерью и мучаясь от алкоголизма отца, пыталась удержать на плаву «Крофтс лэндинг» — принадлежавшую ее семье маленькую деревенскую гостиницу. Как только мать умерла, Сибил немедленно покинула родные места.

Итак, Сибил прибыла в Санта-Фе и устроилась в Ла-Каса официанткой-барменшей. Через некоторое время она

65

подружилась с Дюранами. Миранда посоветовала ей, как и когда лучше всего выставить свои произведения. Луис же, понимая, что работа в гостинице пробуждает у нее тяжелые воспоминания, рекомендовал ей пройти курс обучения в университете и получить диплом педагога.

— Работа преподавателя, — заключил он, — даст вам возможность получать за интересную работу приличную зарплату. При этом у вас останется время, чтобы писать картины.

С тех пор прошло десять лет. Теперь тридцатишестилетняя Сибил была уважаемым членом общины, входила в состав попечительского совета местной оперы, активно участвовала в работе художников, способствующих сохранению культуры индейцев, и была бессменным членом жюри различного рода вернисажей. Несмотря на то что ходили слухи о ее романах то с коллегой-учителем, то с инструктором по лыжам в Таосе и даже с университетским профессором, замуж Сибил так и не вышла.

То ли из прагматизма, то ли попросту потому, что у нее не было другого выхода, но со временем Сибил смирилась с судьбой. Оставив надежду завести семью, она заново оценила и свои перспективы. После нескольких неудачных персональных выставок Сибил поняла, что быть первой в выпуске еще не значит завоевать общенациональную известность. «Мой подлинный талант лежит в области преподавания», — решила она.

И вот когда Изабель исполнилось девять лет, Миранда попросила Сибил поработать с ней.

— Тебя, конечно, не назовешь новичком в полном смысле слова, — сказала ей на первом занятии Сибил, — но поскольку ты не получила формального образования, то придется начать с основ.

Изабель хотела было возразить, напомнив Сибил о том, что ее многому научила такая уважаемая художница, как Флора Пуйоль, и что ее первыми опытами руководила признанный всеми дизайнер Альтея, но промолчала.

— Большинство объектов соответствует четырем основным телам, которыми являются куб, цилиндр, конус и сфера. Хорошо бы ты рисовала их снова и снова, каждый раз варьируя так, чтобы они напоминали какие-то известные предметы.

К концу первого года обучения Изабель уже неплохо рисовала натюрморты, все изображенные ею предметы были хорошо узнаваемы и вполне пропорциональны. То же касалось и ландшафтов. В течение второго года обучения учительница и ученица исследовали бесконечные возможности цвета. За это время Сибил, как раньше Миранда, вполне убедилась, что Изабель отмечена искрой Божьей.

Единственным ее слабым местом, если об этом вообще уместно говорить на столь ранней стадии обучения, был портрет. Стремясь помочь девочке, Сибил посоветовала ей изображать проживающих в гостинице.

— Делай хотя бы грубые наброски, и то хорошо.

Нарисованные Изабель портреты производили странное впечатление. Можно было бы назвать их карикатурами, но карикатуры, строго говоря, обычно утрируют какие-то характерные особенности или дефекты лица, а в набросках Изабель ничего не утрировалось — она просто отмечала отличительные черты, опуская другие детали. Таким образом, лицо становилось каким-то незавершенным, но в то же время легко узнаваемым.

Особенно заинтересовали Сибил наброски к портрету мужчины, которого Изабель никак не идентифицировала. «Это просто лицо. Я его не знаю», — говорила девочка, однако сквозивший в ее словах страх тревожил Сибил.

Любопытство заставило ее поговорить об этом с Мирандой. Та тотчас достала из сейфа целую пачку порванных листков бумаги.

— Изабель нарисовала это сразу после убийства матери, — пояснила она.

Дело в том, что, узнав от Нины о рисунках Изабель у нее в дневнике, Миранда совершила в общем-то неблаговидный поступок — обыскала шкаф и мусорную корзину Изабель. Там она и нашла эти самые клочки бумаги.

— Я приняла их за автопортреты, — сказала Миранда.

Сибил согласилась. Не было никакого сомнения, что Изабель нарисовала себя: маленькое овальное личико, искаженный криком рот, длинные прямые линии вдоль лица — очевидно, волосы. На рисунке, правда, не было ни носа, ни ушей, волосы росли только с одной стороны, но выражение лица читалось совершенно отчетливо: на нем был написан ужас.

— А вот это... ну... какой-то неизвестный. — Миранда протянула Сибил несколько перечеркнутых набросков.

На них был изображен тот же самый, что и на недавних портретах мужчина: квадратная челюсть, широко раскрытый глаз, застывшая усмешка на губах.

— Ее отец? — спросила Сибил. Миранда покачала головой. — Дядя? — Та снова ответила отрицательно. — Мне не нравится, что девочка пять лет рисует одно и то же лицо и не знает, кто это, — нахмурилась Сибил.

— Да уж, ничего хорошего в этом нет.

— Вы не против, если я покажу ее наброски своему приятелю в Альбукерке? — спросила Сибил.

— Что это за приятель?

— Он психолог.

— Если Изабель нужна помощь, — кивнула Миранда, немного смущенная тем, что сама не додумалась обратиться к профессионалу, — мы с Луисом должны быть в курсе.

Прежде чем показывать рисунки, Миранда вкратце рассказала доктору Ричардсу историю Изабель. Она посчитала нужным добавить, что, несмотря на то чувство тревоги, которое просматривается в последних набросках, девочку нельзя назвать несчастным ребенком. Она любит свою нынешнюю семью, часто смеется. У нее есть друзья. Изабель охотно помогает по дому, с нетерпением ждет занятий с Сибил и вылазок на природу с Мирандой. В школе у нее хорошие отметки. И наконец, по словам Нины, последние три года кошмары ей не снятся.

Ричардс поинтересовался, поддерживает ли девочка связь с родной семьей, и Миранда ответила, что Изабель раз в неделю разговаривает по телефону с Флорой и несколько раз в месяц получает письма как от нее, так и от Алехандро.

— Тому, что вы мне рассказали, и тому, что я вижу на этих рисунках, есть различные объяснения. Самое простое из них заключается в том, что девочка предпочитает портретам ландшафты, поскольку ей не хватает терпения подробно вырисовывать мелкие детали.

Миранда с облегчением вздохнула. Выражение же лица Сибил осталось скептическим и напряженным.

— По другой теории, вот эти линии как будто говорят, что девочка боится, как бы ее не бросили. В случае с Изабель это вполне вероятно.

Врач снова просмотрел ранние наброски, затем более поздние. Кроме портретов, Сибил также принесла сюда несколько рисунков. На них Изабель изобразила плотные облака на темно-синем небе; из-за тучи выглядывает полная луна; черноту неба пронизывает, нисколько не рассеивая при этом тьму, серебристая молния.

— Кроме докторов и диких животных, дети часто боятся грозы и темноты, — произнес Ричардс. — Учитывая те ужасные обстоятельства, которые ассоциируются у Изабель с грозой, вполне естественно, что ее страхи преувеличены.

Он придвинул к себе рисунки, на которых, по словам Миранды, были изображены Мартин и Альтея.

— Изабель очень любила своих родителей, — продолжал Ричардс. — А они были безжалостно вырваны из жизни. Потому-то она и чувствует себя брошенной и видит свое лицо незавершенным.

Он поднял взгляд на сидящих перед ним женщин. Глаза Миранды увлажнились.

— Я чувствую себя такой беспомощной, — пробормотала она.

— Напрасно. Вы сделали все, что могли. Более того, вы с мужем окружаете ее любовью и даете ей ощущение стабильности. Дядя и тетя, в свою очередь, обеспечивают связь с прошлым, а искусство играет роль отдушины.

Миранда вытерла глаза, но слезы все текли и текли.

— Учитывая то, что она перенесла, — желая немного успокоить Миранду, сказал Ричардс, — Изабель чувствует себя весьма неплохо. Самое страшное уже позади, миссис Дюран, пусть это вас утешит.

— Как вы думаете, он из прошлого Изабель? — спросила Сибил, указав на портрет неизвестного. Ричардс ведь не сказал о нем ни слова.

— Почему она рисует его лицо? — тотчас подхватила Миранда.

Доктор Ричардс поморщился. Глядя на женщин, он понимал, что они догадываются, каков будет его ответ.

— Это лицо она видит в кошмарах, — тихо проговорил врач. — Вероятно, именно он убил ее мать.

В мае Изабель наконец дождалась того, что так долго ждала: тетя Флора и Алехандро сообщили, что теперь она может приехать в Барселону.

— А Тереза Серрат там будет? — спросила Изабель, вспомнив дочь Педро и Консуэлы.

— Нет. Она собирается провести лето у родственников в Марбелье. А ты не хочешь взять с собой Нину? — внезапно спросила Флора.

— А можно? Ты серьезно? Не возражаешь?

— Да, конечно, не возражаю, — радостно засмеялась Флора.

Через несколько дней из Испании пришло два письма. Одно из них предназначалось Дюранам — в нем говорилось, что нужно снять деньги со счета Изабель, чтобы покрыть все расходы, связанные с поездкой девочек в Барселону. Второе письмо было адресовано Изабель.

Оказывается, иск об опекунстве отозван. Возможно, Мурильо и впрямь отказались от мысли заполучить свою внучку.

— Я очень рада! — захихикала Нина, все еще не веря, что поедет на лето в Европу.

— Подумать только, Изабель, — пытаясь не выказывать своего огорчения, сказала Миранда, — ты увидишься со старыми друзьями и побродишь по любимым местам. Это так здорово! — Улыбка Изабель стала шире, но во взгляде читалась грусть. — Что такое, милая? — удивилась Миранда. — Ты боишься ехать в Барселону?

— Алехандро и Флора тебя защитят, — сказал Луис. — Они не позволят твоим бабушке и дедушке беспокоить тебя.

Изабель посмотрела на него с изумлением. Ее мысли были сейчас столь далеки от Мурильо, что она не сразу и сообразила, о чем идет речь.

— Я волнуюсь, — опустив глаза, сказала девочка.

— Из-за чего? — удивился Луис.

— Когда я вернусь, все будет не так. — Она подняла глаза. — Барселона — это папа и мама. Трудно себе представить, как будет без них.

— Конечно, это звучит странно, но я думаю, что поездка пойдет тебе на пользу, — вздохнула Миранда. — В твоей душе очень долго жили печальные воспоминания о том, как ты потеряла родителей. Теперь тебе нужны радостные воспоминания.

— Все в Барселоне думают, что мой папа убийца, — дрогнувшим голосом сказала Изабель.

— Флора и Алехандро так не считают, — пришла ей на помощь Нина.

— Как и друзья твоих родителей, — добавил Луис. — Мы все верим, что Мартин невиновен.

Изабель покачала головой:

— Только тетя Флора и дядя Алехандро знают, как было дело. — К горлу ее подкатил комок. — А еще все бог знает что думают обо мне! Может, считают, что я бросила папу?

— Не важно, что думают другие, — махнула рукой Миранда. — Ты ведь знаешь, как папа любил маму. Знаешь, что он не мог причинить ей вреда, а остальное не важно.

Изабель согласно кивнула, но было понятно, что ситуация прояснится только с ее возвращением в Барселону.

Весь следующий месяц прошел в заботах и подготовке к путешествию. После занятий в школе Изабель и Миранда несколько раз ходили покупать подарки для Флоры, Алехандро и семьи Серрат. Чтобы девочки сами разработали маршрут путешествия, Луис отвел их в туристическое агентство за картами-схемами. Преподаватели Изабель поручили ей сделать несколько докладов, посвященных испанской кухне и традициям. Подруги снабдили ее списком вещей, которые надо было привезти из Барселоны, а Сибил строго-настрого наказала продолжать рисовать, а еще сделать как можно больше фотографий, и прежде всего сфотографировать здания, спроектированные Антонио Гауди, и конечно, посетить все художественные музеи.

Перед отъездом девочек в Барселону Миранда и Луис устроили прощальную вечеринку. А поскольку Дюраны пригласили на нее чуть ли не весь город, то Изабель и Нине на каждом шагу желали счастливого пути. Только теперь Изабель поняла, сколько у нее друзей в Санта-Фе.

Внутренний дворик Ла-Каса весь был усеян десятками *фаролитос* — маленьких бумажных пакетов, служивших подставками для свечей. С крыши свешивались и раскачивались на ветру розовые и бирюзовые бумажные ленты. Сквозь грохот патефона отовсюду доносился веселый смех молодежи.

Больше всего жителей Санта-Фе интересовал «Эль кастель де лес брюшотс» — дом тети Флоры — особенно после того как Изабель объяснила, что по-каталонски это означает «Замок духов».

Сначала «Эль кастель де лес брюшотс» был настоящим замком — с башнями, бастионами и даже рвом. Построенный в десятом веке, он тогда походил на знаменитый Алькасар, однако постепенно замок разрушился, и к четырнадцатому веку от него осталась всего одна башня. К счастью, францисканские монахи решили построить здесь монастырь и, чтобы не разбирать все до основания, включили башню в ансамбль монастыря.

Несмотря на то что монахи решительно отвергали все слухи о привидениях, местные жители считали, что единственная башня уцелела только благодаря вмешательству сверхъестественных сил. Ведь именно в этой башне встретила свою судьбу Дама Кастель.

Как гласит легенда, в десятом столетии замком владел герцог Кардона. Это было время, когда испанские христиане оттесняли на юг последователей ислама — мавров. В один прекрасный день герцог уехал на войну, и его дочь тут же объявила, что влюбилась в предводителя мавров и намерена, приняв его веру, стать ему женой. Ее брат, наследник титула, придя в ужас от такой перспективы, именем отца заточил ее в башне. Через год она умерла от тоски. Как утверждает кое-кто из местных жителей, иногда в завываниях ветра здесь слышится голос Дамы Кастель, зовущей своего возлюбленного. Другим же кажется, будто несчастная просит о мести.

— А ты туда поднималась? — спросила одна из подруг Изабель.

— Много раз, — засмеялась Изабель, и тут же взгляд ее помрачнел. Насколько она помнила, на эту башню они поднимались вместе с отцом. Обычно он приводил ее туда, когда небо было ясным, и луна только-только вставала над горизонтом. Отец частенько говаривал, что их фамилия свидетельствует о родстве с луной, и значит, Изабель прямой потомок королевы ночи. Поэтому загадывать желания ей следует не на звезды, как делают другие девочки, а на луну.

— Ты ее слышала? — поинтересовалась какая-то девочка.

— Страшно было? — тотчас спросила другая.

Изабель улыбнулась.

— Только один раз, — сказала она, радуясь, что ее призраки благополучно исчезли. — Была очень темная ночь — без луны и звезд. — Она понизила голос, и слушатели, естественно, приблизились к ней. — Я осторожно поднялась по ступеням и открыла дверь, потом медленно, держась за стены, прошла к окну и выглянула наружу. Там было темно. Тогда я повернулась и посмотрела внутрь. Там было еще темнее. И тут вдруг я почувствовала, что ко мне кто-то приближается. Вот он уже совсем рядом, на расстоянии вытянутой руки. И тут... — Все вокруг затаили дыхание. Резко подняв руки, Изабель неожиданно крикнула: — Ба-бах!

Подруги закричали от ужаса, а уже через мгновение покатились со смеху. Миранда и Луис торжествующе переглянулись и улыбнулись. Веселый смех детей, царящая в доме атмосфера дружбы говорили о том, что Дюраны сделали почти невозможное: они вернули Изабель детство.

Другая виновница торжества почти весь вечер вела себя необычно тихо. Впрочем, всю последнюю неделю Нина неизвестно почему испытывала глубокую депрессию.

С приходом Сэма Хоффмана и Сибил Крофт настроение Нины несколько поднялось. Сэм ей очень нравился, и, судя по всему, он отвечал ей взаимностью. Нина рванулась было к гостям, но вовремя заметила, как сумрачны их лица, и устыдилась своей радости. Рут Хоффман была при смерти. И хотя Джонас окружил жену целой армией сиделок, Сибил ежедневно навещала ее в больнице, по собственному опыту зная, как важно, чтобы рядом был близкий человек.

В жизни Нины Рут занимала особое место — была ее наставником и другом. И вот как раз тогда, когда она учила Нину писать короткие рассказы, ее и настигла болезнь.

— Как твоя мама? — спросила Нина Сэма.

Сэм опустил глаза.

— Она послала вам с Изабель подарки. — Сибил протянула Нине коробку. — Открой.

В ней оказалась черная кожаная записная книжка, на обложке которой золотым тиснением было выведено: «Нина, Барселона» и соответствующий год. Внутри лежала открытка с надписью от руки: «Веселых приключений! С любовью, Рут».

Нина едва удержалась, чтобы не заплакать.

— Пойду передам Изабель ее подарок. — Сибил с заговорщическим видом посмотрела на Нину и Сэма: — Вы ведь меня извините?

Улыбнувшись Сибил, Сэм поцеловал ее в щеку и подтолкнул к Изабель, а затем обнял Нину за талию и увлек за собой.

— Ты действительно прекрасно выглядишь. — Снова обняв Нину, Сэм поцеловал ее. — Давай погуляем.

Они знали друг друга всю жизнь, но Сэм как будто увидел ее впервые всего несколько недель назад. Их неудержимо потянуло друг к другу. С Ниной Сэм забывал обо всем — о болезни матери, об учебе, об отношениях с отцом и сестрой, его влекло к ней все больше и больше, но он не мог себе позволить овладеть ею. Нине ведь всего пятнадцать лет, она дочь самых близких друзей его родителей, они вместе выросли. Однако сейчас, когда Нина целовала его и прижималась к нему всем телом, Сэм ощущал только, что ему хорошо!

Нина чувствовала, что в Сэме нарастает возбуждение, она ощущала незнакомый прежде жар и в своем теле, но что делать, не знала.

— Я не хочу уезжать, — прошептала она, радуясь прикосновению его губ и тела.

— Я тоже не хочу, чтобы ты уезжала, — стараясь справиться с собой, отозвался Сэм, — но в каком-то смысле это неплохо. Нам нужно остыть. — С этими словами Сэм мягко, но решительно отстранился.

— Почему? — Ее светлые волосы живописно разметались, серые глаза смотрели ласково и отстраненно.

— Я ведь собираюсь стать врачом, а не поэтом, — хмыкнул Сэм.

Они вернулись к гостям как раз в тот момент, когда все уже собирались пожелать Нине и Изабель приятного путешествия.

Заметив ласковые взгляды, которыми обменялись влюбленные, Изабель вдруг почувствовала укол ревности. А к концу вечера и вовсе уже не знала, рада ли она предстоящему отъезду.

— Что с тобой сегодня? — выговорила она Нине, когда они остались одни. — Ты ведешь себя так, будто на самом деле ехать не хочешь. Хочешь остаться здесь с Сэмом Хоффманом — так и скажи!

— Ты на меня дуешься потому, что втюрилась в него?!

— Вот еще! — чересчур поспешно ответила Изабель. — Ну ладно, есть немного, — призналась она, понимая, что выдала себя с потрохами, — но еще перед тем, как он пришел, ты была какой-то не такой...

— Наверное, все из-за того, что здесь мы равны, мы любимые дети Луиса и Миранды. А в Барселоне у тебя своя семья, есть родовой замок. Ты счастливый человек, а я никто.

— Ушам своим не верю! — воскликнула Изабель. — Да что ты такое говоришь? Мою мать убили, отца обвинили в убийстве. Бабушка и дедушка, которые знаться не желали с моей матерью, меня и в глаза не видели, вдруг захотели, чтобы я жила с ними, в результате чего тетя Флора отправила меня сюда! Какое уж тут счастье!

По какой-то непонятной причине эта тирада рассмешила расхаживавшую по комнате Нину.

— Никакого! — со смехом сказала она. — Признаю, я сморозила глупость. Но веришь ли, я все-таки ревную к твоему прошлому. У тебя ведь оно есть, — простодушно добавила она, — а у меня нет. — В улыбающихся глазах Нины застыла боль.

— Что значит нет? — удивилась Изабель.

— Я ведь приемная дочь, — вновь посерьезнев, сказала Нина. — Я знаю, где выросла, но не знаю, кто я. У меня нет корней.

— Ну что ты, — взяв Нину за руку, тихо сказала Изабель. — Они, конечно же, есть, мы вместе до них докопаемся.

Глава 6

Испания, Барселона
1968 год

Изабель предупредила Нину, что Флора их встречать в аэропорту не будет.

— Ты же помнишь тетю Флору. Она не из тех, кто будет стоять у выхода и приветственно махать рукой.

В аэропорт приехал верный Педро Серрат.

По дороге все трое дружески болтали о Флоре и Серратах, Дюранах и Санта-Фе, а в перерывах Изабель рассказывала Нине о проплывавших мимо достопримечательностях. Ей хотелось показать подруге все сразу, но Педро предложил на первый раз ограничиться осмотром гавани.

На прежде не видевшую моря Нину голубая водная гладь произвела огромное впечатление. До сих пор она никогда не задумывалась об утверждении Колумба насчет того, что Земля круглая. Сейчас, глядя на далекий горизонт, отделявший небо от моря, она внезапно поразилась храбрости первооткрывателя. Ведь с того места, откуда Колумб сотни лет назад отправился в свое путешествие, мир казался маленьким и плоским.

Наконец они миновали городскую черту. Когда дорога запетляла вокруг холма, на вершине которого стоял Кастель, Изабель попросила Педро остановиться.

Выйдя из машины, девочки подошли к краю пропасти.

— Это одно из моих любимых мест, — дрожащим от волнения голосом произнесла Изабель. — Отсюда все видно. — Она указала на зеленое пятнышко на вершине холма. — Вон Кампинас. Замок и прилегающая к нему земля — наше родовое имение. Но состояние Пуйоль и де Луна создавалось там, внизу. — Изабель многозначительно посмотрела на город.

— Как здорово, Из! У меня буквально захватывает дух. — Нина восторгалась совершенно искренне. Нельзя сказать, чтобы она считала штат Нью-Мексико самым красивым в мире — она просто не знала ничего другого. — Теперь я понимаю, почему ты так любишь это место.

Изабель кивнула — говорить она не могла. Хотя было тепло, ее била дрожь. Куда она приехала — домой или в гости? Кто она — чужой человек или член семьи? Изабель не знала ответа.

Через несколько минут машина миновала ворота и поползла вверх по длинной гравийной дорожке в «Эль кастель де лес брюшотс». При виде башни у Нины захватило дух. Когда же на горизонте показалось великолепное двухэтажное здание, родной дом четырех поколений Пуйоль, на губах Изабель заиграла горделивая улыбка, ибо на лице Нины отразилось изумление. Усадьба Пуйоль представляла собой большое приземистое строение, состоявшее из двух домов, соединенных рядом крытых галерей, с внутренним двориком, в котором был разбит сад.

Педро остановил машину, и сердце Изабель гулко забилось. У огромных деревянных дверей стояла тетя Флора.

Обнявшись, обе не размыкали объятий, боясь, что их встреча окажется лишь иллюзией. По лицу Изабель текли слезы счастья. От Флоры пахло жасмином и фиалками, и этот знакомый запах напомнил внучатой племяннице счастливое прошлое. Когда тетушка наконец отстранилась и спросила, как прошло путешествие, Изабель от избытка чувств не знала, что и ответить.

— Мы прекрасно доехали, — тихо сказала за нее Нина.

— Нина, дорогая! — Флора вновь раскрыла объятия.

Они немного поговорили о погоде и поездке, пока Педро не предложил показать мисс Нине ее комнату.

— Это было бы прекрасно, — отозвалась она.

Едва они удалились, как Флора взяла Изабель за руку и потащила в садик.

— В Кастель тебе бояться нечего, — предупредила она возможные страхи Изабель относительно встречи с призраками своих родителей. — Ничего не изменилось, только теперь они стали духами.

— Я не хочу, чтобы они были духами, тетя Флора. Я хочу, чтобы они были моими родителями, хочу быть их дочерью. — Опустив голову, Изабель старалась найти слова, которыми можно было бы передать ее смятение. — Я скучаю без них, — прошептала она.

Раскинув руки, Флора подняла глаза к небу, призывая тени спуститься в сад.

— Поскольку они покинули свою телесную оболочку, — сказала она Изабель, — мы можем связаться с ними, когда захотим. И будем разговаривать с ними столько, сколько захотим. — Обняв девочку, она крепко прижала ее к себе. — Альтея и Мартин сейчас с нами, — тихо произнесла она. — Они всегда были с тобой, детка. И всегда будут с тобой.

Вот так они и замерли, обнявшись; обе беззвучно плакали. Терзавшие Изабель страх и тревога постепенно ослабели.

Она была готова вернуться домой.

Нина чувствовала себя так, словно внезапно очутилась в сказке. Пока она принимала душ, горничная распаковала ее вещи и принесла прохладительные напитки. А комнату какую ей предоставили! Просторная, с высоким потолком, она разделялась стеклянной перегородкой на две части — будуар и гостиную. Кровать была накрыта красным покрывалом, красными были шторы и обивка стульев в гостиной, даже стоявшие на полке флаконы духов алели, словно маки.

Закрыв глаза, Нина представила в этой комнате некую женщину из другой эпохи в сверкающем бальном платье и украшенных драгоценностями атласных туфельках.

Осторожный стук в дверь прервал ее мечты. В комнату несмело заглянула Изабель.

— Ну, как тебе здесь нравится?

Оглядевшись по сторонам, Нина засмеялась.

— Одно можно сказать наверняка — я не в Канзасе!

Изабель обрадованно спросила:

— Значит, пойдем на экскурсию?

Схватив Изабель за руку, Нина потащила ее к двери.

Нина вела себя как четырехлетний ребенок в Диснейленде, восхищенно глазеющий по сторонам. Длинные коридоры со сводчатыми потолками, каменный пол, статуи в глубоких нишах. Впрочем, преобладали дворцовые интерьеры: картины в золоченых рамах, старинные ковры на мраморных полах, кованые и хрустальные канделябры, — все, что говорило о богатой истории и культурных традициях Каталонии.

Начав перечислять названия представленных здесь полотен, Изабель вдруг обнаружила, что двух из них нет — отсутствовали небольшие работы Гойи, висевшие прямо напротив входа.

Другие ценные картины — работы раннего Веласкеса, Ренуара, Мурильо — тоже висели не на привычных местах. «Что-то здесь не так», — встревоженно подумала Изабель.

— Прямо как в музее, — понизив голос, прошептала Нина.

— Пожалуй, отчасти так оно и есть. Наша семья всегда питала слабость к искусству. Матери моего отца, Беатрис, нравилась керамика. Ее отец коллекционировал восточный фарфор, а его мать собирала кувшины для святой воды.

— А Флора и ее сестры?

— И Вина, и Рамона, и Флора постоянно занимались творчеством и любили книги, картины, музыку и так далее. Вина была поэтессой, Рамона — пианисткой. Обе они умерли еще до моего рождения, но тетя Флора рассказывала, что сестер очень угнетало их предназначение: рожать детей, вместо того чтобы создавать произведения искусства, да еще торчать на кухне, вместо того чтобы совершенствоваться.

— Судя по твоим рассказам, они вряд ли знали, где находится кухня, — заметила Нина.

— А зачем? — раздался вдруг сзади голос Флоры. — Главное, чтобы знали кухарки. Кстати о кухарках — не хотите пообедать? Как раз и гости приехали.

Нина очень устала, но мозг ее по-прежнему напряженно работал. Надо было правильно оценить все то, что она видела и слышала. Нина снова и снова вспоминала роскошный обед, который Флора устроила в честь их приезда. Ее представили Рафаэлю Авде, его компаньону Мануэлю Кортесу, управляющему «Дрэгон текстайлз» Диего Кадису и его жене. Уделяя огромное внимание Изабель, все они тем не менее не забывали и о ее подруге.

Осознав, что находится среди настоящих аристократов, Нина пришла в неописуемый восторг. Да еще маркиз, работавший фотографом, наговорил ей массу комплиментов относительно ее внешности, в конце концов взяв с Нины обещание, что она позволит ему сделать ее портрет.

Портрет! Сфотографироваться ее просили и раньше, но сделать ее портрет до сих пор не предлагал ей никто.

Забравшись на огромную кровать, девочка еще раз с восторгом оглядела свои покои. Невозможно поверить: Нина Дюран сегодня будет ночевать в замке!

«А ведь я могу к этому привыкнуть», — подумала она.

Для Изабель же день приезда стал осуществлением ее мечты. Снова оказаться в Кастель, услышать родные звуки кастильского наречия, увидеть Алехандро и своих старых друзей — от всего этого у нее кружилась голова. Все здесь оказалось так мило и дорого, что Изабель весь день испытывала радость от возвращения домой.

Впрочем, теперь, когда она осталась в своей комнате одна, в ее голове внезапно зароились другие мысли. В то время как ей хотелось бы верить, что за пять лет ее отсутствия здесь ничего не изменилось, это было не так. Слуг стало намного меньше. Верхний этаж западного крыла пришлось полностью перекрыть. Некоторые самые ценные картины исчезли. И, хотя Изабель сначала не обратила на это внимания, изменилась и обстановка в столовой.

Пропавшие предметы всегда считались фамильной ценностью, так что единственное логическое объяснение их исчезновения заключалось в том, что вещи продали для восполнения некоего денежного дефицита.

Твердо решив разобраться в происходящем, она принялась вспоминать, о чем говорилось за обедом, но увы... Алехандро был в хорошем настроении, не бросал на тетю Флору обеспокоенных взглядов и не хмурился. Да и у Флоры был, как всегда, цветущий вид.

Единственное, чем нынешняя Флора отличалась от прежней, — это полное отсутствие ее обычной сдержанности. Она старалась ни на шаг не отходить от племянницы, все время пыталась ее обнять, поцеловать. Казалось, что в присутствии Изабель у нее открылось второе дыхание.

Не в силах заснуть, Изабель поднялась с постели и подошла к окну. Висевшая в небе полная луна озаряла землю своим голубоватым светом. Воздух был чист и прозрачен.

Мысль о том, что тетя Флора может лишиться замка и тогда какая-то другая девочка будет выглядывать из этого окна, удивляла и одновременно пугала Изабель.

Обычно двенадцатилетние дети в финансовых делах совершенно не разбираются. Изабель все же кое-что в этом смыслила. Судьба очень рано столкнула ее с кредитами и долговыми обязательствами, а жизнь в Ла-Каса дала представление о том, во что обходится собственность. Содержание обслуги, ремонт, налоги, а если еще добавить налог на наследство и те долги, что достались Флоре от Мартина и Альтеи...

— Постой, постой! — вслух произнесла Изабель.

Нет, тут дело не в наследстве. Кастель принадлежал не де Луна, а Пуйоль. Это обстоятельство тем более встревожило девочку — ведь Пуйоль относились к числу богатейших семей Барселоны.

Даже до своего прибытия в Санта-Фе Изабель уже знала о том ущербе, который Франко нанес экономике Каталонии. Среди друзей ее семьи было много богатых промышленников и банкиров, которые больше всех и потеряли. Собиравшиеся в городском доме гости постоянно повторяли, что Франко ненавидит Каталонию и потому установил против Барселоны особо жесткие санкции. Изабель помнила мрачные лица гостей, их слова о том, что экономика рушится и что в один прекрасный день можно проснуться бедняком.

Внезапно налетела буря. Луну закрыли черные облака, деревья согнулись под порывами шквального ветра с моря. По земле застучали крупные капли дождя, темноту ночи располосовала молния, разбудив в душе Изабель тревожные воспоминания. Девочка вздрогнула.

— Так, значит, вот что случилось с тетей Флорой, — крикнула она в темноту. — Она легла спать богатой, а проснулась бедной?

В ответ прозвучал удар грома. Изабель вздрогнула, но не отступила. Она подумала о том, что, возможно, природа и есть посланец судьбы. Если это так, если жизнь человека и впрямь предопределена, никто не смог бы предотвратить случившееся *той* ужасной ночью — тем более семилетний ребенок.

На следующее утро Изабель проснулась в радостном настроении, горя желанием вновь повидать тех людей и те места, которые были ей столь дороги в детстве. Энергично потянувшись, она сбросила с себя остатки сна, вскочила с постели и отворила ставни.

Наслаждаясь красотой пейзажа, Изабель вдруг ощутила какое-то обновление в душе. Она еще не слышала слова «катарсис», не знала, что значит «духовное очищение», но тем не менее интуитивно чувствовала, что успешно выдержала этой ночью важное испытание и перешла в какое-то новое качество.

В этот момент дверь внезапно отворилась, появились Нина и тетя Флора.

— Я подумала, что было бы неплохо позавтракать вместе, — сказала Флора, пропуская вперед служанку с большим подносом, которая тут же поставила его на стол у окна.

— Какая прекрасная идея! — ответила Изабель. — Я просто умираю с голоду! — Словно желая подтвердить свои слова, она залпом выпила стакан апельсинового сока. Затем, увидев тщательно прожаренные *чуррос* и вдохнув аромат горячего шоколада, она в восторге выкрикнула: — Нина, готовься! Сейчас ты получишь величайшее наслаждение. Нет ничего лучше завтрака по-испански!

Поднеся к носу *чурро*, она зажмурилась от удовольствия. Булочка была еще теплой и пахла сливочным маслом. Над чашками с густым горячим шоколадом из кофе, какао с добавлением апельсинового сока клубился пар.

Девочки расправились с едой гораздо раньше Флоры, которая, как истинная аристократка, ела не спеша. Вскоре Нина, желая побыстрее отправиться осматривать город, стала проявлять признаки нетерпения.

— Вы не возражаете, если я пойду переоденусь? — наконец спросила она.

— Нисколько, — ответила Флора, втайне радуясь, что они с Изабель останутся вдвоем.

— У тебя денежные затруднения? — спросила Изабель, когда Нина ушла.

— О, все не так плохо, как ты думаешь, — тотчас принялась рассеивать страхи племянницы тетка. — Просто в Барселоне многие текстильные предприятия закрылись или сократили объем производства. Мы все еще работаем, но не получаем прежней прибыли.

— Я думала, что у тебя есть банки, недвижимость и тому подобное.

— У меня все еще есть контрольный пакет в «Кайша де Барселона», но благодаря сеньору Франко даже банки переживают трудные времена.

— Ты можешь потерять Кастель?

Нагнувшись, Флора похлопала ее по руке.

— Нет, дорогая, Кастель в безопасности. Неужели ты думаешь, что я отдам им твое наследство?

— Ты имеешь в виду Мурильо?

— Не могу сказать, кто за этим стоит, но я подверглась серьезному давлению.

Лицо Изабель вытянулось — кто-то пытается причинить боль тете Флоре!

— Что ты имеешь в виду? Что они с тобой сделали?

— Ну, скажем так, они вели себя... некрасиво.

Флора привела в качестве примера несколько относительно безобидных случаев — когда ей ни с того ни с сего отключали свет и воду, долго не доставляли почту, без всяких объяснений повысили налог на имущество.

— Зачем они это делают? — возмутилась Изабель. Надо же, родители ее матери упорно пакостят опекуну ее отца!

— Ты отсутствовала, поэтому выставлять тебя как трофей они не могли. Естественно, в твоем исчезновении они винили меня и, чтобы запугать, устроили целую серию грязных трюков. — Тряхнув головой, Флора подмигнула Изабель: — Смею тебя заверить — они не преуспели.

Изабель засмеялась, но смех ее тут же оборвался.

Флора внимательно посмотрела на свою внучатую племянницу. Все эти годы она считала ее маленькой испуганной девочкой, но сидящая перед ней Изабель выглядела совсем взрослой. Флора не знала, радует ее это превращение или тревожит.

— Я больше не хочу о них говорить, — внезапно вскочив на ноги, заявила она. — Одевайся. Я обещала познакомить Нину с Барселоной. И хочу, чтобы ты увидела перемены, — она наклонилась и поцеловала Изабель в щеку, — а Барселона увидела бы, как изменилась ты!

Они начали экскурсию с Плас-де-Каталунья, где на тротуаре красовалась звезда, обозначавшая центр каталонской столицы.

День выдался жарким и душным, но улицы Барселоны тем не менее были запружены людьми: банкирами и нищими, аристократами и домохозяйками, преступниками и полицейскими. Время от времени, проходя мимо барселонцев, сидящих на металлических стульях, установленных рядами вдоль проспекта, Изабель то и дело слышала приглушенный шепот, имена — свое, Флоры, отца. Игнорируя эти знаки внимания, тетка только выше поднимала голову и смотрела прямо перед собой. Изабель старалась ей подражать, но у нее плохо получалось.

— Ты неправильно себя ведешь, сестричка, — взяв ее под руку, заметила Нина. — Помаши им рукой. Улыбнись понахальнее — дескать, видала я вас всех! — и иди себе дальше.

— Вот так? — Устремив взгляд на двух дам, которые зашептались, глядя на нее и Флору, Изабель улыбнулась и помахала им рукой. Женщины тут же покраснели и отвели взгляды в сторону.

— Во-во! — похвалила Нина.

— Пойдемте. — Флора вывела девочек на Рамблас, и все трое принялись искать свободный столик в одном из ближайших кафе. В конце концов все устроилось как нельзя лучше, и официант принес Изабель и Нине по стакану холодного шоколада, а Флоре — графинчик охлажденного белого вина.

Желая возродить старые привычки, Флора вдруг достала из большой белой сумки, которую всегда носила с собой, два блокнота и коробку с мелками.

— Ты не забыла! — радостно воскликнула Изабель.

— Конечно, нет, — довольно ответила тетка. — Сейчас посмотрим, чему ты научилась в Америке!

На глазах у Нины, снимавшей этот процесс на пленку, две художницы — молодая и старая — принялись демонстрировать свое мастерство. В точно такую же игру Флора когда-то играла с Альтеей: после обеда они соревновались, кто лучше нарисует те сценки, свидетелями которых они оказывались во время прогулки по Рамбласу.

Сегодня Флора была искренне восхищена рисунками Изабель. Смелые, четкие линии, прекрасная композиция — очевидный результат усиленных занятий, проявление своеобразной, но яркой техники. По манере исполнения наброски Изабель сильно отличались от тех, что рисовала Флора. Если тетка уделяла серьезное внимание деталям, то племянница предпочитала создавать иллюзию целого, не прорисовывая частностей. И хотя ее сюжеты были легко узнаваемы — вот птичий рынок, вот фонтан Каналетас, — но тем не менее рисунки Изабель скорее отражали форму, чем факт.

— Замечательно! — с нескрываемым восхищением воскликнула Флора.

— Я обязательно скажу Сибил, что тебе понравились мои работы. — Изабель сияла. Одобрение Флоры значило для нее все.

— Хорошо, что ты ее встретила. А вообще я должна тебя похвалить, детка. У тебя задатки гения, Изабель де Луна.

Изабель была так польщена, что потеряла дар речи.

— Это последняя кассета, — сказала Нина. — Можно, я схожу в киоск за фотопленкой?

— Конечно, дорогая, — ответила Флора. — Только будь осторожнее.

— Я постараюсь.

Изабель и Флора проводили ее взглядом.

— Правда она красивая? — с явным восхищением сказала Изабель. — Такая высокая и стройная, с нежными серыми глазами. Неудивительно, что Сэм по ней сохнет.

— А себя ты не считаешь красивой? — спросила Флора.

— Нет, — призналась Изабель. — Может, когда-нибудь я и стану красивой, но сейчас я похожа на гусыню.

— Ты нисколько не похожа на гусыню. — Взмахом руки Флора отмела ее предположения. — А раз ты такая глупая, то в наказание я пошлю тебя за стаканом холодного шоколада.

Засмеявшись, Изабель направилась к стойке. Она уже сделала заказ, когда услышала густой баритон, от тембра которого по спине ее пробежал холодок.

— Твоя тетя права. Ты совсем не похожа на гусыню. Наоборот, ты выглядишь точно так же, как когда-то выглядела твоя мать.

Повернувшись, Изабель увидела прямо перед собой какого-то мужчину.

— Рад, что ты вернулась в Барселону, — ослепительно улыбнулся незнакомец. И тут Изабель вспомнила: она видела его на Мальорке, потом в гостинице, и наконец — на похоронах матери.

— Вы Пако. — Это был не вопрос, а утверждение.

— Да, я Пако.

Мужчина снова улыбнулся, но на Изабель его улыбка не произвела того впечатления, на которое рассчитывал Пако. Напротив, девочка испугалась. Она попыталась было сделать шаг в сторону, но он тотчас схватил ее за руку. Изабель попыталась вывернуться, но Пако держал ее крепко. Откуда-то, с зонтиком наперевес, появилась Флора.

— Оставьте девочку в покое! — резким тоном потребовала она.

Отпустив руку Изабель, Пако тем не менее не отступил.

— Не позволяй ей тебя обманывать, — игнорируя Флору, сказал он Изабель. — Я не делал того, в чем она меня обвиняет.

— О чем вы, сеньор Барба? Чего вы не делали? — В словах Изабель звучала едва сдерживаемая ярость.

Вокруг уже стала собираться толпа, в которую затесалась и Нина.

Заметив собравшихся, Пако занервничал: ему явно не хотелось оправдываться на публике.

— Я не убивал твоей матери, — громким шепотом произнес он.

— Это вы так говорите. Я знать ничего не знаю.

— Нет, знаешь. — Наклонившись, он заглянул ей прямо в глаза. — Ты была там и все видела и слышала.

Голова Изабель качнулась в сторону словно от удара. Флора тут же бросилась к ней.

Чего хочет Барба? Пытается заставить Изабель свидетельствовать против Мартина или же хочет выяснить, не станет ли она обличать его самого? Флора уже хотела задать Пако этот вопрос, но ей помешала Изабель.

— Вы правы, — отодвинувшись от своей защитницы, сильным, уверенным голосом произнесла она. — Я там была. — Она на секунду замолчала, не отрывая в то же время взгляда от лица Пако. Тот явно нервничал. — Когда мою мать убили, я спала в соседней комнате, но перед этим, в чайной комнате, я много чего слышала и видела, — стараясь сохранять спокойствие, продолжала девочка. — Я слышала, как вы умоляли мою мать бежать с вами. — Изабель говорила с такой уверенностью, что всем стало ясно, что она говорит правду. — Я слышала, как она отказалась ехать с вами, потому что любила отца, и только его. Вы же утверждали, что она любит вас и что, выйдя замуж за Мартина де Луна, совершила величайшую ошибку в своей жизни. — На лице Пако мелькнула самодовольная улыбка. — Моя мать засмеялась вам в ответ. — Улыбка исчезла, сменившись злобной усмешкой. — Она сказала, что вы глупец, что она никогда вас не любила. Тогда вы разозлились. Вы говорили тихо, но были в полном бешенстве. Я видела, как вы выкручивали ей руку под столом. И слышала, как пригрозили, что никогда не простите ее за то, что она вас отвергла.

Толпа ошеломленно молчала. Ничего подобного никто не ожидал. Даже Флора на миг окаменела.

— Вы простили ее, сеньор Барба? — нисколько не пугаясь его мрачного взгляда, язвительно спросила Изабель. — Или вы убили ее?

Глава 7

Внутренний дворик «Эль кастель де лес брюшотс» был очень уютным местом. Здесь, в монастырском саду, всегда царили удивительное спокойствие и безмятежность — не зря духовные лица много лет назад искали тут общения с Богом.

Выйдя из-под аркады, Флора двинулась к круглой цветочной клумбе в самом центре сада. В то время как голова ее была занята самыми разными мыслями, руки постоянно находились в движении: они то поднимали опавший лист, то обрывали увядший цветок — так Флора старалась сосредоточиться.

С улыбкой наблюдая за любимой, в тени деревьев стоял Алехандро. Даже в шестьдесят с лишним она казалась ему воплощением женственности. Перемещалась Флора легко, все движения ее были исполнены грации; когда же из-под ее соломенной шляпы выбивалась прядь волос, она изящным движением, достойным прима-балерины, поправляла прическу.

Чтобы не испугать Флору, Алехандро шепотом позвал ее по имени. Та повернулась и раскрыла ему объятия, с удовольствием вдохнув знакомый запах любимого. Оба молчали.

Наконец Флора рассказала Алехандро о том, что произошло на Рамбласе — все до мельчайших подробностей.

— Он хотел выяснить, что ей известно, — задумчиво произнес Алехандро, — и, если она знает слишком много, угрозами заставить ее замолчать.

— Как раз это меня и пугает.

— Да нет, все не так уж и страшно. Схватка состоялась в присутствии множества свидетелей. Теперь если с Изабель что-то случится, он будет первым на подозрении.

— Думаешь, он виноват?

— Я всегда так думал.

— А сейчас?

Алехандро пожал плечами.

— Единственное, что я знаю наверняка, — Мартин умер, а настоящий убийца по-прежнему гуляет на свободе.

— Тебя не беспокоит, что настоящий убийца начнет охотиться за Изабель? — спросила Флора.

— Нет, — уверенно ответил Алехандро. — Опасность грозила бы ей только в том случае, если бы он считал, что она может его опознать.

— А откуда мы знаем, может она или нет? — тяжело вздохнула Флора.

— Столкновение на Рамбласе показало, что она ничего не скрывает. — Флора посмотрела на него скептически. — В памяти ее все тот же провал. Если бы она вспомнила что-то еще, то все бы высказала в запале.

Флора задумчиво кивнула. В глубине ее души все же теплилась надежда, что Изабель видела убийство матери и правда рано или поздно выйдет наружу, а Мартин будет оправдан. Однако, если Алехандро прав, Изабель никогда и ничего рассказать не сможет.

Нина вовсю наслаждалась жизнью. Она не только влюбилась в Барселону, но и не чувствовала уже себя здесь чужой. Ее испанский благодаря стараниям окружающих заметно улучшился, речь стала беглой, а произношение почти таким же, как у коренных жителей. Консуэла и Педро с готовностью показали ей окрестности замка и соседнюю деревню. Несколько раз Нина ходила с Флорой за покупками, чаевничала с Алехандро.

А однажды в замке появился Мануэль Кортес — он же обещал сфотографировать Нину! Тем более что Кортес использовал черно-белую пленку, поскольку считал, что красоту девушки лучше всего передать игрой света и тени. Узнав об этом Нина пришла в неописуемый восторг.

Она любила всякие фотографии, но предпочтение отдавала черно-белым. Ей нравилось вглядываться в лица людей, которые торжественно или весело — кто как — смотрят в объектив фотоаппарата.

Интересно, нравятся ли им самим получившиеся снимки? Скорее всего нет. У Нины был свой фотоаппарат, она часто снимала подруг или соседей, и те всегда кривились, увидев свои фото: то нос выходил слишком длинным, то рот выглядел перекошенным.

Самой же Нине нравилось позировать. Она быстро научилась придавать своему лицу желаемое выражение. На снимке она выглядела веселой или грустной, радостной или печальной независимо от того, какие чувства на самом деле испытывала. Просто фотокамера не в состоянии заглянуть в душу, если вы этого не хотите.

Все эти вопросы она во время фотосъемки обсудила с Мануэлем.

Спустя неделю Мануэль привез ей альбом фоторабот знаменитого американца Мэна Рея, а также новенькую тридцатимиллиметровую фотокамеру и наскоро преподал урок фотографии. С тех пор без фотоаппарата Нину уже не видели. Девушка фотографировала каждую достопримечательность и почти всех людей, с которыми сталкивалась.

Изабель такой интерес Нины к фотографии был только на руку, поскольку теперь девочки исследовали местность вдвоем — Изабель рисовала, а Нина снимала.

Но несмотря на общее стремление запечатлеть то, что они видели, между девочками оставалось и существенное различие: Нина была зрителем, который коллекционирует впечатления, а Изабель — художником, который отражает свое отношение к увиденному.

То ли просто подошло время, то ли уроки Сибил все же даром не прошли, но Изабель стала уделять больше внимания деталям. По-другому она видела и цвет. Сравнивая то, что она написала в Барселоне, со своими работами, сделанными в Санта-Фе, Изабель поняла, что разница объясняется влиянием освещенности — здесь совсем другие цвета. В Нью-Мексико с его палящим солнцем практически не существовало полутонов, все цвета там были густыми и сочными.

В Барселоне же совсем не так. Когда в городе шел дождь, все краски вмиг бледнели.

До поездки Изабель обычно работала углем, здесь она перешла на акварель. Стараясь передать оттенки цветов, она добивалась такого эффекта, что даже самый банальный сюжет казался донельзя романтичным: Консуэла возвращается с рынка, корова щиплет траву, рыбак сортирует улов — все жанровые сценки становились настоящими поэмами.

Одной из самых лиричных работ Изабель стало изображение Педро во время ремонта грузовика возле гаража Кастель.

Несомненно, в этой картине Изабель отобразила свое собственное мироощущение. Ее Педро борется за машину так, словно она его единственная надежда, словно именно она дает ему возможность определять собственную судьбу. И судя по всему, Педро, вероятно, несказанно удивился бы, узнав об этом, — Изабель завидует ему. Пусть его выбор ограничен, но все равно он гораздо свободнее, ибо девочка чувствует, что ее жизнью распоряжается кто-то другой...

День уже кончался. Услышав от Консуэлы, что Изабель еще не вернулась с этюдов, Флора забеспокоилась.

Обежав несколько излюбленных племянницей мест, она вскоре обнаружила у гаража ее сумку с художественными принадлежностями. Заметив, что дверь открыта, Флора вошла внутрь.

Тишина. На первый взгляд — никого, все пусто. Впрочем, Флора не сомневалась, что Изабель где-то здесь, рядом.

Оглядевшись по сторонам, она заметила в глубине гаража слабый свет и без малейших колебаний двинулась туда. Как она и думала, подвал был открыт. Подобрав юбку, она осторожно спустилась вниз.

За рулем старого «бугатти» сидела Изабель и, счастливо улыбаясь, что-то бормоча себе под нос, самозабвенно крутила баранку.

Жаль было прерывать игру девочки, но подошло время ужинать.

— Пришла навестить? — негромко спросила Флора.

Вздрогнув от неожиданности, Изабель обернулась к тетке. Надо же, она прочла сокровенные мысли!

— Я не хочу бывать там, где он мертвый, — отвечая на молчаливый вопрос Флоры, тихо сказала Изабель. — Я хочу быть там, где он живой.

Обе молча посмотрели друг на друга. Внезапно Флора с величественным видом двинулась к машине и, открыв заднюю дверцу, села в салон.

— Ну-ка, прокатите меня! — как бы между прочим скомандовала она.

Заулыбавшись, Изабель положила руки на руль.

— Как прикажете, сеньорита Пуйоль!

К концу июля жара стала невыносимой. Спасая Флору и ее гостей от зноя, Алехандро предложил им провести три недели в своем доме в Паламосе, Коста-Брава. Дом этот, как и Кастель, представлял собой средневековую крепость и располагался на холме, у самого моря. Каменное сооружение господствовало над местностью, вздымая свои стены над красными гранитными скалами и песчаными пляжами побережья.

Позади дома в просторном патио размещался плавательный бассейн, по краям стояли деревянные шезлонги с полотняными спинками. Суровый вид дома-крепости смягчали высаженные вокруг высокие, стройные кипарисы.

В доме современная кожаная мебель мирно соседствовала с древними деревянными потолками. Расположенный над гостиной просторный мезонин сейчас использовался как библиотека. Столовая, правда, богатым убранством не отличалась — посреди комнаты стояли большой деревянный стол с кованым подсвечником и плетеные стулья, в небольших освещенных нишах сверкали разноцветьем хрустальных граней кубки и графины с главным богатством семьи Фаргас — чудесным вином.

Да, основу благосостояния Алехандро составляло вино — в особенности игристое белое, так называемая кава. Производимая по технологии фирмы «Дом Периньон», кава играла огромную роль в жизни каталонцев — ее подавали на крестинах, свадьбах, семейных торжествах, даже за воскресным столом. Как младший сын, Алехандро не унаследовал ни виноградников, ни родового имения Фаргасов в самом сердце каталонского виноделия близ Сан-Садурни, небольшого городка в часе езды от Барселоны. Зато Алехандро достался этот дом, ему причиталась часть дохода с виноградников, и он получил свободу заниматься чем пожелает.

Для него это был идеальный вариант. Алехандро всегда хотел работать головой, в отличие от его старшего брата, Милагроса. Хотя братья внешне были очень похожи — оба высокие и худощавые, большеносые с широко расставленными глазами и выдающейся вперед квадратной челюстью, — по своему характеру они резко отличались.

Милагрос по натуре был консерватором, человеком традиций и всегда делал то, что принято. Он женился молодым, завел шестерых детей, редко покидал свои виноградники и гордился тем, что производит лучшую в Каталонии каву.

Братья искренне любили и уважали друг друга, и в то же время каждый из них скептически относился к жизненным принципам другого. Милагрос не одобрял отношений Алехандро с Флорой и то, что у него не было детей; к тому же, несмотря на искреннее восхищение его адвокатскими способностями, в глубине души Милагрос считал, что судебными тяжбами Фаргасам заниматься не пристало.

Особенно это касалось дела Мартина. Будь его воля, Милагрос запретил бы брату заниматься им. Слишком уж противоречивым, слишком взрывоопасным и чересчур громким было дело.

— Из-за тебя под угрозой репутация семьи, — безуспешно пытаясь скрыть гнев, говорил он. — Я уже не говорю о том, как этот скандал скажется на нашем бизнесе.

Избежать ссоры Милагрос не надеялся, но он верил, что в конце концов интересы семьи возобладают. Не учел он только одного — что семьей для Алехандро уже давно стали Флора, Мартин и Изабель. В итоге братья вот уже пять лет не разговаривали.

Флора никогда особо не привечала ни Милагроса, ни его чопорную жену Инес, но тем не менее понимала, что Алехандро по ним скучает. В конце концов, Милагрос ведь его единственный брат.

Кончился июль, наступил август. Приближалась дата отъезда Изабель, и Флоре волей-неволей пришлось задуматься над тем, что правильнее: оставить девочку в Испании или отправить ее обратно в Санта-Фе. Сердце подсказывало ей одно, рассудок — совсем другое. И тетка решила еще раз напомнить племяннице, что даже без Мартина и Альтеи ее родной дом — в Барселоне, что ее семейный круг не ограничивается одними лишь Флорой и Алехандро и что ее мир простирается далеко за пределы Кастель.

Никого не известив, Флора направилась в Сан-Садурни, чтобы убедить Инес и Милагроса помириться с Алехандро. Дело оказалось не простым, но, как ни упрям был Милагрос, с такими, как Флора Пуйоль, ему еще сталкиваться не доводилось. Она выслушала все его упреки относительно продолжительного молчания Алехандро, затем рассуждения о том, что он, Милагрос, хотел только одного — избавить всех, в том числе и ее, Флору, от той боли, что они сейчас испытывают.

Когда он закончил свою тираду, а Инес добавила к предъявленному им списку обвинений еще один пункт, Флора наконец пошла в атаку.

— Наш союз с Алехандро не освящен церковью, — сказала она. — Мартин де Луна не выношен и не рожден мной. Тем не менее я не позволю никому, в том числе и вам, противопоставлять мою любовь к одному из них моей любви к другому. Я всегда была Алехандро настоящей женой. Я была с ним в горе и в радости, в дни скорби и дни торжества. И когда моему сыну понадобилась помощь, Алехандро помог ему, потому что мой сын — это и его сын.

В комнате воцарилось молчание. Ни Милагрос, ни Инес не смели произнести ни слова.

— Альтея умерла, жизнь Мартина висела на волоске. Вы же, вместо того чтобы помочь нам в это трудное время, оскорбили нас, не явившись на похороны Альтеи, а потом потребовав, чтобы Алехандро ради интересов семьи предал уважаемого им молодого человека. — Флора хмыкнула. — Вы не только отказались уважить семью Алехандро, но и стали отрицать ее существование. Позор на ваши головы!

Не в силах выдержать обличительного взгляда Флоры, Милагрос опустил голову и заерзал на стуле. Инес нервно затеребила браслет: она всегда боялась Флоры, и сегодняшний день не стал исключением.

— В Барселону вернулась наша внучатая племянница, Изабель, — продолжала Флора, — по которой мы с Алехандро ужасно скучали. Изабель — наш источник жизни, в ее присутствии мы вновь становимся молодыми и энергичными. Она побуждает нас думать и смеяться, заставляет нас вспоминать прошлое и заглядывать в будущее. Она для нас то же самое, что для вас ваши внуки.

Флора выразительно помолчала.

— Мы хотели бы, чтобы она осталась в Испании, но тут ее терзают ужасные воспоминания. Мне хочется положить этому конец, мне хочется показать ей, что даже без Мартина и Альтеи у нее здесь есть семья.

Она снова замолчала, на сей раз для того, чтобы справиться с нахлынувшими эмоциями.

— Я хочу, чтобы вы с Алехандро помирились.

Милагрос в гневе распахнул глаза.

— Пусть Алехандро сам скажет об этом. — Откинувшись на спинку кресла, Милагрос сложил руки на груди, видимо, считая такую позу наиболее подобающей для главы династии.

— Говоря по справедливости, Милагрос, это ты виновник конфликта.

— Да кто ты такая, что смеешь в моем же доме еще и предъявлять мне какие-то требования?! — еле скрывая смущение, воскликнул Милагрос.

— Я женщина, которая хочет воссоединить свою семью, даже если отдельные ее члены отгородились высокими стенами ложной гордости. — Флора многозначительно посмотрела ему в глаза. — Через две недели мы с Алехандро устраиваем большую вечеринку для друзей и членов семьи в Паламосе. Приезжать или нет, решай сам.

С этими словами она встала и направилась к двери. Уже на пороге она обернулась и, красноречиво улыбнувшись, произнесла:

— Торжества начнутся в пятницу в восемь.

Примирение было кратким. Алехандро не стал приносить никаких извинений, а просто пригласил в дом всю семью старшего брата.

За прошедшие две недели Милагрос много думал над словами Флоры и в конце концов пришел к выводу, что она права: большая часть вины действительно лежит на нем.

Тем не менее при встрече он только выдавил из себя:

— Я сожалею о том, что между нами произошло.

— Я тоже, — обняв Милагроса, произнес в ответ Алехандро.

Они вместе вышли из его кабинета и направились во внутренний дворик, где собрались гости. Появление братьев все приветствовали дружными аплодисментами.

Вскоре гости разделились: молодежь играла у бассейна на лужайке, остальные проводили время в холодке — во внутреннем дворике или в самом доме. Что ж, Флору это вполне устраивало. В то время как Изабель играла с внуками Милагроса и Инес, Нина обзавелась поклонником — старший среди детей и, пожалуй, самый красивый из них, Ксавьер, буквально не отставал от нее ни на шаг — куда она, туда и он. Алехандро это встревожило, но Флора уже достаточно узнала Нину и поспешила его успокоить: девушка вполне способна сама о себе позаботиться.

Что на какое-то время действительно встревожило Флору, так это желание Милагроса подружиться с Изабель. Испугавшись, что его расспросы имеют какую-то тайную подоплеку, она тем не менее вскоре успокоилась, увидев, что Милагрос проявляет искреннее участие. На него, в частности, произвел большое впечатление тот факт, что маленькая Изабель сумела столь быстро приспособиться к чуждому ей образу жизни.

Изабель тоже было с ним интересно. Внимательно выслушав небольшую лекцию о производстве кавы, она с удовольствием участвовала в пробной дегустации вин, которую Милагрос устроил для нее и еще нескольких детей.

В воскресенье, когда большая часть семьи Милагроса уехала, за исключением Ксавьера, который на своей машине устроил Нине индивидуальный тур по Коста-Брава, сам он, Инес, Алехандро, Флора и Изабель собрались за обедом во внутреннем дворике дома. Разговор за столом плавно перешел в дискуссию о бизнесе и интересах семьи. Испугавшись, что старший брат сейчас скажет что-либо неприятное младшему, Флора оцепенела, однако Милагрос заговорил с Изабель.

— На меня произвели большое впечатление твои работы, — сказал он, обращаясь к ней. — Ты очень талантлива. — Польщенная комплиментом, Изабель покраснела. — Я понимаю, что ты унаследовала таланты тетушки и своей матери, но при всем моем уважении к ним, — он слегка поклонился удивленной Флоре, — должен сказать, что ты превзойдешь их обеих!

Подняв бокал с кавой, Флора выпила за здоровье новоиспеченного ценителя творчества Изабель.

— Не хочу никого расстраивать, — обрадовался Милагрос, — но раз уж мы заговорили о художниках, то, на мой взгляд, «Дрэгон текстайлз» очень многим обязана Альтее де Луна.

— Без нее «Дрэгон» уже совсем не та, — подхватила Инес.

— Вот-вот, именно об этом я и говорю! — повысил голос Милагрос. — У семейного бизнеса есть свои дополнительные стимулы. Имя что-то значит? Значит! Честь семьи? Передай бизнес в чужие руки, и все пойдет вкривь и вкось!

— На что ты намекаешь, Милагрос? — нахмурился Алехандро.

— Мне просто непонятно, как Мартин согласился продать свою фамильную реликвию.

— У него не было выхода, — отрезал Алехандро.

За столом воцарилось неловкое молчание.

— Когда-нибудь, — нарушив всеобщее замешательство, сказала Изабель, — я верну «Дрэгон». — Голос ее был таким ровным и невозмутимым, что никто, кроме Флоры, не обратил внимания на горящие глаза девочки.

— Вот это правильно! — одобрительно заметил Милагрос. — Верни ее семье, Изабель.

— Верну! — пообещала девочка. — Клянусь могилами моих родителей!

На следующий день Флора с девочками вернулась в Барселону. Войдя в Кастель, они все еще смеялись, однако их хорошее настроение вмиг улетучилось, едва они увидели поджидавших их незваных гостей.

В Кастель без всякого приглашения явились Хавьер и Эстрелья Мурильо. Они просто-напросто ввалились в дом Флоры, требуя показать им Изабель, и как раз допрашивали Консуэлу в прихожей, когда входная дверь открылась и на пороге появилась пропавшая троица.

— Что вы здесь делаете? — звенящим от возмущения голосом спросила Флора.

— Значит, это и есть Изабель, — игнорируя Флору, произнесла Эстрелья. Подойдя к внучке, она обошла ее кругом, как барышник на базаре при покупке лошадей.

Завершив осмотр, сеньора Мурильо наконец взглянула на Нину.

— А это кто? — бесцеремонно указав на нее пальцем, спросила она.

— Хотя это и не ваше дело, я скажу: это мисс Нина Дюран, моя гостья, — ответила Флора.

В глазах Эстрельи на миг мелькнуло удивление — видимо, она вспомнила, что так звучит фамилия таинственных опекунов Изабель.

Тем временем Хавьер Мурильо, который, не желая влезать в выяснение отношений между женщинами, до сих пор оставался на заднем плане, сделал шаг вперед.

— Изабель, поднимись наверх и уложи свои вещи, — приказным тоном сказал он. — Мы уезжаем в Мадрид.

Почувствовав, как съежилась Изабель, Флора, не глядя, пожала ей руку.

— Она никуда не поедет, тем более с вами.

— Ваше мнение никого не интересует, — отмахнулся от нее Хавьер и вновь посмотрел на Изабель: — Я жду.

Девочка ответила ему пренебрежительным взглядом.

— Это обсуждению не подлежит, — надменно сказала Эстрелья. — Изабель — наша внучка, и заботиться о ней — наша обязанность, а не ваша.

— Вы совершенно правы, — ответила Флора. — Для меня это счастье, а не обязанность.

Эстрелья не знала, что и ответить. Хавьер вновь велел Изабель собирать вещи, и вновь девочка даже не пошевелилась. Тогда Хавьер обратил свое внимание на Флору.

— Мы можем решить все мирно, — угрожающе проговорил он, — а можем прибегнуть к помощи властей. Ради самой Изабель я предлагаю вам уговорить ее мне подчиниться.

— Каких это властей? Вы отказались от иска больше года назад.

— Мы передумали. Сегодня утром мы снова оформили необходимые бумаги.

— Мне нужно сходить за документами, — прошептала Флора на ухо Изабель. — Ты вольна пойти со мной, остаться здесь с Ниной или удалиться в свою комнату.

— Мне и здесь хорошо, — повысив голос так, чтобы слышали Мурильо, ответила Изабель.

Оставив всех в холле, Флора направилась в библиотеку. Хавьер же решил зайти с другого конца.

— Мы не сделаем тебе ничего плохого, Изабель. Это в твоих же интересах.

— Мартин и Альтея с этим были не согласны, — ответила за девочку Флора. В одной руке она держала папку с бумагами, в другой — какой-то документ. — В соответствии с завещанием Мартина официальными опекунами Изабель назначаются родители Нины, Луис и Миранда Дюран. Я душеприказчица Мартина, Алехандро — его адвокат. Думаю, вы не удивитесь, узнав, что ваши имена там не упомянуты.

— Эти документы не имеют никакого значения, — не унимался Хавьер. — Дюраны для Изабель — совершенно чужие люди, а мы — бабушка и дедушка, то есть ее ближайшие родственники.

— С каких это пор? — спросила Флора.

Эстрелья почему-то смутилась. Лицо Хавьера побагровело от гнева.

— О чем, черт возьми, вы говорите?

— Вот о чем, — подняв вверх папку с бумагами, сказала Флора. — Если вы забыли, я напомню, что, когда Альтея вышла замуж за Мартина, вы официально от нее отказались. Вы убрали ее имя из всех своих банковских счетов, переписали завещания, чтобы лишить ее наследства, и отказали от дома. Вы даже запретили ей пользоваться фамилией Мурильо! Она никак не могла поверить, что вы способны на такое. Увидев вот это, — Флора красноречиво помахала в воздухе листом бумаги, — она сказала, что чувствует себя так, будто увидела собственное свидетельство о смерти.

Нина и Изабель замерли в ожидании. Было ясно, что Флора сказала еще не все.

— Под распоряжением, которое блокировало все ее счета и лишило доступа к вашим, вы не только подписались, но и добавили фразу: «С этого момента у нас нет дочери».

В комнате воцарилось тягостное молчание. Мурильо всегда считали, что эти документы давно уничтожены или в крайнем случае лежат в их банковском сейфе. Они и не подозревали, что их отправят Альтее.

— Пять лет назад Алехандро собирался использовать эти бумаги, но Мартин не разрешил. Он не хотел омрачать память Альтеи. — Глаза Флоры затуманились, наполнившись печалью. — Он считал, что сначала должен снять с себя обвинения, а уж потом сражаться с вами за свою дочь.

— Нужно ли напоминать, что генералиссимус Франко — наш близкий друг? — сердито воскликнул Хавьер.

— Разве я могу забыть об этом? Наверное, это кто-то из нанятых вами головорезов сообщил вам о приезде Изабель.

На лице Эстрельи появилось самодовольное выражение.

— Об этом нас известила служба паспортного контроля.

— Как видите, — снова заговорил Хавьер, — закон на нашей стороне. А теперь, — он снова повернулся к Изабель, — собери свои вещи и попрощайся с тетей. Через двадцать минут мы уезжаем.

— Я никуда с вами не поеду — ни через двадцать минут, ни когда-либо вообще!

Отпустив руку Нины, Изабель сделала шаг вперед и смело взглянула в лицо человеку, называвшему себя ее дедушкой.

— Мне не нужны ваши деньги, ваше влияние или ваше имя, — продолжала Изабель. — У меня есть все, что нужно, — любовь тети Флоры и дяди Алехандро, замечательный дом в Санта-Фе, воспоминания о родителях и фамилия де Луна. Вам нечего мне предложить!

Застигнутая врасплох ее откровенностью, Эстрелья потеряла дар речи. Хавьер, однако, тотчас нашелся с ответом.

— Да ты такая же, как твоя мать! — возмущенно воскликнул он.

— Спасибо, — заставив себя улыбнуться, ответила Изабель. — Это лучшее, что вы могли мне сказать.

— Еще ничего не кончено, — зло посмотрев на нее, затем на Флору, прорычал Хавьер. — У меня есть деньги и власть, чтобы добиться своей цели. И поверьте мне — я добьюсь этого!

С этими словами Мурильо поспешили удалиться. Игнорируя прозвучавшую в словах Хавьера угрозу, Изабель и Нина победно пустились в пляс.

— Ты была неподражаема! — обнимая Изабель, воскликнула Нина. — Как ты на них посмотрела! Вау!

Флора же, несмотря на внешнюю невозмутимость, отнеслась к угрозам Мурильо вполне серьезно. Чем скорее Изабель вернется в Санта-Фе, тем лучше.

Глава 8

1970 год

С самого начала дневники Нины были полны фантазий: о том, что она богата, что живет в громадном доме, носит сказочные платья и встречается со знаменитыми людьми. Мечты маленькой девочки, очарованной иллюзорным миром кино, всегда начинались со слова «однажды»...

Поэтому совсем неудивительно, что жизнь в «Эль кастель де лес брюшотс» произвела на нее сильнейшее впечатление.

До сих пор мир изобилия казался ей чем-то вроде волшебной сказки, однако лето, проведенное в Барселоне, убедило Нину в том, что роскошь — вещь совершенно реальная. Вскоре ей на ум стали приходить опасные сравнения. Вычищая ванные в Ла-Каса, Нина вспоминала о Консуэле и страстно мечтала оказаться на месте Флоры. Когда они с Изабель, толкая друг друга, собирались в школу, Нина с тоской вспоминала о той комнате, в которой жила в Кастель. Когда же Луис на грузовике привозил ее на танцы в школу, она вздыхала о Педро и черном «мерседесе» сеньориты.

Произошедшие в ней перемены повлияли и на ее отношение к Изабель. Конечно, Нина и прежде завидовала прошлому Изабель, но пока оно оставалось чистой абстракцией, с этим легко было справиться. Теперь же, когда Нина воочию увидела жизнь, которой Изабель жила до отъезда в Ла-Каса, различия между ними стали для нее совершенно очевидны. Изабель принадлежала к высшему обществу, Нина — к низшему сословию. Предки Изабель были людьми известными, а Нина даже не знала, кто ее родители. У Изабель была небольшая собственность, а Нине предстояло своим трудом зарабатывать каждую копейку. Изабель пришла из мира изобилия, а Нина все еще стояла снаружи, прижав нос к стеклу.

Единственное, чего хотела Изабель и что было у Нины, — это Сэм Хоффман. Он был гордостью Санта-Фе: сын главного врача больницы Святого Винсента и известной журналистки, лучший ученик класса, лучший игрок бейсбольной команды, старшекурсник Дартмутского колледжа. Нина соглашалась с всеобщим мнением о том, что он очень красив, очарователен и талантлив. Чего не знали ее подруги — так это того, что он еще и прекрасный сексуальный партнер, всегда внимательный и всегда готовый удовлетворить ее желания. Нина испытывала к Сэму очень глубокие чувства и тем не менее время от времени, проснувшись среди ночи, она подолгу размышляла над тем, действительно ли они предназначены друг другу.

Снова и снова она вспоминала то лето в Барселоне. Те несколько дней невинного флирта в Коста-Брава с Ксавьером Фаргасом убеждали ее в том, что и сказка иногда становится былью. Потому-то, несмотря на все достоинства Сэма, внутренний голос нашептывал Нине, что ее возлюбленный — слишком земной человек. Ксавьер Фаргас, напротив, служил для нее олицетворением романтики.

Изабель с ней категорически не соглашалась, и это весьма удивляло Нину. А недавно, когда Нина рискнула заговорить о том, чтобы пригласить Ксавьера на свой шестнадцатый день рождения, Изабель и вовсе неодобрительно фыркнула:

— Не понимаю, зачем тебе Ксавьер Фаргас, если у тебя есть Сэм Хоффман?!

До шестнадцатилетия Нины оставалось всего две недели, но она до сих пор не могла решить, какое платье надеть и какую прическу сделать. Хотя с деньгами было туго — каждый лишний цент откладывался на обучение дочери в колледже, — Миранда все-таки устраивала торжество. Правда, его нельзя будет проводить в субботу — чтобы не отпугнуть постояльцев, и не стоит проводить допоздна — в понедельник в школу, но в программе обязательно надо предусмотреть танцы, огромный торт с шестнадцатью розами и, конечно, новое платье.

В тот день Нина и Изабель собирались отправиться за покупками после школы, но всю прошлую ночь не переставая валил снег, и когда утром им позвонила Ребекка Хоффман, которая вместе с подругами собиралась в Таос, девочки поспешно к ней присоединились.

— Только вот Миранда и Луис наверняка будут недовольны, если мы пропустим школу, — вдруг спохватилась Изабель.

— Они не узнают. — Нина уже поспешно одевалась. — Они только что ушли, я сама видела.

Изабель кивнула. Периодически Дюраны исчезали из дому на весь день, уходя в неизвестном направлении, чтобы заняться «так, какими-то делами».

— Как ты думаешь, куда они ходят? — спросила девочка, чье природное любопытство подогревалось отказом Дюранов сообщить хоть что-нибудь об этих отлучках.

— Кто знает? Лично я уже несколько лет не пытаюсь это выяснить.

— Что ж, — кивнула Изабель. — Где бы они ни были, главное — подальше от Таоса.

Когда с переломанной в нескольких местах ноги сняли гипс, Нина испытала новое потрясение.

— Чтобы заплатить за лечение, нам пришлось потратить деньги, которые откладывались на твое обучение в колледже, — произнес Луис. — Я говорил в банке насчет кредита, но даже если его дадут, тебе все равно нужна стипендия.

У Нины словно земля ушла из-под ног. Все дальнейшее она воспринимала как в тумане. Миранда, со слов Сибил, вроде бы говорила, что Нинины отметки, рекомендации учителей и финансовое положение семьи позволят ей получить полную стипендию. Луис вроде бы для подстраховки намеревался сразу же обратиться в университет Нью-Мексико. Нина даже слышала, как Изабель предлагала снять недостающие деньги с ее банковского счета.

— Я буду поступать в колледж только через несколько лет, — говорила она. — К тому времени мой фонд восполнится. И потом, мне кажется, что все это приключилось по моей вине.

По моей вине. Все это приключилось по моей вине.

Внезапно Нину словно прорвало, и она засыпала свою семью градом вопросов, которые не смела поднимать раньше — например, почему Изабель при падении отделалась вывихнутым пальцем и несколькими синяками, в то время как у Нины нога переломана в нескольких местах? Почему на деньги Изабель никто не посягает, а деньги Нины оказались полностью израсходованными?

— Потому, — задыхаясь от ярости, произнесла она, — что жизнь всегда легче для тех, кто с голубой кровью, чем для тех, у кого голубой воротничок.

Под звуки торжественного марша выпускники школы парами выходили на стадион.

Миранда и Луис сидели, взявшись за руки, и не отрывали глаз от Нины. Сегодня был знаменательный день — их дочь заканчивала среднюю школу, и, подобно большинству присутствовавших здесь родителей, Дюраны надеялись, что будущее Нины окажется светлым, а жизнь ее сложится удачнее, чем их судьбы.

Миранда видела дочь среди звезд Голливуда, Луис представлял ее автором пьес или романов-бестселлеров. Изабель вообще не думала о карьере подруги: у нее перед глазами Нина вставала исключительно как миссис Хоффман, что, по мнению Изабель, являлось вершиной человеческого счастья.

Вечером Дюраны и Хоффманы устроили праздничный ужин. Радуясь успехам детей — Ребекка была лучшей в классе и уже поступила в Уэллесли-колледж, а Сэм успешно окончил Дартмут и готовился поступать на медицинский факультет Гарвардского университета, — Джонас одновременно сожалел о том, что Рут этого не видит. Первый тост он сегодня предложил именно за нее.

Впрочем, стул рядом с Джонасом не пустовал. Он и сам не знал, когда и как это произошло, но Сибил Крофт незаметно стала его компаньонкой. В течение многих месяцев она постоянно дежурила возле постели Рут и оставалась с ней до конца. После ее смерти именно Сибил помогала Хоффманам вести домашнее хозяйство, именно она напоминала Ребекке и Сэму, какое огромное значение придавала мать их образованию, и опять же она настояла на том, чтобы Джонас вновь вышел на работу.

В какой-то момент старший Хоффман понял, что Сибил Крофт прочно вошла в его жизнь. Он просто принял ее бескорыстную помощь. И ему открылась душа Сибил, в которой и заключалась вся ее красота.

Вместе они не жили, а любовью занимались только у нее дома, причем Джонас никогда не оставался на ночь. Хоффман никогда не стал бы спать с другой в постели Рут и никогда не привел бы другую в дом Рут. Сибил прекрасно это понимала и уважала его чувства. Она также понимала, что пока дети не встанут на ноги, он прежде всего отец, а уж потом любовник.

Несмотря на то что Изабель занимали отношения Сибил и Джонаса, главное внимание она все же уделяла Сэму. Высокий, с идеальной фигурой, правильными чертами лица, смеющимися карими глазами, он вызывал у нее головокружение. Слишком серьезная, чтобы кокетничать, Изабель могла только сидеть и ждать, когда произойдет чудо и Сэм сам обратит на нее внимание. Однако чуда все никак не происходило.

Про влюбленность Изабель Нина, разумеется, знала и втайне радовалась этому. Ее отношение к подруге-сестре по-прежнему оставалось двойственным. Умом Нина понимала, что Изабель не несет ответственности за полученные ею травмы или ухудшение ее финансового положения, но тем не менее чувство жалости к себе и обиды на названую сестру никак не проходило.

Тем более, что последний год для Нины выдался нелегким. Впрочем, все это уже позади. Нина добилась потрясающего успеха: ее приняли одновременно в Бостонский и Нью-Йоркский университеты, а также в университеты Нью-Мексико и Колорадо. И везде с правом получать стипендию!

Так почему же тогда она не испытывает особой радости, особенно теперь, в этот вечер, когда окружена родными и друзьями, каждый из которых норовит выказать ей свое восхищение? Наверное, потому что стипендии выплачиваются только нуждающимся, тем, у кого нет денег.

Переведя взгляд на Изабель, Нина вдруг ясно осознала, что, пока она предавалась мечтаниям, Сэм вовлек Изабель в оживленную беседу о различиях между подлинным искусством и ремеслом. Оба радостно смеялись и постоянно улыбались. Ощутив укол ревности, Нина поспешила прервать их общение. Перегнувшись через стол, она прошептала на ухо Сэму:

— Я готова, а ты?

Всего через пять минут они были уже на пути к своему любимому мотелю. Оставшиеся в ресторане взрослые смущенно улыбались, рассуждая об импульсивности молодых, Ребекка жаловалась на грубость брата, а Изабель отчаянно завидовала Нине.

Весь июль и август солнце стояло высоко в небе раскаленным шаром, разогревая кровь почти до кипения. Этим летом влюбленные часто выбирались на джипе Сэма на природу. Там, к северу от города, на вершине одного из холмов, располагалась поляна, которую они облюбовали для своих свиданий.

В тот день солнце по-прежнему заливало окрестности своим светом, однако над горными вершинами уже собиралась гроза. Вот неподвижность воздуха нарушил легкий ветерок. Вместо того чтобы остудить любовников, он только разжег в них пламя страсти. Стоя сзади, Сэм расстегнул блузку Нины и осторожно коснулся ее груди. Затем, прижавшись щекой к ее шее, принялся осыпать ее нежными поцелуями. Нина не отстранилась. Напротив, она очень любила, когда ее гладят и ласкают руки Сэма, и поэтому с ним позволяла себе по-настоящему расслабиться.

Тем временем пальцы Сэма скользнули в ее шорты. Когда же он подобрался к самому сокровенному, Нина закрыла глаза и вся отдалась нахлынувшим ощущениям. Чувствуя возбуждение Сэма, она завела руки назад и крепко к нему прижалась. Так они и стояли, трогая и мучая друг друга, пока наконец страсть не взяла свое. Тут уж, повалившись на землю и не обращая внимания на разбросанные повсюду камни и палки, они отдались друг другу с той же яростью, с какой у горных вершин бушевала отдаленная гроза.

Только потом, когда все кончилось, оба спохватились, что не предохранялись. Нина рвала и метала — не хватало еще забеременеть. Следующие несколько недель она провела в бесконечной тревоге, но едва стало ясно, что опасность миновала, как они с Сэмом вновь поспешили на тот же холм, который прозвали «эрогенной зоной».

Вполне естественно, что именно это место Нина выбрала для прощания и решила, что сегодня все будет по-особому. Вместо пива она захватила с собой шампанское, вместо сандвичей — закуски из магазина для гурманов. А старый спальный мешок Сэма должна была заменить роскошная перина.

Единственное, в чем она собиралась отказать Сэму, — в его просьбе поехать учиться не в Нью-Йоркский, а в Бостонский университет, поскольку в Бостоне она была бы к нему ближе.

Сэм постоянно твердил, что в Нью-Йорке она никого не знает, но Нину именно это и привлекало. Может быть, она не могла четко выразить свое ощущение словами, но в глубине души чувствовала, что только с незнакомыми людьми станет такой, какой захочет.

Даже сегодня, когда девушка с нетерпением ждала встречи с любимым, — даже сегодня она изо всех сил торопила начало новой жизни.

Глава 9

Было девять утра. Собираясь уходить, Нина внезапно вспомнила, что забыла в «Очаровании» свой фотоаппарат: перед открытием новой экспозиции она по просьбе Миранды всегда фотографировала все картины.

Убедившись, что входная дверь заперта, Нина обогнула здание и вошла в кабинет Миранды. Фотоаппарат лежал на письменном столе — там, где Нина его и оставила. Она уже двинулась к выходу, как вдруг в помещении галереи заметила Изабель и Сэма. Взявшись за руки, они сидели на полу и о чем-то оживленно разговаривали.

Мучимая ревностью, Нина прижалась к стене и осторожно заглянула в галерею.

— Я говорю тебе, что сама это слышала — слово в слово. — В голосе Изабель почему-то слышалось страдание.

Сэм озадаченно потер лоб.

— Расскажи еще раз, где ты это слышала и от кого.

— Я была в женском туалете в «Ла-Фонде», куда чуть позже зашли Мойра Бегхарт и еще какая-то женщина. Обе только что заходили за покупками в «Ранчо», где и встретили Нину.

«А я их даже не заметила», — подумала Нина, удивившись тому, что Изабель, которая тоже не любила Мойру Бегхарт, вдруг заинтересовалась тем, что та говорит.

— Когда они вошли, вторая женщина сказала: «Надо же, как все ужасно начиналось!» «При таких обстоятельствах удивительно, какой она стала», — отозвалась Мойра.

«Кто она? При каких обстоятельствах?»

— «Как подумаешь об этом — просто чудо, что Луис тогда ее нашел, — продолжила незнакомка. — Страшно представить, что было бы, если бы она не захныкала».

«Кого нашел? Где?»

— И что сказала Мойра? — сдавленным голосом спросил Сэм.

Изабель вытерла слезы. Сэм ласково коснулся ее щеки.

— «Каким чудовищем надо быть, чтобы вот так, как мусор, выбросить новорожденного ребенка». Она могла умереть в этом мусорном баке, Сэм! — плачущим голосом протянула Изабель.

Нина почувствовала, что земля уходит у нее из-под ног.

— Но ведь она не умерла, — погладив Изабель по голове, возразил тот. — Луис и Миранда нашли ее и удочерили. Счастливый конец страшной истории.

Изабель внезапно отстранилась.

— Но может быть, это неправда? Может, Мойра все придумала?

Сэм покачал головой. Почему он качает головой?

— Когда мне было десять лет, а Нине семь, я как-то раз подслушал разговор своих родителей. Они говорили о том, что Нину наконец официально удочерили, и что они очень рады за Дюранов.

— Нина знает, что она приемная дочь. Это не значит, что...

Сэм снова покачал головой:

— Мой отец был тем самым врачом, который осматривал Нину, когда Луис ее нашел.

Нина оцепенела, не в силах ни двигаться, ни думать. Это состояние длилось несколько секунд, затем она кинулась к двери и стремглав бросилась в Ла-Каса. В голове у нее постоянно вертелись только что услышанные слова.

Вбежав в здание, Нина заметалась в поисках матери. По лицу ее градом катился пот, сердце бешено колотилось.

— Нина, дорогая! — подняв голову, с удивлением воскликнула Миранда, копавшаяся на грядке возле фонтана. — Что случилось?

Нина смотрела на нее так, словно видела впервые.

— Это правда, что папа нашел меня в мусорном ящике? Расскажи мне все, без утайки! — потребовала дочь.

Выбора она Миранде не оставила.

— В тот день мы с папой ходили на воскресную мессу. Возле церкви, в парке, мы перекусили, и папа пошел выбрасывать пустые чашки из-под кофе в мусорный бак. И тут он услышал что-то вроде мяуканья котенка.

Перед глазами Миранды вновь предстала эта сцена: Луис вытаскивает новорожденного младенца из его грязной колыбели; дитя в запачканной пеленке сосет крошечные пальчики и хнычет, потому что хочет есть.

— Мы были в шоке и на мгновение застыли, как будто ждали, что ты объяснишь, как попала в мусорный бак. Дрожащими руками я взяла тебя у папы. — По щекам Миранды потекли слезы, но она смущенно улыбнулась — так же как тогда, много лет назад. — Оказалось, что я держу крошечную девочку, голенькую и грязную, пуповина у нее была перевязана шнурком от ботинок.

Миранда посмотрела на Нину, но та словно окаменела.

— Мы понесли тебя в больницу Святого Винсента, где тебя осмотрел доктор Джонас. А потом позвонили в полицию. — Голос Миранды упал до шепота. — На то была Божья воля, — сказала она. — Мы редко ходили на мессу, а вот в тот день пошли. В феврале обычно бывает холодно, а в тот день было тепло. Там стояло несколько мусорных баков, но папа выбрал именно этот. И наконец, в тот момент, Нина, ты заплакала, так что папа смог тебя найти. Ты выбрала нас, а мы выбрали тебя.

Миранда попыталась было обнять Нину, но та резко отстранилась. Ей не нужна была любовь матери — ей хотелось узнать тайну своего появления у Дюранов.

114

— И что случилось потом?

— Джонас оставил тебя в больнице. После тщательного расследования полиция пришла к выводу, что твоя... мать... возможно, родила тебя на железнодорожном вокзале, а потом сразу покинула город.

Нина поморщилась, но Миранда решила рассказать все, что знала.

— Полиция постановила передать тебя на наше попечение, пока идут поиски твоей матери. — В голосе Миранды послышалась горечь. — Боясь испытывать судьбу, мы назвали тебя *нинья* — маленькая девочка. Прошел почти год, прежде чем социальная служба официально назначила нас твоими приемными родителями. — Миранда умоляюще заглянула Нине в глаза. — Это был счастливейший день в нашей жизни. Когда-нибудь я собиралась все тебе рассказать.

— Не верю! — крикнула Нина, побагровев от злости.

— Но это правда. — Миранда вдруг ощутила, что с Ниной происходит что-то страшное. — Мы с папой любим тебя, — надеясь предотвратить намечающуюся бурю, сказала она. — Нам не хотелось огорчать тебя.

— Тогда почему вы меня обманывали? Почему говорили, что я особенная? Что меня послал вам Господь?

— Мы тебя и не обманывали: ты в самом деле особенная. И для меня и папы ты и вправду дар Божий.

— А как же мусорный бак? Это правда? — Лицо Нины из багрового стало мертвенно-бледным, она задрожала еще сильнее. — Или вы еще что-то придумали?

Прежде чем Миранда успела что-либо ответить, Нина вдруг разом обмякла, взгляд ее стал рассеянным, словно ей в голову пришло какое-то объяснение.

— Да вы все придумали, — наконец выкрикнула она. — Вам ведь платят за мое содержание, как за Изабель, верно? Наверное, мои настоящие родители умерли или куда-то уехали. Они ведь оставили вам деньги по завещанию и вы каждый месяц получаете чек. Или у меня есть трастовый фонд, о котором вы никогда не говорили. — Миранда молчала. — Ладно, не отвечай. Понятно, что ты не хочешь, чтобы об этом кто-то знал. Ты хочешь, чтобы все думали, что вы святые. Но вы не святые. Вы ведь придумали эту историю о мусорном баке, чтобы скрыть правду о секретном трастовом фонде, верно? — Она ткнула в Миранду пальцем. — Ну конечно! Вы живете на деньги, которые оставили мне мои родители!

— Нет. Никакого секретного фонда нет, и никто не платит нам за твое содержание, — сказала Миранда, моля Бога о том, чтобы к ней на помощь пришел Луис. — Ты наша дочь, и мы любим тебя.

— Я не ваша дочь. Ты сама это сказала.

— Пожалуйста, — взмолилась Миранда, — не говори так! Ты родной нам человек.

— Нет! Вы сами придумали эту ужасную историю и всем ее рассказали.

— Да нет же!

— Тогда почему об этом говорили Изабель и Сэм? Они что, врут?

Миранда была в отчаянии. Чтобы покончить с этим кошмаром, она и хотела бы сказать, что они лгут, но увы...

— Это правда. Мы с папой нашли тебя в мусорном баке около кафедрального собора. Люди узнали об этом потому, что полиция многих допрашивала, когда искала твою мать. Они искали ее долго, но найти так и не смогли. — Слезы ручьями катились из глаз Миранды. — Мы сразу же полюбили тебя, Нина. И ты нас полюбила. Я твоя мама, Луис — твой папа. Мы твоя семья. Прошлое не имеет значения.

Нина ее не слышала. Она думала только о том, что все вокруг знают тайну, которую она сама до сих пор не знала; она испытывала страшные боль и унижение, чувства, которые теперь всегда будут ассоциироваться у нее с правдой.

Резко повернувшись, Нина вбежала в дом и захлопнула за собой дверь. Миранда же надолго застыла у фонтана. Она понимала, что к прошлому возврата уже нет.

Когда вошел Луис, Нина сидела на своей кровати и отсутствующим взглядом смотрела в окно.

— Мама сказала, что у тебя сегодня был трудный день. — Осторожно подойдя к Нине, он погладил ее по голове. Если сейчас ему не удастся найти с ней контакта, проблема здорово усложнится. — Жаль, что ты узнала об этом таким образом.

— Пожалуй, надо было рассказать раньше. — Нина ничего не ответила, она по-прежнему глядела на расстилающийся вдали пейзаж, и Луис продолжил: — Тогда ты плакала. Но я взял тебя на руки, и ты перестала плакать. Потом мама обняла тебя, и ты успокоилась. Тогда ты сразу почувствовала, как мы тебя любим. Неужели ты не чувствуешь этого сейчас?

Нина не чувствовала ничего, совсем ничего, потому что у нее ничего не осталось. В те недолгие минуты, что она слушала разговор Изабель и Сэма, все ее мечты умерли, все иллюзии развеялись. И дело было не только в том, что родная мать избавилась от нее таким отвратительным способом. Нет, ко всему прочему девочка, которая считала себя ее сестрой, открыв эту гнусную тайну, пошла не к ней, а к Сэму. А Сэм, парень, который клялся ей в любви, оказывается, уже давным-давно все знал, но так и не рассказал ей об этом. Они предали Нину, и она никогда их не простит.

— Поговори со мной, Нина! Скажи, о чем ты думаешь, что чувствуешь. Разве узнав обо всем ты становишься хуже? Конечно, нет! Ты красивая, умная молодая женщина, которой мы с матерью, твоя сестра и все в Санта-Фе могут только гордиться!

Нина посмотрела на него безумным взглядом.

— Ты не понимаешь, — вздрогнув, сказала она. — Это меняет все.

— Как? Почему? Что меняет? Ты-то не изменилась!

Нина покачала головой. Разве он в состоянии понять? Он ведь ничего не знает о ее мечтах стать кинозвездой или королевой. Да будь она просто приемной дочерью испаноязычных владельцев гостиницы, то и тогда вершина, на которую ей предстояло вскарабкаться, казалась чересчур высокой. А ребенку, найденному в мусорном баке, даже самой скромной цели достичь совершенно невозможно.

— Теперь я другая, — с печалью в голосе, словно речь шла об умершем, сказала Нина. — И ты тоже другой. Надо было сказать мне правду!

— Согласен, — сказал Луис. — Мне хотелось тебя оградить, но правда все равно выяснилась. Как зубная паста в тюбике — если она выползла наружу, обратно ее уже не затолкаешь. — Он умолк.

— Может, и так, — наконец решительно сказала Нина, — но я все же попытаюсь.

Направляясь на машине в Ла-Каса, Сэм пытался унять беспокойство, охватившее его после беседы с Изабель. И не напрасно.

Нина сегодня выглядела более сдержанной, чем обычно, но Сэм объяснил это горечью расставания. Может, он и уделил бы ее настроению больше внимания, но когда они поднялись на холм, его голова была уже занята совсем другим. Наслаждаясь обществом друг друга, оба не хотели разрушать окружавшую их чувственную атмосферу каким-то прозаическим разговором. Они были любовниками уже три года, но тем не менее друг другу еще не наскучили. Отдыхая после очередного безумства, Сэм открыл бутылку шампанского и предложил тост:

— За нас. За наше будущее!

Он выпил, Нина пить не стала.

— Я не поеду в Бостон, — решительно заявила она.

— Это окончательное решение?

— Да. Не знаю, стану ли я актрисой, писательницей или кем-нибудь еще, но сделать карьеру можно только в Нью-Йорке.

— А как же я? Мне казалось, ты меня любишь. Я думал, нас многое связывает.

— Ты очень хороший, Сэм, — сухо засмеявшись, сказала Нина, — и я прекрасно повеселилась, но наши отношения — уже в прошлом.

— И чем же ты будешь заниматься?

— Еще не знаю, но кое в чем я абсолютно уверена. Это будет гораздо интереснее, чем стать миссис Сэм Хофман — женой деревенского врача и жалкой домохозяйкой!

С этими словами Нина повернулась и пошла к машине. Забравшись в машину, она злорадно произнесла:

— Теперь он знает, что чувствуешь, когда тобой пренебрегают.

Луис, Миранда и Изабель ждали ее в гостиной.

— Я уже начала беспокоиться, — сказала Миранда. — Пойдемте, — позвала она всех, надеясь поговорить за столом. — Ужин готов.

— Я есть не буду, — отозвалась Нина.

— Почему же? — спросил Луис.

— Все очень просто. Я уезжаю в Нью-Йорк и начинаю новую жизнь. Что было, то прошло!

— Ты имеешь в виду и всех нас? — Переполнявшее Изабель сочувствие к Нине вмиг улетучилось.

— Да, — сказала Нина. — И вас тоже.

— Как у тебя язык поворачивается? — обиженно спросила Миранда. — Это твой дом, твоя семья. Мы тебя любим. Нельзя вот так просто вычеркнуть нас из своей жизни.

— Нет, можно! — резко ответила Нина и направилась к двери.

Миранда и Луис беспомощно уставились в тарелки. Изабель бросилась за Ниной следом.

— Как ты можешь быть такой жестокой?

— Жизнь вообще штука жестокая.

— Это же твои родители!

— Формально — да.

— Перестань, Нина! Они тебе настоящие родители и были ими со дня твоего рождения. Они с любовью растили тебя, заботились о тебе, а теперь вместо благодарности ты обходишься с ними как с чужими. Тебе должно быть стыдно!

— А вот мне не стыдно! — засмеялась Нина. — Ради Бога, избавь меня от своей детской чепухи. Они мне не родители. А ты мне не сестра.

— По крови — нет, — растерявшись, отозвалась Изабель, — но я люблю тебя как родную сестру.

— Сестра не судачит о другой у нее за спиной! Сестра не отбивает у другой ее парня! И сестры *так* друг с другом не поступают! — И она указала на шрам, полученный в результате падения в Таосе.

— Это же не специально, — протянула Изабель, не ожидавшая такой яростной атаки, — это чистая случайность.

— Ну да, как же! — зло засмеялась Нина. — Такая же случайность, как и то, что ты знаешь, кто твои родители, а я нет... что у тебя замок в Испании, а я живу над магазином... что у тебя счет в банке, а я должна корячиться из-за каждого вонючего цента... что ты аристократка, а я... я даже не знаю, кто я!

— Надо же! — презрительно фыркнула Изабель. — Все эти годы я думала, что живу с Ниной Дюран. Теперь оказывается, что ты на самом деле Джордж Вашингтон. Вау! Я потрясена!

Эти слова полностью добили Нину.

— Смейся сколько хочешь, — в ярости закричала она, — но когда-нибудь ты действительно будешь в шоке! Потому что когда-нибудь — и довольно скоро — я стану важной птицей, а ты так и останешься посредственностью! Я буду всем, а ты ничем!

— Не болтай чепухи! — тоже разозлившись, возразила Изабель.

— Попомни мои слова, — засмеялась Нина, — это обязательно случится. А когда это случится, сеньорита де Луна, посмотрим, какая ты на самом деле благородная!

С этими словами Нина подхватила свои чемоданы и стремглав выбежала из дома.

Через два дня Нина уже была в Нью-Йорке. Первый день она потратила на изучение окрестностей. Уже возвращаясь в общежитие, Нина наткнулась на маленький антикварный магазинчик и принялась рыться в стоявших на прилавках ящиках. Вытащив оттуда очень милую старинную камею ценой в десять долларов, кружевные перчатки за два доллара, гребень из слоновой кости за пятьдесят центов и серебряную щетку за двенадцать пятьдесят, она уже собралась было расплатиться, как вдруг заметила портрет в золоченой рамке, на котором были изображены элегантная светловолосая женщина и крупный темноволосый мужчина с зелеными глазами.

Непонятно почему, но портрет Нине очень понравился. «Кто они?» — вглядываясь в картину, думала она. Действительно ли они были знатны или их наряд лишь плод богатой фантазии неизвестного художника? Как этот портрет попал к владельцу антикварной лавки? Живы эти люди или уже умерли, а если живы, то какова их судьба? Подчиняясь внезапному необъяснимому импульсу, Нина купила портрет и отнесла его вместе с другими приобретениями в общежитие, где и повесила в своей комнате над кроватью.

На следующий день приехала ее соседка по комнате. Когда она, взглянув на картину, спросила, кто на ней изображен, Нина улыбнулась и спокойно ответила:

— Мои родители.

Начинался новый этап ее жизни.

Глава 10

На день рождения Изабель подарила Миранде свою картину. Луис тут же повесил ее над камином, напротив одной из трех работ, что когда-то подарила им мать Изабель.

На картине Альтеи, которая называлась «Святой дух», был изображен залитый лунным светом мрачный каньон, Изабель же, напротив, отобразила раннее утро. Голубое небо уже немного отливало желтизной, на горизонте высились лилово-красные горы, среди скал пробивала дорогу мелкая речушка.

— Замечательно! — переводя взгляд на Изабель, сказала Миранда. — Я думаю, твоя мать была права, когда сказала, что ты унаследовала талант Флоры. Ты мастерски используешь цвет.

— Тебе так кажется.

— Чтобы разглядеть талант, вовсе не надо быть нью-йоркским критиком.

— А что нью-йоркские критики считают талантом?

— Хороший вопрос, — пристально глядя на нее, сказала Миранда. — Сегодня к нам на ужин придет Сибил — вот давай и спросим ее об этом.

— Многие критики считают, что природный талант — это способность трансформировать свои творческие импульсы в нечто наглядное, — отведав цыпленка с рисом, сказала Сибил. — Все сходятся на том, что художник становится великим лишь тогда, когда к его природному дару приложены самоотверженность и необузданная жажда творчества. По-моему, всего этого у тебя в изобилии, Изабель.

— Так что же мне делать? Просто писать и писать до тех пор, пока кто-нибудь не обратит на меня внимания?

— Пришло время, — стараясь справиться с собственными чувствами, ответила Сибил, — поискать тебе нового учителя.

Изабель недоуменно посмотрела на Дюранов.

— Решив, что твое призвание — искусство, мы спросили у Сибил, какие учебные заведения и преподаватели больше всего тебе подходят, — сказал Луис.

— И что же?

— Для настоящего художника, — сухо проговорила Сибил, — центром вселенной является Нью-Йорк. Именно там находятся художественные галереи, там работают знатоки, там проводятся крупнейшие выставки. Твое место там, Изабель.

— В Нью-Йорке?

Из-за своего заморского происхождения Изабель чувствовала себя провинциалкой. Такой монстр, как Нью-Йорк, наверняка проглотит ее в мгновение ока.

— В Нью-Йорке в лиге студентов-художников есть один замечательный преподаватель по имени Эзра Кларк. Он совершенный безумец и будет заставлять тебя работать до тех пор, пока ты не запросишь пощады, но педагог Кларк просто гениальный. Я думаю, он именно тот человек, который поднимет твой талант на новый уровень.

— И где я буду жить? — робко спросила девушка.

— Я звонила в лигу, — отозвалась Сибил. — У них масса иногородних, так что у них есть специальная служба, которая помогает нуждающимся в поиске квартиры и подборе соседей по комнате.

— Просто замечательно, — солгала Изабель, хотя совершенно не хотела уезжать из дома. — И когда назначен отъезд?

— Ты побудешь месяц в Барселоне, а потом я встречу тебя в Нью-Йорке. Мы устроим тебя на квартиру и вместе подождем твою соседку. Как, согласна? — отозвалась Миранда.

Встав со стула, Изабель подошла к Миранде и крепко ее обняла.

Глядя на них, Луис радовался от души, но, к сожалению, ни на мгновение не мог забыть тот день, когда в Нью-Йорк уехала другая его дочь. За прошедшие три года Дюраны так и не дождались от нее ни письма, ни открытки, ни даже телефонного звонка. Миранда, не желая воспринимать слова Нины в тот последний вечер всерьез, объясняла ее поведение стрессом, возникшим в непривычной столичной обстановке.

А Луис думал о том, каких разных девочек он воспитал. Одна ценила все, что ни делалось, другая ко всему относилась с пренебрежением. Одна относилась к ним как родная дочь, другая — как злейший враг.

Едва на следующий день Миранда открылась мужу в своей тайной надежде на то, что Изабель сумеет найти Нину, как Луис согласно кивнул. Впрочем, особого энтузиазма он не испытывал. В глубине души он был уверен, что если они и в самом деле найдут Нину, им вряд ли понравится, какой она стала.

Дом, в котором Изабель сняла квартиру, находился в Верхнем Вест-Сайде, на углу Девятнадцатой улицы и Риверсайд-драйв. Изабель здесь нравилось: через дорогу парк, рядом автобусная остановка, да и квартплата терпимая. По их с Луисом прикидкам, если устроиться на приличную работу и экономно тратить деньги, то вполне можно сводить концы с концами.

Миранда предлагала Изабель на обустройство в Нью-Йорке дополнительно снять деньги с банковского счета, который много лет назад открыли для нее Флора и Алехандро, но та наотрез отказалась.

«В конце концов, — говорила себе Изабель, — эти деньги еще пригодятся. Надо же когда-нибудь и «Дрэгон текстайлз» выкупать!»

Квартира, которую подыскала для Изабель Лига студентов-художников, находилась на первом этаже и выходила окнами в переулок. Небольшая спальня, тесная ванная, крошечная гостиная-столовая и, наконец, закуток, громко называемый кухней. Главным недостатком помещения являлось полное отсутствие солнца. И мало того, все здесь было выкрашено в темно-коричневый цвет. Уже через несколько минут пребывания здесь она почувствовала приступ клаустрофобии.

Впрочем, после трехчасовой уборки в квартире стало уютнее. Миранда уже начала застилать кровать Изабель, когда в двери появилась претендентка на вторую койку.

— Такого свинарника вы, наверное, еще не видели, правда?

Изабель и Миранда разом обернулись и увидели толстую коротышку, голубоглазую и черноволосую. На ней были брюки-клеш, едва сходившиеся на талии, чересчур длинный пестрый жилет, блуза с очень длинными рукавами и черная кепка, едва не падавшая с головы.

— Как говорится, за что заплатил, то и получи, — заявила вошедшая. — Все тут отдает дешевкой.

— Меня зовут Изабель де Луна, — представилась ей Изабель. — А это моя мать, Миранда Дюран.

— Отлично!

Они пожали друг другу руки, и тут Изабель обратила внимание на ее ногти — длинные-предлинные, цвета баклажана. Мало того, на каждом ее пальце красовалось по нескольку колец и перстней, на некоторых из них были выгравированы знак Зодиака, изображающий Овна, греческий символ женщины и еврейская звезда Давида.

— А как зовут вас? — спросила Миранда, стараясь справиться с шоком.

— На самом деле меня зовут Хейзел Штраус, — презрительно сморщив нос, заявила девушка, — но по понятным причинам с десяти лет я перестала употреблять это имя. Теперь меня зовут Скай.

— Скай? Небо?

— А почему бы и нет? — отвечая на вопрос Изабель, сказала Скай. — Глаза у меня голубые, натура возвышенная, а тело просто божественное. Полное сходство с небом! — засмеялась она. — Итак, что мы будем делать с этой квартирой? — уперев руки в боки и презрительно поглядывая по сторонам, спросила Скай. — Тут как в бочке с черносливом. Этот цвет надо убрать!

— А я так боялась, что тебе понравится! — с облегчением произнесла Изабель.

В понедельник Миранда уезжала домой с легким сердцем, зная, что беспокоиться не о чем. Квартиру привели в порядок, Изабель и Скай друг другом вполне довольны.

Несмотря на свое обещание Луису, перед отъездом Миранда все же поговорила с Изабель о Нине.

— Я постараюсь что-либо разузнать, — обняв Миранду, ответила Изабель. Через несколько дней, кратко обрисовав Скай ситуацию, она вынуждена была, однако, согласиться с мнением своей новой подруги: кто хочет исчезнуть, тот исчезает.

Лига студентов-художников располагалась в Доме изящных искусств. Это было известное учебное заведение, из стен которого вышли такие выдающиеся мастера, как Джорджия О'Кифф, Дэвид Смит, Айрин Райс Перейра и многие другие, картины которых сейчас украшали стены музеев или экспозиции частных коллекций.

В первый день занятий Изабель вошла в учебную аудиторию не без трепета. Кларк славился своей нетерпимостью к начинающим. Для того чтобы отсеять ленивых, он применял своеобразный способ: занимался со своими студентами до тех пор, пока большинство из них не ломалось и не уходило навсегда. Изабель была уверена, что в число аутсайдеров не попадет, но все-таки...

Внешность преподавателя произвела на Изабель сильное впечатление. Седые волосы до плеч, резкие черты лица, высокий, умный лоб, пытливые голубые глаза. Длинные, грациозные пальцы вполне могли бы принадлежать хирургу или пианисту. Тем не менее было в нем что-то отталкивающее, и Изабель сразу вспомнила разговоры о той, которую он страстно любил и которая исчезла без следа.

— Меня зовут Эзра Эдвард Кларк, — без улыбки произнес преподаватель. — Моя задача — помочь вам решить, будете ли вы художниками. Я собираюсь не столько учить вас, сколько испытывать вашу решимость. — Заложив руки за спину, он прошелся по аудитории. — Люди считают, что искусство требует вдохновения. Ну, так что такое вдохновение?

— Это то, что заставляет писать, — густо покраснев, нарочито самоуверенно ответила Скай.

— А если я угрозами заставлю вас писать, это тоже будет вдохновение?

— В определенном смысле.

Эзра некоторое время задумчиво смотрел на Скай, а затем решил все же действовать по своему первоначальному плану. Он предложил другим студентам определить источник вдохновения. Ответы его не удовлетворили.

Резко повернувшись, Кларк обратился к до сих пор хранившей молчание Изабель.

— Я думаю, вдохновение — это просто другое название творческой энергии, поэтому оно присутствует всегда. Надо только его разбудить.

Эзра кивнул. Он уже много лет в первый день занятий задавал студентам такой вопрос, но до сих пор лишь дважды получал правильный ответ. Оба этих студента уже прославились. Возможно, новенькая так же хороша, а может, и еще лучше.

— Пробуждение творческой энергии — это как раз то, чем мы здесь занимаемся, — сказал Эзра, обращаясь уже ко всем. — Каждый должен купить пять холстов размером три на четыре и ежедневно заполнять одно из этих полотен. Не половину холста, а целый. Не рисунком или наброском, а полностью скомпонованной и тщательно

127

продуманной картиной. В конце недели вы предъявите их для оценки.

— Картину в день? — ужаснулся бородатый молодой человек в черном. — Это невозможно!

— Если вы действительно талантливы, то сможете, — невозмутимо ответил Эзра и хлопнул в ладоши. — В первую неделю нарисуете пять портретов одного и того же человека.

Естественно, Изабель и Скай принялись рисовать друг друга. Портреты, выполненные Скай, были технически совершенны, но не представляли собой ничего особенного. Черты лица переданы правильно, но никакой игры воображения. Картины Изабель, напротив, были прорисованы небрежно, но впечатление оставляли сильное благодаря игре цвета и красок.

Поскольку большинство студентов еще до прихода в лигу успели получить какое-то первоначальное художественное образование, поставленная перед ними задача нарисовать пять портретов одного и того же человека была пусть утомительной, однако вполне выполнимой. Задание, полученное на следующей неделе, — написать пять портретов разных людей было посложнее, но все равно не представляло особой проблемы. То же самое относилось и к ландшафтам в стиле импрессионистов, и к акварельным морским пейзажам а-ля Джон Тернер, а вот когда Кларк попросил нарисовать картины на бытовые темы, кое-кто из студентов начал роптать.

— Они отнимают слишком много времени! — пожаловалась одна девушка.

— Когда Вермеер нуждался в деньгах, он заканчивал картину за считанные часы. Так же и Рембрандт. А знаете почему? Потому что у них было очень мало постоянных клиентов. То же самое ждет и вас, друзья мои.

Он помолчал, дожидаясь, пока студенты усвоят то, что он сказал. Они молоды и верят, что рисуют ради искусства. Эзра Эдвард Кларк был, однако, реалистом и на своем собственном горьком опыте убедился, что искусство — это профессия и, как в любой профессии, хорошо оплачиваются лучшие, середняки могут как-то существовать, а на слабых никто и внимания не обращает. После исчезновения любовницы Эзры, Сони, он решил продать несколько своих работ в надежде, что сумеет собрать деньги на ее поиски. К сожалению, эти работы оказались не лучшими, и Кларк получил за них намного меньше, чем за прежние.

Пережитое привело его к выводу, что студенты должны знать коммерческую цену своих работ. Критикам это не нравилось, но Кларк считал полезным готовить студентов к реальной жизни.

— По мере роста конкуренции ваш талант тоже должен развиваться, — продолжил он. — Надо уметь делать работу быстро и хорошо — с вдохновением или без него. В противном случае за вас это сделает кто-нибудь другой.

Изабель находила занятия Кларка утомительными, но интересными. Скай ненавидела и занятия, и самого Кларка.

— Какого черта он заставляет меня писать по картине в день, если нужно еще сделать другие задания, поработать в кафе, чтобы заплатить за квартиру, и наконец, мне необходимо время, чтобы отыскать мужчину своей мечты!

— Мужчина твоей мечты подождет, — сказала Изабель и, сняв с себя униформу официантки, устало рухнула на постель.

— Ну да, тебе легко говорить, — возразила Скай. — Ты не такая богиня секса, как я, и не знаешь, что такое неудовлетворенная страсть.

Застонав, Изабель уткнулась лицом в подушку.

— У Кларка наверняка это тоже проблема, — сказала Скай.

— И как ты пришла к такому выводу?

— А ты сама посуди. Картина в день. На этой неделе такой-то стиль, на следующей — другой. Делай больше. Делай лучше. Это явный признак скрытой неудовлетворенности.

— Должно быть, ему недостает любви, — предположила Изабель. — Я слышала, что он до сих пор страдает из-за той женщины.

— Ага, из-за Сони.

— По слухам, она часто надолго уходила из дома. Может, у нее был с кем-то роман?

— Вполне возможно. Или же она проходила реабилитационный курс лечения в больнице.

— Не исключено, — поразмыслив, согласилась Изабель. — Я имею в виду — после того, что она пережила при нацистах.

— Мои родители пережили такой же ад в Аушвице.

— Какой ужас! — Изабель не могла найти слов.

— Да, ужас, — мрачно подтвердила Скай. — Пожалуй, мои старики тоже исчезли, как и Соня. Только они ушли в себя.

— Что ты имеешь в виду?

— Они отказываются об этом говорить. Они воздвигли между нами стену: с одной стороны я, с другой — они.

— Один раз они это уже пережили, — возразила Изабель. — Зачем заставлять их переживать все заново?

— Затем что если они не будут напоминать миру о прошлом, — сверкнув глазами, ответила Скай, — это случится снова!

Изабель изучала одновременно три курса и работала сразу на двух работах, но тем не менее была довольна жизнью. Ей нравился Нью-Йорк с его бешеным темпом жизни и странными жителями. Ей нравился Вест-Сайд с его старыми зданиями, бутиками и винными погребками. Ей нравилась Скай с ее уникальным сочетанием показной эксцентричности и душевности. И наконец, пусть в первом семестре обучение и сводилось в основном к тесту на выживание, Изабель нравилось заниматься у Эзры Эдварда Кларка.

— Это все потому, что ты ходишь у него в любимицах, — говорила Скай, когда Изабель пыталась защищать

Кларка. — А ведь он такой деспот, что к концу учебного года в его классе останемся мы двое.

Действительно, многие из тех, кто начинал заниматься у Кларка, уже бросили учебу. Наиболее терпеливые, впрочем, стали плодовитыми художниками. В их числе оказались и Изабель, и Скай.

Едва Кларк позволил им работать в своей манере, как Скай обнаружила, что теперь ей легче выполнять еженедельную норму. Глядя на своеобразную внешность девушки, можно было предположить, что ее потянет к авангарду, но она отдавала предпочтение психологическим портретам.

— А вы пессимистично настроены, мисс Штраус, — говорил Кларк. — Все ваши герои чем-то опечалены.

— Жизнь не всегда бывает веселой, мистер Кларк.

— Что ж, согласен. — Эзра выставил в ряд все пять ее портретов. — Ваша работа напоминает мне о творчестве одного из идолов моей юности, Эрнста Людвига Кирхнера. Он тоже предпочитал грубую правду красивому обману. В наши дни один из художников, Люциан Фрейд, внук Зигмунда Фрейда, тоже, кажется, разделяет ваше мнение о том, что задача художника не утешать зрителя, а шокировать его.

— Думаю, что моя задача заключается лишь в том, — возразила Скай, — чтобы писать так, как я чувствую.

Кларк пристально посмотрел на молодую женщину, и на его губах появилась одобрительная улыбка.

Если работы Скай приятно удивили Эзру, то о полотнах Изабель этого сказать было нельзя. Кларк почти с самого начала угадал в ней редкостную способность передавать свои ощущения с помощью зрительных образов. Однако, по мнению учителя, ученица за время учебы не особенно продвинулась вперед.

— Бросьте вызов природе, — говорил он. — Вы всего лишь переносите на холст то, что вас окружает, а вам надо двигаться дальше.

— Я и хотела бы, — отвечала Изабель, — но не знаю как. Эзра научил ее некоторым приемам.

— Лежа в затемненной комнате, закройте глаза и полностью расслабьтесь. Старайтесь ни о чем не думать. А когда войдете в контакт с собственной душой, пишите то, что чувствуете.

Постепенно картины Изабель становились более образными, более яркими. Однако вместо похвал она слышала от Эзры одну лишь критику.

Изабель уже стала считать, что вместе с тетей Флорой, Сибил и Мирандой переоценила свои способности и что ей никогда не достигнуть высот творчества.

А Кларк впервые осознал, что помогает рождению исключительного таланта.

Глава 11

Прежде чем Изабель обратила на него внимание, прошел целый месяц. И неудивительно — весь этот месяц Изабель привыкала к обнаженной натуре. По непонятной причине нагота ее смущала. Она до последнего пыталась игнорировать курс обнаженной натуры, но Кларк чуть ли не силой заставил ее посещать эти занятия.

Сначала перед студентами позировали женщины, что значительно облегчало задачу, а вот в то утро взору Изабель во всей своей красе предстал крупный «самец». До сих пор Изабель не доводилось видеть раздетых мужчин, и она как-то разом смешалась.

— Относитесь к нему как к натюрморту во плоти, — прозвучал сзади чей-то баритон.

Изабель обернулась. Обладателем баритона оказался стоявший за соседним мольбертом молодой человек в белой майке, потертых джинсах и ковбойских сапогах, чья улыбка была так обворожительна, что Изабель удивленно распахнула глаза:

— Прошу прощения?

— Меня зовут Коуди Джексон.

Он протянул руку, и Изабель едва ли не со страхом ее пожала. Сердце ее бешено колотилось, ноги дрожали.

— А меня — Изабель де Луна. Я из Санта-Фе.

Он кивнул и поднял вверх большие пальцы рук.

— Я и сам из соседнего леса. Дюранго, штат Колорадо.

Глаза его были голубыми, как воды Средиземного моря, а волосы светлыми, как песок в Пальме. Квадратный подбородок с ямочкой выдавал в Джексоне уроженца юго-запада.

— Если вы не в настроении работать, то сходите пообедайте! — вдруг прервал их диалог преподаватель, маленький лысый Люсьен Фитцсиммон.

— Прекрасная идея, Фитц! — выпалил Коуди.

Схватив блокнот Изабель, он взял ее под руку и, не успел Фитцсиммон среагировать, как оба уже были на улице.

— Вы с ума сошли! Он же теперь нам житья не даст!

— Как же! Вы — восходящая звезда и находитесь под личным покровительством Эзры Эдварда Кларка. А я волею судьбы занимаю точно такое же положение у старины Фитца. Вот увидите — он переживет. А сейчас быстрее к «Вольфи», пока туда не сбежался весь город!

Дни шли за днями. Те три часа, которые Изабель вместе с Коуди ежедневно проводила в студии, становились для нее настоящей пыткой. В каждом обнаженном натурщике ей мерещился Коуди, а на место натурщиц она ставила себя. В ярко освещенной студии разыгрывалась мощная сексуальная прелюдия, и оба прекрасно чувствовали это, поскольку после занятий, не в силах расстаться, они все же ни разу не прикоснулись друг к другу.

Наконец в пятницу Коуди пригласил Изабель к себе на субботний ужин. Эти сутки девушка места себе не находила — на примере своих родителей она поняла, каким сильным и вместе с тем ненадежным чувством является любовь.

Чердак, на котором жил Коуди, находился под крышей небольшого здания в Сохо, на Грин-стрит. Как и большинство чердаков, он представлял собой огромное помещение с высоким потолком, огромными окнами, голыми стенами, световым люком и ванной. Прямо под световым люком стояло несколько начатых картин.

В противоположном углу стояли покрытая индейскими одеялами длинная кушетка, заменявшая стол старая деревянная дверь на подставке из кирпичей и два директорских кресла с полотняными спинками. Самодельный кофейный столик украшали книги о Джоне Сардженте, Рубенсе, Фрагонаре и Матиссе.

Роль кухонного стола играла еще одна дверь, на сей раз ее подпирали деревянные козлы. Вокруг нее стояли четыре облезлых стула — все разные. Картину дополняли расставленные на «столе» свечи, разложенные яркие салфетки, дешевые тарелки и пузатые кубки для вина. Все вместе производило самое благоприятное впечатление.

Подав Изабель бокал вина, Коуди жестом пригласил ее к плите, где варились спагетти. Здесь же в деревянной миске дожидался своего часа салат.

— Твое варево выглядит весьма аппетитно.

— Это ты выглядишь аппетитно, — возразил он, обхватив руками ее лицо и быстро поцеловав в губы.

Изабель чуть не поперхнулась вином.

Пытаясь унять волнение, она направилась к картинам. Коуди остался у плиты, но не отрывал от нее глаз. На Изабель было черное облегающее платье с пояском, волосы были забраны в аккуратный пучок, открывая ее привлекательные ушки с длинными серебряными серьгами. Коуди хотелось немедленно раздеть ее, заняться с ней любовью. Но сначала, напомнил он себе, нужно ее накормить.

Изабель чувствовала, как юноша ест ее глазами, однако вместо смущения ощущала только все усиливающееся возбуждение. Желание ее с каждой минутой росло. Силясь сконцентрировать свое внимание на чем-то другом, Изабель принялась рассматривать картины.

Неудивительно, что он так уверенно чувствует себя на занятиях, подумала она. Судя по этим картинам, Коуди Джексон специализировался на обнаженной натуре.

Картин было три: одна — в виде наброска, две другие почти закончены — по крайней мере Изабель не находила, что здесь еще добавить. Пышные тела натурщиц были освещены как-то очень уж неровно — словно падающие на них лучи света проходили сквозь некую призму. Первая женщина сидела в кресле, положив руки на колени и наклонившись вперед так, что ее груди свисали дряблыми мешками. Женщина была уже в возрасте, с расплывшейся фигурой и явно чем-то озабочена — может быть, тем, что нехватка денег заставила ее позировать обнаженной?

Вторая натурщица, молодая и красивая, по всей видимости, стремилась поскорее продемонстрировать все свои прелести. Свесив голову набок, она сидела в шезлонге, ее длинные светлые волосы ниспадали чуть ли не до пола. Высунутый язык облизывал верхнюю губу, глаза были закрыты — возможно, в экстазе.

«Интересно, спал ли Коуди с этой одалиской?» — подумала Изабель.

— Не спал, — прочитав ее мысли, произнес подошедший Коуди.

Прислонившись к нему, Изабель продолжала смотреть на картины, слишком взволнованная, чтобы обернуться. Губы Коуди тем временем заскользили по ее шее.

— Когда-нибудь я нарисую тебя, — прошептал он.

Изабель засмеялась нервным и неуверенным смехом.

— Ты же знаешь, как я отношусь к обнаженной натуре, — отстранившись, сказала она.

— Тогда я буду рисовать тебя по памяти.

Недвусмысленно выразив таким образом свои намерения, Коуди засмеялся и протянул руку. Изабель не знала, зовет ли он ее к столу или в кровать, но теперь это не имело значения. Оказалось — к столу. Подав Изабель стул, Коуди вновь наполнил ее бокал и сел напротив. Поели они быстро, однако переходить к десерту юноша не спешил.

Включив классическую музыку, он убавил свет и пригласил Изабель на кушетку. Коуди рассказал ей о том, что жил на ранчо в Дюранго, играл за школьную команду в футбол, и о том, какой фурор вызвало его желание стать художником.

Тут Коуди приложил палец к ее губам и улыбнулся:

— Честно говоря, Изабель, сейчас меня интересуешь исключительно ты.

Он заключил ее в объятия и крепко прижал к себе. Его губы прильнули к ее губам, руки легонько заскользили по ее спине. Изабель невольно усмехнулась, когда он распустил ее волосы — совет Скай действительно пригодился. Движения Коуди были неторопливыми и нежными, он деликатно предлагал Изабель испытать то, что ей до сих пор было неведомо.

Дыхание Изабель стало учащаться и, ни о чем не думая, она крепче прижалась к Коуди. Одной рукой он принялся расстегивать ей платье, другой — поглаживать грудь. Изабель и не знала, что простое прикосновение к ее груди доставляет такое удовольствие. Покончив с пуговицами, Коуди расстегнул пояс.

Увидев желание в его глазах и уже изнемогая от страсти, Изабель встала (платье при этом упало на пол), сняла чулки и осталась в одной комбинации. Замерев, она ждала. Улыбаясь, Коуди привлек ее к себе, поцеловал и, подхватив на руки, понес к постели.

Она молча смотрела, как он раздевается, удивляясь тому, что это зрелище заставляет кровь в ее жилах струиться быстрее. Раздевшись, Коуди лег рядом. Вместо того чтобы сорвать с нее комбинацию, он принялся поглаживать рукой по ткани — от груди до треугольничка внизу живота. Откликаясь на его прикосновения, Изабель нетерпеливо вздрогнула. Тогда, обнажив ей плечи и грудь, Коуди впился губами в ее трепещущее тело.

Изабель закружил вихрь восхитительных ощущений, новых и необычных. Легонько целуя ее грудь, Коуди проник рукой под комбинацию и принялся ласкать увлажнившуюся мягкую плоть. Приподнявшись, Изабель подалась ему навстречу, и тогда Коуди осторожно вошел в нее. Боли не было, она испытывала только наслаждение. Обхватив Коуди ногами, Изабель теперь крепко прижала его к себе, побуждая входить в нее все глубже и глубже...

Утром оба лежали без сил, уверенные в том, что любят друг друга.

— Ну и как все прошло?

— Чудесно, — вздохнула Изабель, принимая чашку с кофе из рук Скай.

— Стало быть, этот ковбой парень сексуальный.

Обхватив руками колени, Изабель усмехнулась.

— Вот и хорошо. — Скай обняла свою соседку, искренне за нее радуясь. Она обожала Изабель, и была бы очень огорчена, если бы Коуди Джексон оказался грубым и невнимательным. — Вы любите друг друга?

— Да. — Изабель просияла. — Мне не хочется с ним расставаться.

Занятия кончились, и Изабель уже направлялась домой, когда в толпе мелькнула знакомая фигура. Высокая блондинка в черном пальто, на глазах темные очки...

— Нина! — крикнула Изабель.

Женщина обернулась. Это действительно была она. Изабель с улыбкой бросилась к сестре, но Нина уклонилась от объятий. Лицо ее оставалось непроницаемым.

— Не могу поверить, что встретила тебя! И где? В центре Нью-Йорка! — продолжая улыбаться, заговорила Изабель. — Просто поразительно! Как твои дела? Ты прекрасно выглядишь...

— Довольно! — отрезала Нина. — Я начала здесь, в Нью-Йорке, новую жизнь, и ты никак в нее не вписываешься. Поняла?

Резко повернувшись, она пошла прочь.

— Ты не шутишь? — схватив ее за руку, крикнула Изабель.

— Я совершенно серьезна, — вырвав у нее руку, огрызнулась Нина. — Оставив Санта-Фе, я вычеркнула вас из моей жизни — тебя, Миранду и Луиса. И нисколько о вас не скучаю, и вообще о вас не думаю. Так что сделай милость — забудь обо мне. Поверь, все быльем поросло!

С этими словами Нина величественно удалилась.

Придя домой, чтобы переодеться перед работой — она подрабатывала официанткой в местном джаз-клубе, — Изабель обнаружила Скай лежащей на кровати.

— Ты можешь сделать мне одолжение? — неожиданно спросила подруга.

— Конечно. Что нужно?

— Немного приврать моим родителям.

Судя по всему, Скай чувствовала себя весьма неловко. Изабель несколько раз была у Штраусов, и родители Скай ей очень понравились. Обманывать их совсем не хотелось.

— Ладно, — ожидая продолжения, неохотно обронила Изабель.

— Ты должна сказать им, что весенние каникулы я проведу с тобой. А на самом деле я поеду с Эзрой в Париж.

— Я думала, ты его ненавидишь, — изумилась Изабель.

— Прикидывалась, — коротко засмеялась Скай и добавила: — Не падай в обморок, но у нас с ним роман. Примерно с тех самых пор, как вы с Коуди перестали замечать все вокруг.

Уже шесть месяцев! Изабель почему-то почувствовала себя виноватой.

— Он позвонил мне и пригласил поговорить о моих работах. Как и тебя, его беспокоило мое мрачное настроение. Не знаю, что на меня нашло, но я рассказала ему о своих родителях и о том, что все люди, которых я рисовала, — это умершие узники концлагерей, придуманные мной. — Скай нервно поправила кольцо. Ей было неловко признавать, что она перенесла на холст свои ночные кошмары. — Тогда он рассказал мне о Соне и о том, что случилось с ее семьей и, возможно, с ней самой.

— И что же?

— Он считает, что она была шпионкой и поплатилась за это жизнью.

— Какой ужас!

— По его словам, она очень переживала смерть своих родителей и своих детей. Он думает, что ее преследовал комплекс вины.

— А что, твои родители тоже чувствуют себя виноватыми? — спросила Изабель.

— Иногда, — ответила Скай. — Но так как они не говорят на эту тему, я могу только предполагать.

— А почему бы тебе прямо не сказать им, куда едешь? — решив сменить тему, осведомилась Изабель. — И с кем?

— Потому что он не еврей, слишком стар, к тому же хорошие девочки не ездят в Париж с посторонними мужчинами. Вот и все.

— Ну ладно, тогда, может быть, скажем им, что отправляемся в Скалистые горы, где будем только есть, спать, восхищаться природой и писать этюды.

— Знаешь, Изабель, — захохотала Скай, — иногда ты бываешь просто классной девчонкой!

В тот день, когда Эзра и Скай улетели в Европу, Изабель и Коуди обошли несколько галерей Сохо. Они и раньше регулярно занимались этим, стараясь быть в курсе происходящего на рынке картин. В одной из галерей выставлялся Жан-Мишель Баскиат. Одни критики восхищались его работами, другие называли это мазней. Коуди был согласен с последними, Изабель нет.

Размашистая манера письма Баскиата произвела на нее неизгладимое впечатление. Уличный художник — дитя черного гетто — использовал коммерческую символику для того, чтобы выразить глубоко личные чувства, и Изабель восхищалась его смелостью. Он не боялся критиковать большинство или противостоять ему, и это находило отклик в душе гордой дочери Каталонии.

Обсудив за ужином творчество Баскиата, они занялись любовью. Изабель еще пребывала в сладостной истоме, когда Коуди неожиданно спросил:

— Думаю, ты не откажешься мне позировать? К выпуску мне нужно представить шесть картин. Я хочу написать тебя.

Изабель уставилась на него в полном недоумении.

— Я люблю тебя, — понимая, что должен ее ободрить, продолжил Коуди. — Я люблю твое тело. Все, о чем я мечтаю, — это обессмертить свои чувства.

— Ты же знаешь, как я отношусь к тому, чтобы позировать обнаженной. — Изабель почувствовала, что ее загнали в угол.

— Но ты будешь позировать не чужому человеку. Здесь буду только я.

Сердце Изабель разрывалось между любовью к Коуди и нежеланием быть натурщицей. При этом объяснить свой отказ соображениями скромности она не могла, поскольку на чердаке они ходили, как правило, нагишом.

— Я сделаю это при одном условии, — сдалась Изабель. — Ты не станешь изображать мое лицо.

До самого конца каникул Изабель приходила к Коуди после работы и позировала ему. Результатом этого сотрудничества стала серия картин, названная художником «Стыдливая искусительница».

Фитцсиммон, Эзра и прочие преподаватели лиги высоко оценили его работу и решили отправить ее на конкурс, устраиваемый некими парижскими галереями. Когда Коуди сообщил Изабель о том, что едет в Париж, она испытала смешанное чувство.

— Я горжусь тобой, — сказала она, вдруг ясно ощутив, как ее вновь охватывает одиночество.

— Поехали со мной. В конце концов, если бы не ты и не твое божественное тело, я бы ничего не создал.

— Коуди, мне нужно работать. И у меня нет денег на поездку в Париж. Кроме того, — обезоруживающе улыбнулась она, — ты же сам сказал, что это только на несколько месяцев.

Коуди кивнул.

— Конечно, это ужасно, но мы ведь выдержим три месяца разлуки? — И она начала раздеваться.

— Сомневаюсь, — отозвался Коуди, помогая ей стянуть с себя рубашку.

— Езжай, — прошептала она. — Вернувшись, ты найдешь меня здесь.

И они поспешно занялись любовью, словно торопясь уверить друг друга, что их взаимная страсть продлится целую вечность.

В начале августа Коуди позвонил ей из Парижа.

— Ты не представляешь, какая замечательная получилась выставка! — с энтузиазмом воскликнул он. — Мы продали четыре полотна из серии «Стыдливая искусительница» и еще кое-что из моих работ.

— Чудесно! — откликнулась Изабель, радуясь его успеху.

— Отзывы положительные, посетители меня очень хвалили, а галерея предложила мне принять участие в весенней выставке. — Изабель ничего не ответила. — У меня здесь прекрасная квартира на Монмартре, и я нашел работу для нас обоих. Тебе здесь понравится. Пожалуйста, приезжай!

— Я не смогу. Эзра настаивает, чтобы я прошла курс у Кларенса Боумена, — быстро сказала она.

— А как же я? — с обидой спросил Коуди. — Почему мои пожелания для тебя менее важны, чем мнение Эзры Эдварда Кларка?

— Эзра заботится о моей карьере, — выпалила Изабель. — Не забудь, что когда тебе представился шанс сделать карьеру, ты им воспользовался не раздумывая.

— Неправда! — возразил он. — Я просил тебя поехать со мной. Я люблю тебя, Изабель. И думал, что ты меня любишь.

— Я тебя люблю, — сказала она. — И очень по тебе скучаю, но, пойми, просто грешно не воспользоваться таким редким случаем.

Пересказывая потом этот разговор Скай, она мучилась сомнениями, правильно ли поступила.

— Если бы ты действительно жить без Коуди не могла, — проговорила Скай, — то не спрашивала бы меня об этом. Ты бы уже летела в Париж.

Изабель кивнула. Всегда трудно выслушивать нелицеприятные вещи.

— Ты знаешь, что Эзра нашел мне работу преподавателя искусств в местной школе?

— Просто Санта-Клаус какой-то, — довольно ухмыльнулась Скай. — Но не думай, что ты исключение. Мне он тоже кое-что подыскал: я буду работать на Джулиана Рихтера.

Изабель захлопала глазами от удивления. Джулиан Рихтер был одним из ведущих дилеров Нью-Йорка. Считалось, что в его галерее можно быстро сделать карьеру.

— И чем ты там будешь заниматься?

— Скорее всего бумажки перебирать. Впрочем, Эзра говорит, что у меня есть чутье.

Изабель до сих пор ни о чем подобном не думала, но теперь она готова была согласиться с тем, что Скай действительно обладает тем самым чутьем, которое так необходимо художественному агенту. За время учебы в лиге она не раз с ходу определяла, что пойдет, что нет и почему.

— Здорово! — обняв подругу, восхитилась Изабель. И тут ей вдруг показалось, что по Скай она будет скучать больше, чем по Коуди.

Глава 12

За шесть лет, с тех пор как Нина уехала из Санта-Фе, она успела окончить Нью-йоркский университет (факультет журналистики), сменить фамилию (став Ниной Дэвис), расстаться с мечтой стать актрисой (что было легче легкого, поскольку таланта у нее не оказалось) и фотомоделью (она была слишком высокой и не очень худой), заставить квартиру старыми вещами, напоминавшими о крушении чьих-то жизненных планов, и, некоторое время отработав секретарем в отделе продаж журнала «Мадемуазель», устроиться в отдел по связям с общественностью одного из ведущих нью-йоркских издательств, «Гартвик-хаус».

Поскольку зарплата там едва превышала минимальную, Нине пришлось искать дополнительные источники дохода. Прежде всего она подрабатывала в «У вас» — компании, которая специализировалась на обслуживании банкетов. Несмотря на то что приходилось трудиться допоздна, в связи с чем на следующее утро появлялись мешки под глазами, эта работа Нине нравилась.

За четыре года она сделала в «У вас» приличную карьеру, пройдя путь от посудомойки до официантки. И хотя ее начальница, Лила Тафтс, была современным вариантом Лукреции Борджиа, Нина терпеливо сносила все ее оскорбления. С ее точки зрения, такая жертва искупалась возможностью бывать в лучших домах города и наблюдать за тем, как отдыхают богачи.

Кроме того, Нине помогал добывать деньги и ее лучший друг Клайв Фроммер, который сотрудничал в публикующей сплетни «Шестой странице» газеты «Нью-Йорк пост». Их дружба началась два года назад, когда, изучая театральное искусство, оба поняли, что им никогда не суждено подняться на подмостки Бродвея. Столкнувшись с этим пренеприятным фактом, Нина вернулась к тому, что считала своим призванием, то есть к литературе, и, с одобрения Клайва, начала писать роман, который, как она полагала, принесет ей славу. Клайв же, решив, что отныне его интересуют не столько пьесы, сколько актеры, стал работать в театральном журнале «Плейбилл», откуда затем переместился в «Пост» — сначала как сотрудник отдела театральной критики, затем как мальчик на побегушках в «Шестой странице». Там он занимался тем, что проверял достоверность слухов, о которых стало известно начальству. Нина помогала ему — и себе, поскольку Клайв ей платил, — сообщая информацию, которую почерпнула в «Гартвик-хаус» (об авторах, агентах и прочем), а также рассказывая о том, что произошло на банкетах, которые она обслуживала.

Работа Нины в «Гартвик-хаус» была довольно скучной и однообразной. Большая часть времени уходила на составление и распространение пресс-релизов о выходящих в свет книгах, в которых сообщалось об авторских поездках, презентациях — при этом Нина старалась как можно чаще упоминать «У вас», — раздачах автографов и других подобных мероприятиях. Время от времени ее направляли в небольшой тур — например, по маршруту Кливленд, Цинциннати, Индианаполис, Торонто — с одним из новых или еще неискушенных в продвижении книг авторов.

Хотя поездки с авторами были чрезвычайно утомительны, Нине они нравились. Ей доставляло удовольствие встречаться с радиожурналистами и книготорговцами, появляться в незнакомых для нее местах, останавливаться в роскошных отелях и обедать или ужинать в шикарных ресторанах. Но больше всего ей нравилось бывать на телевидении, наблюдать за работой телевизионщиков и поведением гостей — эта информация ей наверняка потом пригодится.

Во время поездки Нина представлялась абсолютно всем продюсерам и режиссерам. Она раздавала им свои визитные карточки, а по окончании вояжа направляла письменную благодарность. Наблюдая за Лилой, Нина убедилась в значении связей и начала составлять список людей, которые в будущем могли оказаться ей полезны.

Исполненная уверенности в том, что когда-нибудь станет знаменитой, Нина тщательно готовилась к этому дню: следила за собой, облагораживала биографию и оттачивала умение располагать к себе людей.

Создавая свой имидж, Нина часами просиживала над журналами мод, выискивая имена лучших парикмахеров, стилистов и визажистов города. Она тщательно следила за питанием и парфюмом. Например, она никогда не стала бы есть артишоки, если в моде был аспарагус, и никогда не стала бы благоухать «Шалимаром», если в данный момент лучшими духами считались «Шанель №5».

Она также завела специальную папку, в которую складывала вырезки из биографий людей богатых и знаменитых, чьи родословные отвечали образу той Нины Дэвис, которой она хотела стать. Однако первостепенное внимание Нина уделяла тому, что послужило бы ей пропуском в новую жизнь — своему роману.

«Золушка из Сохо» представляла собой историю сироты, воспитанной некоей злобной супружеской парой, взявшейся за это дело из-за денег, выплачиваемых правительством приемным родителям.

Повзрослев, девушка после многочисленных злоключений случайно встречается с сыном короля универмагов. Он сразу же по уши влюбился в высокую, светловолосую красавицу с печальными глазами. Стрела Купидона пронзила и ее сердце, но на что могла надеяться бедная девушка? Жизнь Золушки разбита, и она убегает куда глаза глядят. Молодой человек устремляется следом, находит ее и, словно в сказке, увозит в свой замок — пентхаус на углу Парк-авеню и Семьдесят второй улицы.

Работе над книгой Нина старалась уделить каждую свободную минуту — утром перед уходом на работу, в выходные, все свободные вечера и обеденные перерывы. Итак, пока сотрудники издательства обедали, Нина печатала на машинке свою рукопись. Единственным, кто удостоился чести этот труд увидеть, был Клайв Фроммер, и то лишь потому, что помогал в написании сексуальных сцен.

— У меня немалый опыт, и я весьма изобретательна в этих вопросах, — объясняла ему Нина, — но по части извращений я человек абсолютно неискушенный, а по сюжету... В общем, только ты можешь подсказать мне, что сойдет за извращение.

— Спасибо за комплимент, однако мое сердце заставляют петь исключительно парни, а не чувственные, с пышными формами героини таких романов, как твой. Мой герой Ретт Батлер, а не Скарлетт.

— Ну и что? Я просто вместо «он» буду писать «она».

— Пожалуй, я согласен, — неожиданно кивнул Клайв. Мысль о том, чтобы стать ее «литературным негром», почему-то его забавляла. — Только не забудь обо мне, когда станешь знаменитостью.

Наклонившись, Нина поцеловала его в щеку.

— Я своих друзей никогда не забываю.

— Вот и прекрасно, — осушив бокал, отозвался Клайв, — потому что, как говаривала моя дорогая покойная мамочка, друзья, о которых однажды забыли, навсегда становятся врагами.

— Твоя мамочка была очень толковой женщиной, — промолвила Нина и мрачно засмеялась, припомнив о том, как Изабель и Сэм говорили о ней за ее спиной. — Это золотые слова.

Воспоминания о давнем разговоре с Изабель всколыхнули в Нине такую ненависть, что она очень удивилась. Ведь прошло пять лет, и ее гнев, казалось, должен остыть, но вот поди ж ты!.. И не важно, что Изабель тогда умоляла простить ее, ссылаясь на то, что они с Сэмом вовсе не хотели причинять ей боль, не важно, что они действительно вместе провели прекрасные годы. Слова, сказанные матерью Клайва, перевешивают все аргументы Изабель, вместе взятые.

Нина оказалась тем самым другом, о котором забыли, и теперь те, кто о ней забыл, — ее враги.

Весной количество банкетов неизменно увеличивалось. Прошедшие три недели Нине приходилось работать по пять дней подряд. Она порядком устала, но ей нужны были деньги. «К счастью, — говорила она себе, с трудом поднимаясь с постели, — скоро все это кончится». В конце марта она передала рукопись «Золушки из Сохо» главному редактору «Гартвик-хаус» Джоди Катлер. Получив рукопись от своей сотрудницы, Джоди очень удивилась, однако заверила Нину, что обязательно ее прочтет.

С тех пор она места себе не находила, а когда ожидание затянулось, новоиспеченная писательница начала осаждать кабинет Джоди. Она знала, что это глупо, поскольку редакторы редко читают рукописи днем, предпочитая пролистывать их вечерами, но ничего не могла с собой поделать. То она делала вид, что ей нужны экземпляры книг для рассылки, то просто проходила мимо, точно совершала моцион, и кабинет Джоди лежал на пути ее следования.

Клайв говорил, что она ведет себя как идиотка.

— Не надо надоедать, — пояснял он. — Ты создаешь негативное настроение. — Нина покорно кивала. — Отвлекись от книги и попытайся сконцентрироваться на чем-то другом.

— Легко сказать! Ты ведь не зарабатываешь доллар с четвертью в неделю, как я. — Рухнув на ближайший стул, Нина задрала колени к подбородку. — Я совершенно разбита, Клайв. Мне нужно заплатить за обучение, разобраться с просроченными счетами, а в конце этого злосчастного тоннеля никакого просвета. У меня одна надежда на эту книгу.

— Даже если «Гартвик-хаус» ее и купит, они выплатят тебе только аванс. Остальное заплатят позже, после публикации, а она может состояться и через год.

— И как же мне быть? — простонала Нина.

— Я тебе уже говорил: перестань скулить и берись за дело!

Для тех, кто знает жизнь богачей лишь по снимкам папарацци да публикациям сплетен, может показаться, что население Нью-Йорка распадается на имущих и неимущих. На практике, однако, имущие, в свою очередь, делятся на громадное количество групп по интересам, у каждой из которых свои требования к членству, своя этика и свои ритуалы. Не хватает только тайных знаков и клубного галстука.

Поскольку каждое общество представляет собой, по существу, небольшой элитный клуб, неудивительно, что на их сборищах постоянно присутствуют одни и те же. Нина, к примеру, то и дело сталкивалась на таких приемах со своим начальником в издательстве Энтони Гартвиком. На десять лет старше Нины, высокий, стройный, черноволосый, с золотисто-зелеными глазами, Гартвик был одновременно и воплощением аристократической элегантности, и животной сексуальности. Такое сочетание казалось Нине неотразимым. И действительно, в издательстве о Гартвике рассказывали множество историй.

Наследник одной из бостонских аристократических династий, он в свое время решил переместить штаб-квартиру этого уважаемого издательства в Нью-Йорк и, отказавшись от семейной традиции, вместо серьезной литературы стал издавать бестселлеры. Благодаря грамотно организованной рекламной и маркетинговой кампании «Гартвик-хаус» за относительно короткое время и впрямь стало в этом бизнесе одним из ведущих издательств. На личном фронте дела, правда, складывались менее удачно: Гартвик был женат уже второй раз, но и этот брак грозил вот-вот развалиться.

Когда гости сели за стол, Нина, однако, отыскала глазами женщину, перед которой лежала карточка с надписью «миссис Гартвик». Прическа у нее была в точности такая же, как и у самой Нины: короткие прямые волосы. Личико кукольное; фигура некрасивая — затянутое в кимоно тело казалось тощим и бесформенным. Зайдя на кухню за подносом, Нина поинтересовалась у Лилы, что ей известно о Сисси Гартвик.

— Сесилия — единственная дочь Брэндона Кромвеля, главы «Кромвель инвестментс», — тут же выдала та. — Первым мужем ее был Дэшелл Кроувз, один из лучших сотрудников папашиной компании. Отцовский выбор пал именно на него и оказался, по мнению Сисси, очень неудачным. Так как папа очень хотел внуков, он согласился на развод. Три года назад она вышла замуж за Гартвика. Говорят, Кромвель его на дух не переносит. Тем не менее у Сисси всегда рот до ушей. И немудрено, ведь Гартвик — настоящий жеребец.

— И сколько же у них детей?

— Ни одного. А ты скольких обслужила?

— Сейчас все сделаю.

Весь вечер Нина наблюдала за Гартвиками. Они сидели за разными столиками, так что трудно было понять, как они общаются между собой, но вот с соседями оба болтали достаточно оживленно.

Мистер Гартвик был поглощен беседой с Гретой Рид, женщиной, которую Нина уже не раз видела на различных банкетах. Коренастая, с пронзительными голубыми глазами и светлыми волосами, она владела одной из крупнейших нью-йоркских художественных галерей. Хотя Нина мало что о ней знала, люди обычно называли Грету агрессивной, целеустремленной, а временами даже жестокой.

«Мой тип женщины», — разглядывая ее, подумала Нина и с интересом прислушалась к их беседе, особенно когда разговор коснулся последней выставки, которую устроила Грета, — «Призраки». На ней были выставлены работы художников Марка Ротко, Арчила Горького, Джексона Поллока и скульптора Дэвида Смита. Всех их не стало в период с сорок восьмого по семидесятый год.

— Что заставило вас устроить такую выставку? — спросил Энтони.

— Все они великие художники. И все умерли в расцвете творческих сил.

— Вы любите шокировать и ошеломлять.

— Да, вы правы — люблю. — Грета заразительно расхохоталась. — Скажите, а вас я шокировала?

— Вы нет, а вот стоимость картин — да. Как вам это удается?

К ним тотчас же повернулось несколько голов. Видимо, коллекционеры, для которых слова «деньги» и «искусство» являются ключевыми.

— Цена художественного произведения не определяется себестоимостью — как цена книги или автомобиля. Его оценка базируется на совершенно иррациональной основе. Если вы очень хотите его заполучить, то заплатите запрашиваемую цену.

— Но если вы знаете правила игры, то вами нельзя манипулировать.

Склонив голову набок, Грета окинула собеседника изучающим взглядом.

— Кажется, вы гордитесь тем, что всегда управляете собой, и это прекрасно. Только не занимайтесь самообманом, Энтони. Каждым можно манипулировать — с помощью его желаний.

В этот момент внимательно слушавшая их разговор Нина вдруг обнаружила, что Лила, глядя на нее, просто лопается от злости. Не теряя времени, Нина тут же стала поспешно убирать со стола. Затем, стараясь избежать встречи с Лилой, она скользнула совсем в другую дверь — отнюдь не в кухонную — и оказалась в небольшом холле. В поисках выхода Нина схватилась за первую попавшуюся ручку и замерла. В комнате на коленях перед конгрессменом стояла занятая весьма интимным делом Сисси Гартвик. Оба были столь поглощены этим занятием, что не заметили Нину, которая тотчас закрыла за собой дверь так же тихо, как и открыла.

На тот случай, если кто-нибудь ее заметил, Нина выждала несколько дней и только потом позвонила Клайву.

На следующий день на «Шестой странице» появилась полная иносказаний заметка о жене издателя и слуге народа. Еще через день Нина и Клайв праздновали получение самого большого за все время гонорара. А спустя две недели Джоди Катлер пригласила Нину зайти.

— Очень жаль, Нина, но мы не сможем опубликовать «Золушку из Сохо». — Нина посмотрела на нее непонимающим взглядом. Джоди, которая уже не раз видела подобные взгляды, добавила: — По женским романам у нас очень напряженный план. Для вашей книги там просто не хватит места. Вы меня поймете.

— По правде говоря, я не понимаю.

Джоди тотчас терпеливо прочитала Нине лекцию о том, как трудно составить издательский план: о бюджетных ограничениях, конкуренции и требованиях авторов. Она все еще улыбалась, но взгляд ее уже стал напряженным.

— График можно изменить.

— Это не так просто, как кажется, — отозвалась Джоди, предоставляя Нине последнюю возможность спасти лицо.

— Было бы желание.

Улыбка на лице Джоди исчезла.

— Я не стану менять график ради избитой сказки.

— Вы меня оскорбляете!

— Извините, Нина, но ваша «Золушка» банальна, сюжет ее предсказуем, к тому же она, если честно, плохо написана. — Джоди так и не привыкла к тому, что иногда приходится разрушать чьи-то мечты, и все же с годами научилась, ибо это просто необходимо. — Я читала ваши пресс-релизы, — желая подсластить пилюлю, промолвила она. — Они хорошо написаны, Нина. Свежо, энергично, зачастую с юмором. Почему бы вам не заняться журналистикой?

— Спасибо за совет. — Не отрывая глаз от собеседницы, Нина встала. — Я обязательно запомню то, что вы сказали.

* * *

Через два месяца Нине довелось прислуживать в доме Греты Рид. Квартира, выходящая окнами на Центральный парк, была не очень велика — Грета жила одна, — но имела прекрасную планировку.

На стенах жилища красовались работы Моне, Джакометти, Пикассо, в комнатах стояли скульптуры Луизы Невельсон и Жана Арпа. Все они, по слухам, предназначались для продажи. Лишь в глубине библиотеки висело полотно, которое Грета вроде бы продавать не собиралась, — автопортрет мексиканской сюрреалистки Фриды Кальо, написанный в период ее мучительных переживаний из-за предательства мужа, изменившего ей с ее младшей сестрой. Почему Грета, о любовниках которой никто ничего не слышал, оставила себе эту картину, для всех было большой загадкой.

Нину, однако, нисколько не интересовала личная жизнь Греты Рид — ее занимала только собственная персона. Сколько Нина себя помнила, она хотела быть писательницей. Она сотрудничала в школьной газете и газете колледжа, была редактором школьного ежегодника. Все признавали, что она владеет словом, — Рут Хоффман, Клайв, Флора Пуйоль, все, кроме Джоди Катлер.

Нина верила в свой талант. Пусть «Золушка из Сохо» не лишена недостатков — в конце концов, это ее первый роман, — Нина согласна на редакторскую правку. Через несколько дней после разговора с Джоди она попросила ее высказать конкретные замечания, но увы, ответ Джоди был кратким: «Я очень занята, и кроме того, этой книге ничто не поможет».

Если раньше Нина была лишь рассержена, то теперь просто пришла в ярость и начала регулярно проводить перед зеркалом душеспасительные беседы, надеясь как-то подбодрить себя.

— Ты приехала в Нью-Йорк, ничего не имея, — говорила она своему грустному отражению. — Ты сумела окончить колледж. Никто тебе не помогал. Тогда ты нашла выход. Найдешь и сейчас!

Сейчас, однако, не получалось.

К сожалению, Лила, вместо того чтобы направить Нину в гостиную, где собрались большие шишки, послала ее в библиотеку. За столиком, который она обслуживала, единственным значительным лицом, не считая Сисси Гартвик, был лишь владелец известной художественной галереи Джулиан Рихтер.

Раньше, когда Нина считала, что ее мечты вскоре осуществятся, она обслуживала эти банкеты с радостным настроением. Сейчас же не испытывала ничего, кроме зависти и обиды. Почему они тут сидят, а она их обслуживает? Ну вот, например, взять эту девицу по имени Скай рядом с Рихтером. Она явно моложе Нины и, судя по ее одежде, не относится к числу элиты Пятой авеню. Что она здесь делает?

Когда беседа вновь переключилась на темы искусства, Нина поняла, что Скай работает у Рихтера помощницей. Напротив Скай, справа от Сисси, сидел какой-то мужчина из Висконсина. Горя желанием вступить в разговор, он заметил, что в университете Висконсина теперь преподает известный художник-педагог Кларенс Боумен.

— Я знаю, — кивнула Скай. — У него учится моя подруга, Изабель де Луна.

На джентльмена это произвело сильное впечатление.

— Ректор приложил немало усилий, чтобы убедить его перейти в наш университет. Его считают одним из лучших. Ваша подруга, должно быть, очень талантлива.

— Да, очень. Не правда ли, Джулиан?

Все, включая Нину, ждали, что ответит мэтр. Способность Джулиана Рихтера выявлять таланты считалась легендарной, его гений нередко создавал художнику головокружительную карьеру.

— У нее большой потенциал, — наконец откликнулся Рихтер.

Нина не знала порядков, существующих в мире художников, но, судя по перешептыванию окружающих, Изабель только что получила серьезную рекомендацию. Всего одно замечание, высказанное в нужном месте и в присутствии нужных людей, — и жизнь человека сразу меняется!

В расстроенных чувствах покинув библиотеку, Нина через комнату Греты направилась в туалет. Как раз в этот момент из-за двери спальни раздался приглушенный мужской голос.

— Я здесь, рядом... Обычное общество... Я ей уже сказал, что мне надо встретиться с иногородним автором... Какая разница, поверила она или нет?.. Я буду к одиннадцати.

Узнав по голосу Энтони Гартвика, Нина быстро спряталась в какой-то темной нише. Подождав, пока Гартвик уйдет, она зашла в туалет и затем направилась на кухню.

— Кажется, я заболела, — объявила она Лиле. С ненакрашенными губами, густо напудренная, Нина действительно выглядела неважно.

— Ты и вправду спала с лица, — сочувственно кивнула Лила. — Можешь отваливать, как только раздашь десерт.

Выйдя на улицу, Нина принялась ждать, когда появится Гартвик. Оглядевшись, он прошел два квартала, повернул на Шестьдесят шестую улицу и вошел в угловое здание. Нина в отдалении следовала за ним. Вот наконец он вошел в лифт. Нина тотчас приблизилась к консьержу.

— Послушайте, окажите мне услугу, — задыхаясь, попросила она, распахнув пальто, чтобы тот мог видеть униформу официантки. — Заметили того типа, который сейчас сюда зашел? Я обслуживала банкет с его участием — он там выронил бумажник, когда надевал пальто. Надо бы ему его отдать. Скажите, в какой квартире он живет?

— Давайте мне бумажник, и я сам его отдам.

— Ну да! Вы получите щедрое вознаграждение, а мне не достанется ничего. — Нина недовольно хмыкнула. — Нет, так не пойдет. — Она помахала перед его носом двадцаткой. Консьерж покачал головой. — Последнее предложение, — произнесла она. — Пятьдесят долларов, если скажете номер квартиры и кто там живет.

Усмехнувшись, консьерж взял у нее деньги.

— Номер квартиры девятнадцать-бэ, а кто там живет, я не знаю. Знаю только, что квартира принадлежит «Гартвик-хаус», а женщина работает там.

— И как часто этот джентльмен здесь появляется?

Консьерж замялся. Нина вытащила еще десятку.

— По меньшей мере дважды в неделю, — отозвался старик. — И в большинстве случаев он остается на ночь.

Наутро Нина нетерпеливо пролистала справочник по персоналу «Гартвик-хаус». Выяснив, кто живет по этому адресу, она радостно засмеялась и сразу же позвонила Клайву.

На следующий день на «Шестой странице» появилась пикантная заметка:

НЕПЫЛЬНАЯ РАБОТЕНКА

Видимо, к числу привилегий главного редактора издательства «Гартвик-хаус» относится пользование шикарной квартиркой, расположенной в фешенебельном районе Вест-Сайда. Как сообщают наши источники, эта квартира с двумя спальнями и видом на парк полностью оплачивается компанией. Если добавить к этому поздние визиты издателя — лучшего и желать нельзя!

В издательстве разразился невероятный скандал. «Подумать только — Джоди Катлер и Энтони Гартвик!» — доносилось со всех сторон. Некоторые утверждали, что знали все с самого начала, большинство же было в шоке. Нина делала вид, что удивлена не меньше остальных, и, слушая болтовню коллег, смеялась вместе со всеми.

Первый сигнал тревоги прозвенел, когда ее навестил Клайв.

— Меня уволили, — возвестил он, устремляясь прямо к холодильнику, где стояла водка.

Нина налила себе очередной бокал белого вина. Перед появлением Клайва она как раз праздновала победу над Джоди. Судя по всему, унижение было полным, поскольку та даже не выходила на работу.

— Надеюсь, ты не говорил, откуда взял эту информацию?

Плеснув себе еще водки, Клайв зло уставился на Нину:
— Конечно, нет! Я ведь журналист. Я никогда не раскрываю своих источников. — И не успела Нина что-либо ответить, как он усмехнулся, чокнулся с ней и сказал: — А забавно было, правда?

Нина засмеялась:
— Что ты, просто кайф!

С тех пор она каждый день ждала вызова в кабинет Гартвика. Когда через несколько дней Нину действительно вызвали, она ничуть не удивилась. Впрочем, войдя в кабинет, интриганка все же несколько смутилась.

Просторное помещение было прямо-таки увешано и уставлено произведениями искусства. Пол кабинета устилали восточные ковры, привлекали также внимание резные скульптуры Будды и африканский ритуальный барабан. На одном из столиков красовался букет цветов.

— Вы хотели меня видеть? — внезапно почувствовав некоторую растерянность, спросила Нина. Издатель ничего не ответил, жестом пригласил ее сесть в кресло напротив.

Разговор долго не начинался. Гартвик, глоток за глотком отпивая минеральную воду из хрустального бокала, не спеша разглядывал Нину. Взгляд его золотисто-зеленых глаз теперь казался ей зловещим.

— Вы знаете, зачем я вас вызвал? — наконец поинтересовался он.

— Не имею представления, — невинно улыбнулась она.

— Вы уволены. — Гартвик сказал это совершенно спокойно, но Нина чувствовала, что он рассержен.

— Можно спросить почему?

— Потому что вы ищейка.

— Да что вы такое говорите! — с искренним негодованием воскликнула она и слегка покраснела.

— Меня уже давно беспокоила утечка информации, касающаяся некоторых авторов и некоторых наших решений. Я здорово расстроился, когда публика узнала о моих друзьях то, что они вовсе не собирались предавать гласности. А потом, мисс Дэвис, появилась заметка о моей жене и конгрессмене. — Глаза его вмиг потемнели, он скрипнул зубами. Нина занервничала. Гартвик сейчас был словно сжатая пружина, которая вот-вот распрямится.

— Не понимаю, какое отношение это имеет ко мне, — дерзко отозвалась она и, высоко подняв голову, выпятила подбородок.

— Сначала я тоже этого не понимал. Затем как-то раз увидел вас в лифте. Вы — видная женщина, — любезно кивнув, заметил он. — Но меня привлекли не ваши женские чары. Я не сразу понял, в чем тут дело, но потом сообразил, где видел вас раньше. «У вас». Вы работаете там официанткой и обслуживали тот банкет. Это что, случайное совпадение?

— Чистое совпадение! — встав, с гневом выпалила Нина. — И по правде говоря, меня возмущают ваши намеки!

— Вы не в той ситуации, чтобы чем-то возмущаться. Сядьте!

Это была отнюдь не просьба. Нина подчинилась.

— Я не верю в совпадения, мисс Дэвис. — Нина снова попыталась встать, но Гартвик красноречивым жестом заставил ее остаться на месте. — Вы были на всех тех банкетах, после которых появились заметки о «Гартвик-хаус», обо мне, моей жене и моих друзьях. После выхода самой последней я спросил мисс Катлер, есть ли причины, по

157

которым вам хотелось бы опорочить ее. Она сказала, что отвергла вашу рукопись. Я попросил отдать ее мне.

Теперь Гартвик застыл прямо перед ней. Он снова выдерживал паузу. Когда издатель наконец заговорил снова, голос его звенел от бешенства.

— Она была права! — выпалил он. — Это полная чушь. Единственный талант, который у вас есть, — это талант доставлять неприятности. Но проявлять его вы будете не здесь. Даю вам один час на то, чтобы получить расчет и убраться восвояси!

Вернувшись домой, на автоответчике Нина обнаружила краткое послание от Лилы: «Ты тупая сука!»

Следующие шесть месяцев Нина искала работу, перебиваясь на пособия по безработице и те небольшие сбережения, что ей удалось скопить. С каждым днем ее ненависть к Энтони Гартвику все усиливалась. Конечно, она нарушила этикет по отношению к шефу, но он зашел уж слишком далеко. Уволил ее из «Гартвик-хаус», принял меры к тому, чтобы она потеряла работу в «У вас», а поскольку он добился увольнения Клайва, угрожая «Пост» судебным иском, то Нина лишилась и последнего источника средств к существованию. Гартвик не просто ее выгнал — он постарался ее уничтожить.

Когда Клайв нашел себе место помощника редактора раздела светской хроники в «Дейли ньюс», Нина встретила это известие со смешанным чувством. Удача Клайва только подчеркивала ее бедственное положение. После долгих раздумий она решила действовать.

На следующее утро она отправилась в «Пост», чтобы увидеться с бывшим начальником Клайва, Питом Мойнихэном. На должность Клайва еще никого не нашли, и Нина предложила свою кандидатуру. Просмотрев ее резюме, Мойнихэн засмеялся:

— С меня уже хватит неприятностей с «Гартвик-хаус», мисс Дэвис. Вы милая молодая женщина, и я от души желаю вам успеха, однако этот номер не пройдет.

— Если вас беспокоит судебный иск, не волнуйтесь. Он его отзовет.

— Вы знаете это наверняка?

— Да. Все неприятности с Энтони Гартвиком возникли по моей вине. — Мойнихэн посмотрел на нее с удивлением. — С Клайвом Фроммером мы были друзьями. Я снабжала его большим количеством информации. Дошло до того, что он печатал все, что от меня узнавал, — сказала она, тщательно прицеливаясь, чтобы поточнее вонзить нож в спину своего друга. — Рассказывая Клайву о Гартвике и его любовнице, я не настаивала на публикации. Я думала, он и сам понимает. — Сталь вонзилась в тело, и потекла кровь. — Однако Клайв слишком уж амбициозный. К сожалению, его недальновидность стоила вам судебного иска, а мне — работы.

— Очень жаль, — отозвался Пит, — но я по-прежнему не вижу оснований брать вас к себе.

— Я уже выполняла за него всю работу, и, пока он не прокололся, получалось неплохо. Благодаря мне «Шестая страница» опубликовала несколько сенсационных материалов.

Мойнихэн кивнул. Так оно и было.

— Я знаю, как собирать слухи, у меня есть свои источники. Я умею слушать, знаю, кого слушать, что публиковать, а о чем умолчать. Честно говоря, Питер, вам без меня не обойтись.

Устроившись на работу, она с месяц подождала, а потом на «Шестой странице» вновь появилась небольшая заметка «об одном известном издателе, список любовниц которого длиннее, чем список бестселлеров, выпущенных его компанией».

В тот же день Нине позвонил неизвестный, который настоятельно советовал ей прекратить сочинять небылицы. В голосе позвонившего, в котором Нина узнала Энтони Гартвика, слышался гнев, но вместе с тем она уловила в нем нотки растерянности и, пожалуй, даже уважения.

Итак, она нашла свое призвание. Джоди Катлер была права: ей не стоит писать романы или рассказы. Ее дар — рассказывать сплетни.

Глава 13

Взглянув на озеро Мендота, Изабель опечалилась. Когда же наконец оно сбросит с себя унылый серый наряд? Солнца Изабель не видела уже целую вечность. С конца октября ландшафт стал монохромным, в нем преобладали различные оттенки белого, серого и черного цветов. И хотя в этом заключалась своеобразная гармония, в целом впечатление было угнетающим.

Еще раз взглянув на пейзаж, Изабель взяла в руки уголек и принялась рисовать. Резкими, четкими линиями Изабель обозначила деревья и кусты, озеро, более темное у берега и пропадающее в дымке на горизонте, скалы, мелкие камни и куски льда.

Закончив рисовать, Изабель отложила уголек в сторону и окинула рисунок пристальным взглядом. Внезапно она вздрогнула и тут же улыбнулась, поняв, что не погода тому виной — просто от картины веяло холодом. Что бы она ни думала о Кларенсе Боумене, учителем он был хорошим.

— Ваша задача очень проста, — повторял этот коротышка. — Надо всего лишь заполнить пустое пространство так, чтобы было красиво.

Но этой кажущейся простоты достичь вовсе не легко. Изабель опять пришлось работать с геометрическими фигурами, но уже по-другому: Боумен учил ее японским принципам уравновешенности света и тени. Учил он также прибегать к музыке как к источнику вдохновения.

Музыка действительно помогала. На ранних стадиях, когда только Изабель овладевала основами композиции, она ставила ноктюрны Шопена, поскольку ее чаровала их ясность и глубина. Затем, почувствовав, что начинает усваивать принципы Боумена, Изабель с расширением рабочего пространства картин расширила и свой музыкальный репертуар, включив в него «Эротику» Бетховена, увертюру «1812 год» Чайковского, «Венгерские рапсодии» Листа.

Совершенно неосознанно она стала накладывать мазки в ритме музыки: отступала от холста, когда мелодия достигала крещендо, и вновь подступала к нему под звуки цимбал. Иногда Изабель рисовала так интенсивно и вдохновенно, что к концу работы просто обливалась потом. Вскоре у нее вошло в привычку во время работы сбрасывать с себя верхнюю одежду. В студии из скромности она надевала под блузки и свитеры мужское белье, а дома довольно часто работала совершенно обнаженной. Зачастую, выпив бокал вина, она трудилась в таком виде чуть ли не до утра. Когда же играла музыка, а за окном падал снег, Изабель доходила почти до оргазма.

Несколько картин, созданных во время таких ночных бдений, Изабель послала Скай.

— Невероятный темперамент! — позвонив ей, восхитилась Скай. — Интересно, что за мужчина появился в твоей жизни и какие кнопки он нажимает?

Изабель засмеялась, жалея, что Скай сейчас далеко.

— Кроме Кларенса Боумена, в моей жизни нет других мужчин, а его ты, поверь, и близко не подпустила бы ни к каким своим кнопкам.

— Возможно, но как бы там ни было, Изабель, это лучшие твои работы. Я просто благоговею.

— Ты показывала их Рихтеру?

— Показывала. Он хочет встретиться с тобой, когда ты в следующий раз будешь в Нью-Йорке.

— Что именно он сказал? Повтори слово в слово!

— Ну хорошо! Он сказал, что у тебя очень чувственный стиль и богатая фантазия. Ну, теперь ты довольна?

Изабель была в восторге. Если бы она могла, то вылетела бы в Нью-Йорк первым же самолетом, но на дворе сейчас стоял март, а срок обучения кончался лишь в конце июня; к тому же она собиралась после этого навестить тетю Флору.

— Никаких проблем! — успокоила ее Скай.

Как всегда после разговора с подругой, ее охватило острое чувство одиночества. И как всегда, она постаралась встряхнуться: она *здесь* не для того, чтобы беспокоиться о происходящем *там*. Она здесь для того, чтобы там ее приняли.

Джулиану Рихтеру было сорок четыре года, но в мире художников он уже около двадцати лет пользовался большим авторитетом. В Нью-Йорке он ломал и создавал карьеры с такой смелостью, что слава его порой затмевала славу протеже. Действительно, о нем писали столько же, сколько о самых выдающихся художниках, бульварные газеты помещали его фотографии не реже, чем фотографии посещавших его галерею знаменитостей, а о его личной жизни ходило не меньше слухов, чем обо всех их, вместе взятых.

Одобренная им самим биография повествовала о рожденном в богатой семье человеке, для которого учение и культура были словно воздух и вода. «Нужно кормить душу так же, как и тело», — любил говаривать его отец. Поскольку семья располагала средствами, необходимыми для поддержания подобной философии, Джулиан вырос среди произведений искусства. Например, чтобы любоваться Ренуаром, ему не надо было идти в музей: картина известного импрессиониста висела в гостиной над креслом-качалкой. Стены в столовой украшали фантасмагорические работы Жана Антуана Ватто.

Отец, Генри Рихтер, однако, считал недостаточным лишь ценить искусство; по его мнению, оно должно было еще просвещать и воспитывать людей.

Мать Джулиана, Гедда, стала феминисткой задолго до расцвета этого движения. Она также коллекционировала картины, но свое состояние потратила на произведения, созданные женщинами, в первую очередь импрессионистками Мари Кассой и Бертой Моризо. Используя их работы как учебное пособие, она читала сыну лекции об угнетении женщин.

Биография Джулиана умалчивала о том, что, хотя родители действительно проводили с ним много времени, дома они появлялись довольно редко. Отец постоянно находился по делам то в Европе, то на Востоке, мать же вообще моталась по всему свету. Джулиан и двое его младших братьев оставались в основном на попечении слуг.

Впрочем, даже в отсутствие Генри Рихтера установленные им строгие правила поведения выполнялись неукоснительно. Правда, им подчинялись только братья Джулиана, сам он не был способен на самопожертвование ради отца. Кроме того, в их отношениях были и другие проблемы. Джулиан родился слабым и болезненным, к тому же отличался маленьким ростом, поэтому в глазах человека с традиционными представлениями о мужских достоинствах выглядел не слишком мужественным. Неудивительно, что, повзрослев, Джулиан постоянно испытывал потребность доказать свое превосходство над другими, причем желательно публично.

Во всех своих интервью Джулиан утверждал, что художественное чутье, которое он приобрел еще в детстве, получило дальнейшее развитие в связи с его увлечением фотографией. Критики расходились во мнении о том, насколько он талантлив как фотограф, но способность Рихтера разглядеть талант в других не ставил под сомнение никто.

— Картина все равно что пакетик с кашей, — любил повторять он, — а галерея — супермаркет. Моя задача — убедить покупателя в том, что каша на моих полках лучше и вкуснее, чем у сотен других продавцов.

Как правило, это ему удавалось.

Когда Скай принесла Рихтеру работы Изабель, он согласился посмотреть их только из расположения к своей напарнице и был очень удивлен мастерству художника: эти рисунки углем и акварели тронули его душу. Снова и снова просматривая работы Изабель де Луна, Рихтер все больше убеждался, что перед ним талант. Судя по разнообразию стиля, Изабель все еще искала себя, однако задача Рихтера и заключалась в том, чтобы помочь начинающим художникам найти свое место в искусстве.

Он вновь поднес к глазам акварель с изображенной на ней женщиной и почувствовал, как у него екнуло сердце. Радость открытия переполняла его.

Изабель приехала в Нью-Йорк лишь в конце августа. Из-за неважного здоровья тети Флоры она пробыла в Барселоне дольше, чем планировала, и хотела задержаться еще, но Флора настояла на ее отъезде.

В Нью-Йорке Изабель приняла щедрое предложение Скай пожить пока у нее. За полгода до этого подруга перебралась из их старой квартиры в Вест-Сайде в район Сохо. Это новое, светлое и просторное жилище было совершенно в ее духе. Одна стена была черной, другая серой, остальные — белыми. Обстановка представляла собой смесь кича пятидесятых годов и случайных предметов, купленных на барахолке. Почти всю спальню занимала гигантская кровать. Над бюро, заставленным хрустальными флаконами из-под духов, висело небольшое зеркало. У окна с черной занавеской скучала пальма, вторая точно такая же стояла в углу.

Однако больше всего Изабель интересовали, конечно, произведения искусства. На серой стене в гостиной висел зимний пейзаж озера Мендота, подаренный Скай на день рождения. На черной стене красовалась картина, по полотну которой словно в беспорядке разбросали осколки фарфоровых тарелок. В проеме между окнами находилась работа кисти Дэвида Сола. Кроме того, повсюду были развешаны небольшие полотна других художников, отобранные Скай во время ее поездок.

По всей видимости, разлука ничуть не отдалила деву-
шек друг от друга. Через считанные мгновения они вновь
свободно смеялись и шутили, словно опять оказались в своей
пещере на Риверсайд-драйв.

— А ты изменилась, — вдруг сказала Изабель.

Повернувшись к столу, Скай принялась соскабливать
оплывший воск со свечей, а потом объявила, что ее связь
с Эзрой кончилась.

— Мы оба решили подлечиться, — сухо произнесла
она. — В результате врач объяснил мне, что я хотела
добиться от Эзры той любви и нежности, которую недо-
получила от своего отца. Его же врач сказал, что во мне он
искал замену Соне. Я согласилась с тем, что мой отец меня
любит. Пусть он проявляет свою любовь не так, как мне
хотелось, но все же старается как может. А Эзра принял к
сведению, что Соня ушла не из-за его недостатков, а из-за
каких-то внешних причин.

— Значит, теперь вы оба совершенно здоровы, — заключила Изабель. — А что представляет собой Джулиан
Рихтер?

— Он поразительный, Изабель, — тщательно подбирая
слова, ответила Скай. — Гениальный. Загадочный.

— Не хочу казаться назойливой, но когда я смогу с ним
встретиться?

— Ты действительно назойлива, и все-таки я органи-
зую тебе эту встречу, так как нуждаюсь в комиссионных.

Подавшись вперед, Изабель пристально посмотрела на
подругу:

— По-моему, ты что-то скрываешь. Будем признавать-
ся или поиграем в инквизицию?

— Наверное, я поступила бесцеремонно.

— Ты это о чем?

— Я показала ему некоторые твои работы.

— И какова была его реакция?

Скай снова занялась высохшим воском. Изабель терпеливо ждала.

— Твои работы будут представлены на его новой выставке.

— Что? — Сердце Изабель учащенно забилось, но отнюдь не от восторга. Она была в ярости. Встав со стула, она скрестила руки на груди и принялась расхаживать по комнате.

— Как же ты позволила ему выставить мои работы без моего разрешения?

— Я думала, ты обрадуешься. Он самый влиятельный дилер в Нью-Йорке. Ты ему понравилась, Изабель. Он захотел выставить твои работы, а я не хотела, чтобы он долго раздумывал.

— А надо бы — и ему, и тебе! — Изабель не сомневалась в своей правоте. Впрочем, Скай, конечно же, действовала из лучших побуждений. — Когда открывается выставка?

— Завтра вечером.

Схватив свою сумочку, Изабель ринулась к двери.

— Я хочу повидаться с Джулианом Рихтером. Я скоро вернусь.

Галерея Рихтера находилась на Мэдисон-авеню, между Шестьдесят шестой и Шестьдесят седьмой улицами. Изабель уже протянула руку к двери, как вдруг заметила в окне надпись: «НОВЫЙ СЕЗОН — НОВЫЕ ЛИЦА. НЬЮ-ЙОРКСКИЙ ДЕБЮТ ИЗАБЕЛЬ ДЕ ЛУНА, ФРЭНКА ПОНСА И ДЖЕЙМСА КАРСТЕРСА». Изабель смотрела на эти слова так, словно никогда прежде не видела свою фамилию. Посмотрев чуть левее, она заметила один из своих рисунков и вспомнила, при каких обстоятельствах его нарисовала. Это было тридцать первого декабря. Звонок Коуди поверг ее в полное отчаяние. Изабель включила свой любимый концерт Рахманинова, налила себе вина и как следует выплакалась. Затем разделась, снова плеснула вина и стала вспоминать об их страсти с Коуди. Глядя сейчас на свое творение, она внезапно покраснела. Хотя рисунок был несколько стилизован, действия изображенных на нем мужчины и женщины не оставляли сомнений — они страстно занимались любовью.

Смутившись, Изабель отвела глаза, решив все-таки попасть в галерею. К несчастью, дверь была заперта. Надеясь, что кто-нибудь откликнется, она громко постучала. Через несколько секунд дверь немного приоткрылась, и наружу выглянул какой-то старик.

— Меня зовут Изабель де Луна, — доставая свое водительское удостоверение, сказала девушка. — Я участница выставки.

Сторож отошел немного в сторону. Войдя в первый зал, Изабель замерла от переполнявшей сердце гордости. Она еще не видела, чтобы так демонстрировались ее работы: картины, написанные маслом, висели на одной стене, акварели — на другой, рисунки углем — на третьей. Работы были сгруппированы по стилю, так чтобы продемонстрировать различные тенденции в ее творчестве — от самых смелых до наиболее сдержанных.

И все же ей не нравилось, что все это сделано без ее разрешения.

— А когда будет мистер Рихтер? — спросила она перед уходом.

— Около семи.

В семь вечера Изабель вернулась. Теперь дверь галереи была открыта. Затаив дыхание, Изабель вошла. Первый зал был ярко освещен, какие-то мужчины стояли перед ее большим рисунком, сделанным в Висконсине. Изображенное на рисунке женское лицо не имело ни носа, ни бровей — только рот. Одна плавная линия создавала намек на руку, другая — на шею, на нее как будто падала чья-то тень.

Не отрывая глаз от прелестницы на стене, мужчины о чем-то шептались. Один из них — высокий, широкоплечий и худой, строгий костюм явно сшит на заказ; другой — низенький, бородатый, одетый более небрежно. Решив, что это и есть Джулиан Рихтер, Изабель произнесла:

— Снимите эти картины!

Мужчины обернулись.

— Извините?

— Меня зовут Изабель де Луна. Это мои работы, и у вас нет разрешения их здесь выставлять.

Рихтер уже давно пытался представить себе, как выглядит художница. Глядя сейчас на ее бронзовую кожу, блестящие каштановые волосы и колючие карие глаза, он улыбнулся: она превзошла все его ожидания.

— Разрешите представить вас Филиппу Медине, — намеренно игнорируя ее слова, произнес дилер. — Он не только главный администратор «Сиско комьюникейшнз», но и крупный коллекционер, и сейчас намеревается купить вот этот восхитительный рисунок.

Стоявший рядом с Рихтером мужчина пристально посмотрел на Изабель. Взгляд его был непроницаемым, мрачным, и в то же время мягким — как кусок угля, которым Изабель рисовала злополучный портрет.

— Картина не передает всего вашего обаяния, мисс де Луна. Встретив вас лично, могу заверить, что вы просто очаровательны.

Изабель явно тронуло то, что в отличие от большинства зрителей Медина заметил сходство, ей также польстил и комплимент, но, в конце концов, она пришла сюда ругаться с Рихтером, а не флиртовать с незнакомцами. Игнорируя бизнесмена, она продолжила атаку:

— Вы не имеете права вести переговоры с мистером Мединой. Если он хочет купить эту картину, то должен договариваться только со мной!

Джулиан не знал, смеяться ему или плакать. Ему и раньше приходилось иметь дело с темпераментными художниками, но никто из них не был столь красив и столь талантлив. Ему не хотелось спорить с Изабель, а главное сейчас — подписать с ней контракт.

— Весьма сожалею об этом недоразумении, мисс де Луна, но, видите ли, я думал, что Скай выступает от вашего имени.

— Я вполне способна делать это сама.

— И создавать замечательные произведения. — Филипп Медина снова вмешался в разговор. — Как уже сказал Джулиан, я коллекционер и хотел бы купить этот рисунок.

Впервые с начала разговора Изабель взглянула на человека, который хотел стать ее первым покупателем. Мягкие каштановые волосы, квадратный подбородок с небольшой ямочкой, густые брови, худощавое лицо, полностью преображавшееся, когда Медина улыбался — он сразу становился необычайно красив. Судя по всему, Медине было за тридцать, однако выражение его глаз говорило о том, что он, как и сама Изабель, пережил больше, чем обычно выпадает на долю его сверстников.

Картину Рихтер оценил в две с половиной тысячи долларов. Де Луна запросила для себя тысячу, оставив дилеру шестьдесят процентов. Тот был согласен и на меньшее, но Изабель не подозревала и об этом, она знать не знала, что первому покупателю обычно дается большая скидка. Таким образом стимулируется спрос: имя этого покупателя используется как приманка для других. Медина, который знал все тонкости игры, мог бы и поторговаться, но не захотел: подписав чек и пообещав прийти на следующий день, он ушел, оставив Изабель и Рихтера наедине.

— Примите мои поздравления, — расплылся в улыбке Джулиан. — Этот чек придает делу необходимый официоз. Теперь вы стали профессиональной художницей. — Против своего желания Изабель улыбнулась. — Поверьте, я искренне огорчен происшедшим недоразумением и прошу меня извинить, — продолжил Рихтер. — Вы вправе требовать, чтобы я убрал эту часть экспозиции, но тем не менее надеюсь, мисс де Луна, что в наших общих интересах оставить ее.

— Мне не нравится, когда я не могу распоряжаться своими собственными работами.

— Рискуя вас обидеть, я все-таки замечу, что нью-йоркский художник не волен полностью распоряжаться своими работами.

— И почему же?

— Потому что, к сожалению, ценность любого произведения определяется его ценой; ее, в свою очередь, диктует рынок, а положение на рынке зависит от многих факторов, большей частью иррациональных. — Рихтер пристально посмотрел на Изабель. Она была вся внимание. — У искусства свои циклы и тенденции. Мода здесь меняется очень быстро. В одном сезоне в моде живопись, в другом — скульптура, а на следующий год все интересуются только гобеленами. Художнику подконтрольны только две вещи: свое творчество и выбор того, кто его представляет.

— И здесь появляетесь вы.

— Именно, — улыбнулся Джулиан. — При всей своей скромности я не премину напомнить, что являюсь владельцем самой престижной галереи Нью-Йорка. Позволяя мне выставлять свои работы, вы зарабатываете очки, которых вам нигде больше не получить. Нравится вам это или нет, мисс де Луна, однако место, где висят ваши произведения, часто гораздо важнее того, что они в действительности собой представляют.

Опустив руку в карман, Изабель нащупала чек, подписанный Филиппом Мединой. Рисунок был замечательным, она сама это знала, но где бы еще за него заплатили две с половиной тысячи?! Рихтер пользовался репутацией человека, который выручает большие деньги за произведения искусства. А Изабель нуждалась в деньгах.

Причем не только для того, чтобы платить за квартиру, за питание и так далее — нет, просто Изабель не оставляла надежды выкупить «Дрэгон текстайлз», и это желание только окрепло во время ее последней поездки в Барселону. От тети Флоры Изабель узнала, что здесь до сих пор вспоминают о смерти Альтеи и обвиняют в ней Мартина. Почему? Флора объяснила ей, что загадки не дают людям покоя, будоражат их сознание. Кроме того, при любых неполадках на текстильной фабрике рабочие честят Мартина на чем свет стоит. Сожалея о том, что с момента продажи «Дрэгон» Барбе дела на предприятии не клеятся, они считают, что смерть Альтеи каким-то образом вызвала разорение компании, а значит, во всем виноват Мартин. Для Изабель эта воображаемая связь между ее отцом и упадком «Дрэгон» послужила дополнительным аргументом в пользу выкупа фабрики. Естественно, для этого требовалось много денег, следовательно, внезапно решила Изабель, ей нужен Джулиан Рихтер.

— Если я соглашусь, чтобы вы представляли мои интересы, как это будет выглядеть?

Пульс Джулиана участился.

— Я буду продавать все ваши работы, а также заниматься рекламой выставок и связями с общественностью.

— Связями с общественностью? — засмеялась Изабель. — Какой?

— О, это очень важно, — возразил Рихтер. — Мы оба создаем образы, Изабель, с той лишь разницей, что вы их рисуете, а я леплю. — Он пристально посмотрел на девушку. — Я просто хочу, чтобы вы полностью обрели себя.

— И как же этого достичь? — с настороженным любопытством спросила Изабель.

— У вас испанское происхождение, вы говорите с легким акцентом. Вы выросли в Санта-Фе, городе с испаноязычным населением. Вот и разыграйте эту карту! — Он уже вошел в роль импресарио и, расхаживая по залу и экспрессивно жестикулируя, указывал Изабель на ее красное платье и серебряные украшения, незатейливую прическу и браслеты на руках. — Одевайтесь поярче. Носите браслеты и бусы. В общем, делайте то же, что и сегодня, только еще смелее.

На лице Изабель, однако, по-прежнему читалась растерянность. Джулиан спохватился: она еще слишком молода! Не надо ее пугать.

— Впрочем, до конца выставки забудьте о том, что я вам сказал. — Он улыбнулся, лукаво сверкнув голубыми глазами. — Если после того как мы узнаем друг друга получше, вы сочтете, что я именно тот, кто может вас должным образом представить, я с радостью возьмусь за это. Если нет — ничего страшного. Идет?

— Пожалуй.

По облегченному вздоху Изабель Рихтер понял, что не обманулся: эту художницу торопить не надо. Что ж, если она ему доверится, то станет знаменитой. Если нет — это будет величайшая ошибка в ее жизни.

Войдя, Изабель и Скай обнаружили, что банкет еще только-только начался.

— Что он делает здесь так рано? — удивилась Скай, кивнув в сторону Филиппа Медины. — Хотя, конечно, я рада его видеть — в его присутствии мое сердце начинает биться как сумасшедшее. — Она пригладила волосы, распрямила плечи и бросила на Медину небрежный взгляд. — Это же надо, симпатичный, умный, богатый — и все одновременно!

— Он купил один из моих рисунков, — тотчас сообщила Изабель.

— А ты мне не сказала!

— Как не сказала, что твой босс рекомендовал мне одеваться словно исполнительнице фламенко.

Прежде чем Скай успела ответить, в зал вошел Рихтер. В следующий миг он уже отыскал взглядом Изабель — свободное, без отделки, кремовое платье, распущенные волосы до плеч, из украшений только индейское ожерелье из раковин, из косметики только едва заметная губная помада. Надо отдать должное Рихтеру — на лице его не дрогнул ни один мускул.

— Вы прекрасно выглядите, Изабель, — произнес он, галантно целуя ей руку.

Затем, заметив четырех своих крупнейших покупателей, собравшихся вместе в первом зале, он пригласил корреспондента «Нью-Йорк таймс» снять Изабель и Филиппа Медину на фоне рисунка, который тот купил. Через полчаса все остальные рисунки тоже были проданы.

172

Об Изабель Рихтер заговаривал только тогда, когда его о ней спрашивали, повторяя свою обычную фразу о новых художниках: «Может, я и ошибаюсь, но вам наверняка понравится». Завсегдатаи знали, что ошибается он очень редко, так что к концу официальной части Рихтер сумел распродать половину работ Изабель и зарезервировать еще какую-то часть. Как он считал, все остальное разойдется за неделю.

— Должно быть, вы безмерно счастливы. Ваш дебют прошел с невиданным успехом. — Филипп Медина подал ей бокал шампанского. — Вы это безусловно заслужили.

— Наверное, это вы принесли мне удачу, — сказала наконец она, удивляясь тому, что так спокойно чувствует себя в присутствии человека, который у большинства вызывает прямо противоположные эмоции.

— Не я, а ваш талант. — Глаза Медины смеялись, а губы тронуло подобие улыбки. — Я уверен, что сегодня вечером вашим вниманием полностью завладеет Джулиан, но тем не менее мне хотелось бы как-нибудь пригласить вас на ужин.

— Что ж, я с удовольствием принимаю ваше предложение.

Собеседники и не заметили подошедшего к ним Рихтера. Он только что отправил Джеймса Карстерса, Фрэнка Понса и Скай в бистро, где должен был состояться праздничный ужин, посвященный открытию выставки.

— Ну как вам понравился ваш дебют?

Окинув взглядом зал, где рядом с ее работами пестрели красные надписи «Продано» и синие «Зарезервировано», Изабель засмеялась.

— По правде говоря, я на седьмом небе от счастья.

Общее настроение на банкете было приподнятым. Понс и Карстерс радовались результатам первого дня и тому, что попали под опеку Рихтера.

— Он жестко разговаривает с прессой и владельцами галерей, которые могут попытаться тебя переманить, но с нами держится в рамках.

Слушая их, Изабель наблюдала, как Джулиан фотографирует собравшихся, заставляя их улыбаться и принимать нелепые позы. На следующий день, за обедом, он вручил Изабель снимок, на котором запечатлел ее рядом со Скай.

— Я знаю, как вы близки, — произнес Рихтер. — И решил, что вам понравится.

— Действительно здорово! Даже очень. Большое вам спасибо! — Изабель была очень тронута его вниманием.

Обедали они в «Ле Сирк», поскольку Рихтер хотел отпраздновать ее боевое крещение, а заодно и переговорить о делах. Изабель явно смущалась, ибо не привыкла к роскошным обедам рядом со знаменитостями за соседними столиками. Не привыкла она и к обществу людей, привлекающих всеобщее внимание — таких как Джулиан. Каждые несколько минут к ним кто-то подходил, чтобы поздороваться и познакомиться с Изабель. Компания Рихтера сама по себе обеспечивала высокий общественный статус.

Удивительно, но ей было спокойно рядом с ним. Едва знакомый ей человек, знаменитость, а вот поди ж ты!.. Кстати, во время обеда Джулиан несколько раз обмолвился о тяжком бремени славы.

— От вас все время ждут чего-то необычного. А потому никогда не позволяйте диктовать, что вам следует делать. Прислушивайтесь только к своему таланту.

— И к вам, конечно, — шутливо добавила Изабель.

Джулиан засмеялся:

— Я не хотел этого говорить, но раз уж вы сами об этом упомянули — да, в формуле вашего успеха я мог бы стать важной составляющей.

— Я тоже так думаю. — Ходить вокруг да около было не в характере Изабель. Вчера в галерее она убедилась в том, что Рихтер мастерски умеет пробуждать желание купить произведение искусства. На банкете и сейчас, за обедом, она увидела его с другой стороны. — Мне бы хотелось, чтобы вы были моим представителем, мистер Рихтер.

Джулиан склонил голову.

— Сочту за честь, мисс де Луна.

Они пили за будущее сотрудничество, когда Изабель внезапно увидела *его* и чуть не выронила из рук бокал. *Он* в эту минуту разговаривал с владельцем «Ле Сирк» Сирио. Заметив Изабель, посетитель сразу же подошел к их столику.

— Сеньорита де Луна, как я рад вас видеть!

Изабель не ответила.

— Меня зовут Пасква Барба, — не отрывая глаз от Изабель, сказал мужчина и протянул руку Джулиану. — Я старый друг матери Изабель.

— Кто бы вы ни были, — сказал Рихтер, — вас явно нельзя назвать старым другом мисс де Луна, так что, если не возражаете, мы хотели бы продолжить обед. Всего хорошего.

— Спасибо, — сказала Изабель. — Он...

— Не надо ничего объяснять. Он вас расстроил, этого достаточно. — Рихтер накрыл ее руку своей. — Не беспокойтесь. Я не позволю ему вам докучать.

Изабель кивнула. Когда Пако прервал их беседу, они как раз говорили о перспективах на будущее. Рихтер считал, что теперь внимание публики ей обеспечено, и рекомендовал устроить персональную выставку сразу же, как только Изабель напишет достаточно картин. После этого он собирался вновь изолировать ее от общества, чтобы создать атмосферу таинственности. Изабель обещала найти подходящий для работы чердак.

— А как вы смотрите на то, чтобы пока вернуться в Санта-Фе?

Изабель все еще никак не могла успокоиться после неожиданной встречи. Ужасно было сознавать, что Пасква Барба здесь, так близко от нее.

— Я думаю, это будет неплохо, — рассеянно проговорила она.

— Это покроет ваши расходы на год вперед. — Джулиан протянул ей чек.

175

Цифра ее ошеломила.

— Нет, я не могу... я не возьму... — запротестовала Изабель.

— Можете, можете. Вернее, даже должны. — Улыбка Джулиана говорила о том, что он знает, что для нее лучше. — Поезжайте домой, Изабель, туда, где вашей музе будет уютно, а ваш талант станет расцветать пышным цветом.

Взгляд Изабель между тем был прикован к Паскве Барбе, который по-прежнему пристально смотрел на нее. Рука ее сжала чек, дававший ей возможность спокойно работать. Спустя несколько часов Изабель подписала контракт с Рихтером, а через два дня уехала из города.

В этот день воскресное издание «Нью-Йорк таймс» в разделе «Искусство и развлечения» поместило статью о галерее Рихтера, в основном посвященную Изабель, и снимок, где она была запечатлена вместе со своим первым покупателем, известным коллекционером Филиппом Мединой.

Разыскивая Изабель, Филипп позвонил Скай и узнал от нее, что Изабель сейчас в творческом отпуске и некоторое время ее в Нью-Йорке не будет.

Налив бокал бренди, Джулиан Рихтер поздравил себя с успехом. Конечно, нельзя приписать все себе — кое-что следует отнести и на долю этого Пасквы Барбы — но так или иначе, Изабель благополучно прибыла в Санта-Фе, где будет находиться вдали от людей, которые могут на нее как-то влиять, назначать ей свидания или причинять боль.

На другом конце города Нина Дэвис, читая статью в «Нью-Йорк таймс», постепенно приходила в бешенство. В то время как ее собственная звезда застряла на «Шестой странице», звезда Изабель уверенно восходила все выше и выше. «Подает большие надежды... одно из открытий нынешнего сезона... украшение коллекции Медины». Каждая фраза вызывала у Нины вспышку гнева. В ярости она скомкала газету и швырнула ее в угол.

Глава 14

Нине порядком надоело прозябать в безвестности на «Шестой странице» и стряпать сенсации для бульварной прессы, и она принялась просматривать вакансии. Прошел не один месяц, прежде чем ей на глаза попалась заметка, в которой говорилось, что компания «Сиско комьюникейшнз» собирается ставить телевизионное шоу под названием «Свои люди» со знаменитостями. Шоу предрекали шумный успех. Не использовать такую блестящую возможность было по меньшей мере глупо.

Получив в ответ на каждый из четырех телефонных звонков неизменное «Мистер Медина в данный момент занят, он перезвонит вам позже», Нина не на шутку встревожилась: может, место уже занято?

Нет, сказала она себе. Иначе в статье непременно упомянули бы имя счастливчика. Кроме того, Нина так надоела секретарше Медины, что та непременно сообщила бы ей об этом, только бы избавиться от докучливой просительницы.

Узнав, что Медина обычно проводит уик-энды в собственном доме, Нина постаралась раздобыть сведения о его планах на предстоящие выходные. Ее заверили, что Медина будет у себя дома. Тогда она позвонила на площадку для игры в гольф под названием «Мейдстоун» и, назвавшись его секретаршей, попросила указать ей точное время игры и имена четырех его партнеров по гольфу.

Мысленно поблагодарив своих родителей, наградивших ее довольно высоким для женщины ростом, она натянула поношенные джинсы, спортивный свитер огромного размера и упрятала под грязную бейсболку светлые кудри, скрыв таким образом малейший намек на женственность. Надвинув кепку на глаза и мысленно твердя себе, что цель оправдывает средства, Нина отыскала боковой вход на площадку и направилась прямо к будке со спортивным инвентарем.

Она прекрасно понимала, что распорядитель игры и главный кадди вышвырнут ее вон, если она посмеет обратиться к ним с просьбой, и потому решила прибегнуть к давно испытанному способу. Отловив в сторонке подносчиков сумок для клюшек, она назвалась репортером (что почти соответствовало действительности) и заявила, что ей необходимо взять эксклюзивное интервью у Филиппа Медины. Предложив каждому из ребят по пятьдесят долларов, она попросила, чтобы ее поставили вместо кадди мистера Медины. Парни согласились. Нина влезла в белый комбинезон — униформу мальчиков, подносящих клюшки для гольфа, — встала за Руфусом (вторым в шеренге кадди) и последовала за ним к первой метке. К счастью, распорядитель был занят с первой четверкой и не обратил на нее никакого внимания.

Игроки уже преодолели несколько лунок. Как только Нина удостоверилась, что они достаточно удалились от будки с инвентарем и ее уже никто не сможет задержать и выдворить с площадки, она тотчас сбросила тяжелые сумки с клюшками на землю, сорвала с головы бейсболку и тряхнула золотистыми кудрями.

— Мистер Медина, я Нина Дэвис, — представилась она. — Я совсем не хотела испортить вашу игру, но мне необходимо переговорить с вами по поводу вакансии в «Своих людях».

Трое партнеров Медины, раскрыв рот от такой наглости, застыли на месте. Медина насупился. Тогда Нина торопливо продолжила:

— Я вам подойду, поскольку умна, расторопна, настойчива. У меня прекрасная память. Я иду по следу как борзая. Я раскопаю любую историю, как бы ее ни старались скрыть, и добуду любые доказательства. Одно то, что я стою здесь перед вами, свидетельствует о моих высоких профессиональных качествах.

178

Ни один мускул не дрогнул на лице Медины.

— О'кей. Вы вправе сердиться на меня за то, что я выбрала не совсем подходящий момент для встречи, но, откровенно говоря, играете вы не блестяще, так что вам ничего не стоит ненадолго прерваться. — Она улыбнулась. Он смотрел на нее холодно и сурово. — Вы должны поверить мне на слово — ведь я пробралась сюда только затем, чтобы изложить свою просьбу.

Нина коротко пересказала свое резюме, чуть-чуть приукрасив достоинства и смягчив недостатки. Медина по-прежнему хранил молчание.

— Да, сегодня я выгляжу не лучшим образом, мистер Медина, но, право слово, я довольно миловидная женщина. Кстати, я неплохо фотографирую. — Красноречие ее иссякло, а наигранная бравада улетучилась. — Прошу вас, дайте мне шанс.

Медина отвернулся от нее, наклонился, вытащил из сумки клюшку с железной головкой и установил мяч для удара.

— И я вам этот шанс предоставлю, — сказал он, резко размахнувшись. — Вполне возможно, что из вас получится неплохой репортер, но, если честно, кадди из вас никудышный. На чаевые не рассчитывайте.

С этими словами он ударил клюшкой по мячу. Мяч приземлился на лужайке у третьего «пара», в четырех футах от метки. На место Нины заступил настоящий кадди, и Медина протянул ей визитную карточку.

— Позвоните в понедельник моему секретарю. Мы назначим время для пробы. — Он окинул ее внимательным взглядом с ног до головы, не упуская ничего — ни мокрой от пота бейсболки, ни смятого комбинезона, ни перепачканных кроссовок. Рот его скривила многозначительная усмешка. — И закажем столик в ресторане.

Обед с Филиппом Мединой в «Ле Сирк» явился для Нины пропуском в высший свет. Это все равно что получить пригласительный билет на седьмое небо.

179

— Надеюсь, оценка, которую вы дали своим талантам, столь же объективна, как и ваше резюме относительно собственной внешности. — Филипп улыбнулся, небрежно скользнув глазами по лицу своей собеседницы: золотистые волосы, мягко спадающие на открытые плечи, дымчато-серые глаза, пухлые щечки, округляющиеся от улыбки, чувственные губы, предлагавшие абсолютно все.

— Вы не будете разочарованы, мистер Медина, — отозвалась Нина, с радостью отметив про себя его заинтересованный взгляд.

Медина рассказывал ей какие-то сплетни из жизни знаменитостей, но Нина слушала его вполуха. Голова слегка кружилась от выпитого вина и светского великолепия, но ее волновало только одно: что ей делать с этим знаменитым джентльменом, когда вечер подойдет к концу? Впрочем, как бы Нину ни привлекала мысль о близости с Филиппом Мединой, даже ее затуманенный винными парами мозг не мог не признать, что переспать с боссом в первый же день заключения контракта по меньшей мере глупо.

Как бы в подтверждение этого Филипп проводил ее до двери, пожелал удачи и пообещал позвонить, когда снова окажется в Лос-Анджелесе.

— Ну что ж... — Она вздохнула, прикрыв входную дверь. — Работу я получила. Осталось заполучить мужчину.

Шоу «Свои люди» оказалось проектом с низким бюджетом; команда разработчиков состояла из четырех человек, которые тянули на себе абсолютно все: им приходилось быть одновременно бухгалтерами, сценаристами, редакторами и визажистами. Наработавшись за день, Нина уставала как собака: не так-то легко устанавливать контакт с аудиторией, запоминать чужие истории, держать ситуацию под контролем. По вечерам, если не было разъездов по ресторанам и вечеринкам, она часами торчала у телевизора и рыскала по всем программам, присматриваясь к работе известных репортеров и комментаторов, изучая их технику, анализируя удачи и просчеты. Первым делом Нина создала сеть осведомителей. Она завела дружбу с поставщиками продуктов, известными парикмахерами, а также с маникюршами и служащими, агентами по продаже недвижимости, водителями лимузинов и садовниками — словом, со всеми, кто не отказался с ней переговорить. Среди ее новых знакомых теперь числились продавщицы с Родеодрайв, персонал техобслуживания «мерседесов» и «роллс-ройсов» и несколько клерков, работавших в приемных «Сидерс Синай» и главной аварийной службы Лос-Анджелеса. Эти люди составляли костяк ее команды. Она прибегала к их помощи всякий раз, когда нужно было получить информацию, и они предоставляли ей необходимые сведения. Стать своей и проникнуть в среду знаменитостей Нине пока не удавалось, но для начала и это было неплохо. Ее конечная цель — получить непосредственный доступ к жизни звезд и знаменитостей. Но как этого достичь? Вот в чем вопрос. Она всеми правдами и неправдами добывала себе приглашения на всевозможные вечеринки, но там не было тех, кто ее интересовал. В их кругах о ней ничего не знали, она не пользовалась популярностью у голливудской публики. Ясно было, что пока Нина не приобретет влияние и известность, ей суждено болтаться по второсортным фуршетам и приемам.

Впрочем, однажды вечером к ней невзначай пришло решение. Нина «прочесывала» толпу, собравшуюся на барбекю, заведомо зная, что поживиться тут абсолютно нечем. Будущие звездочки и плейбои усиленно набивали рты гамбургерами и жареной картошкой. Обратившись к кому-то, Нина небрежно обронила: «А правда, что Джулия Томассон кусала локти от досады, когда ей не удалось заполучить роль балерины в "Точке вращения"?»

Томас танцевала в балетной труппе Нью-Йорка, и ей прочили блестящее будущее. Поговаривали, что она вскоре станет партнершей Барышникова. По слухам, именно

181

он предложил ей пройти кинопробы, но на роль балерины была утверждена Лесли Браун. Нина и не подозревала, что своим вопросом выстрелила прямо в «яблочко». Два дня спустя Джулия Томас сама позвонила ей из Нью-Йорка.

— Я никогда не пробовалась на эту роль, — заявила она высокомерным тоном прима-балерины. — Михаил хотел, чтобы я прошла пробы, но я отказалась. У меня в Нью-Йорке стабильная работа. Не вижу смысла жертвовать своим благополучием ради призрачной славы Голливуда.

— Деньги тоже неплохой стимул.

— Того, что мне предложили, не хватило бы даже на билет на самолет.

— Что ж, они упустили свой шанс, — промолвила Нина, уловив в голосе собеседницы обиду. — Браун смотрелась неплохо, но я видела, как танцуете вы. В этой роли вы были бы неподражаемы.

— Благодарю вас. — Помолчав, Джулия спросила: — А почему вы упомянули об этом на празднике? Неужели уже поползли слухи?

Нина почувствовала себя виноватой, но потихоньку у нее в голове начал вырисовываться замысел.

— Если честно, мисс Томас, я и не подозревала, что кто-то передаст вам мои слова. Я просто пошутила.

— Запомните вот что, мисс Дэвис: в Голливуде так не шутят.

Очень может быть, подумала Нина, попрощавшись и положив трубку. Но даже в общество звезд найдутся свои лазейки, и рыбка попадется-таки на крючок.

На следующей вечеринке Нина бросила в качестве наживки следующую фразу: «Я слышала, что на съемочной площадке киностудии «Юниверсал» творится такой кошмар, что даже «Челюсти-2» не идут с ним ни в какое сравнение». Наутро один из сотрудников «Юниверсал» по связям с общественностью предложил ей пригласить в шоу «Свои люди» Роя Шайдера, дабы тот поведал публике, какие теплые дружеские отношения царят между актерами и съемочной группой. Стоило Нине невзначай поинтересоваться, а правда ли, дескать, что Джейн Фонда считает неудачу с «Возвращением домой» результатом ее антивоенной деятельности, как ей сразу же дали интервью Брюс Дерн, Джон Войт и сама Джейн Фонда. Насмешливое замечание по поводу таланта танцовщика знаменитого Траволты в «Лихорадке субботнего вечера» («Если эти танцевальные па способен выполнить даже Джон Траволта, вряд ли они представляют какой-либо интерес») помогло ей не только взять интервью у звезды, но и добиться от актера урока танцев в прямом эфире.

Рейтинг Нины неуклонно рос. Она становилась заметной фигурой в мире шоу-бизнеса. Но что самое главное, наряду с ростом популярности пришло и признание — теперь она действительно стала своим человеком среди голливудских знаменитостей и получила доступ в круг избранных. Филипп Медина по-прежнему приглашал ее в рестораны, когда бывал в городе. Нине это было только на руку.

Что ж, теперь ей необходимо завоевать доверие своих информаторов и потенциальных героев шоу. Именно поэтому, получая сведения частным порядком, она отныне сперва проверяла их и только потом делала достоянием широкой общественности. Если она у кого-то брала интервью, то подходила к этому со всей ответственностью. В тех случаях, когда ей удавалось заглянуть гораздо глубже, чем предполагалось, что случалось довольно часто, она старалась наполнить свой рассказ малоизвестными подробностями и сделать его запоминающимся.

Однако по прошествии года Нина пришла к выводу, что делать хорошее, добротное шоу отнюдь не предел ее мечтаний. Едва ей выпадала свободная минутка, как она принималась просматривать записи своих передач и сравнивать с шоу конкурентов. К сожалению, как она ни старалась, ей не удавалось отыскать ту изюминку, которая выделила бы ее из сонма телеведущих, приглашавших на шоу голливудских знаменитостей.

Изучив опыт своих коллег, Нина наконец решилась: в своих шоу она стала делать осторожные намеки, как когда-то Хедда Хоппер и Луэлла Парсонс, да и она сама в начале своей карьеры телеведущей, обнажать пороки, подобно Уолтеру Уинчеллу и Эльзе Максвелл, раздавать оплеухи направо и налево, а порой и облагораживать сплетни, обряжая их в ранг сообщений чрезвычайной важности. Теперь она подавала свои новости как изысканное блюдо и задавала гостям те вопросы, ответы на которые желали знать ее зрители. Среди ее коллег-журналистов такие вопросы считались «опасными».

Одного из ведущих киноактеров Нина спросила, не голубой ли он; герою телевизионных «мыльных опер», чья мать, знаменитая певица, умерла от рака печени, известному своим пристрастием к алкоголю и наркотикам, она задала вопрос о дурной наследственности; у звезды рок-н-ролла Нина как бы невзначай поинтересовалась, знал ли он, что его пассии из Кливленда было всего четырнадцать лет. Вскоре Нина Дэвис стала национальной знаменитостью. Отныне она была вхожа ко всем голливудским звездам. Никто не осмеливался игнорировать ее звонки. И хотя своими шоу она наводила на героев бульварной прессы страх и ужас, ни один не отказывал ей в интервью. Все они понимали, что сделать это все равно что подписать себе смертный приговор. Теперь у Нины было то, чего они все боялись, и к чему сама она стремилась всегда. Власть.

— Благодарю всех, кто смотрел наше шоу «Свои люди». С вами была Нина Дэвис. Я прощаюсь до завтра и напоминаю, что истории может рассказывать любой. Но лишь от нас вы услышите правду и только правду!

Выражение лица Миранды, следящей за телешоу дочери, поминутно менялось: радость уступала место разочарованию и легкой грусти. То она счастливо улыбалась — родительская гордость за дочь брала верх, то вдруг вспоминала о том, что для Нины она всего лишь одна из десятков тысяч зрителей шоу, абсолютно чужой человек.

— Она прекрасно выглядит, не находите?

Луис и Изабель понимающе переглянулись. Добродушие Миранды их и восхищало и раздражало одновременно — так было и на этот раз.

— Надо отдать ей должное, — восхищенно заметила Изабель, а про себя с горечью подумала: «Если бы только преодолеть ту пропасть, что легла между нами, моя названая сестричка». — Она всегда говорила, что хочет покорить Голливуд, и вот наконец добилась своего!

Все трое молча смотрели на застывшее в кадре лицо Нины. Шоу закончилось, пошли титры. Миранда и Луис погрузились в невеселые раздумья. Когда появилась эмблема «Сиско комьюникейшнз», Изабель невольно задалась вопросом, а знакома ли Нина с Филиппом Мединой, и если знакома, то насколько близко. Вдруг она ему нравится больше, чем я? — извечная ревность к сопернице.

Миранда выключила телевизор, изгнав с экрана призрак Нины, и обернулась к Изабель:

— Я тебе не рассказывала про одного нашего постояльца из Барселоны? Он приехал к нам несколько месяцев назад и представился другом твоей семьи. Пасква Барба. Ты его знаешь?

Изабель кивнула и потерла лоб, как при головной боли.

— Он захотел купить одну из картин твоей мамы.

— Но ведь вы не продали ее? — вскричала Изабель.

— Конечно, нет, — успокоила ее Миранда и добавила, что картинами Альтеи вправе распоряжаться только сама дочь. — А кто такой этот Барба?

— Он убил мою мать.

Услышав это, Миранда и Луис остолбенели. Что этому человеку понадобилось в Санта-Фе? Зачем он приехал в Ла-Каса?

— Он сказал нам, что путешествует по Соединенным Штатам, а Рафаэль Авда посоветовал ему остановиться у нас.

Звучало вполне правдоподобно. Пако был коллекционером, к тому же он и раньше имел дела с Рафаэлем. Но Изабель все равно не доверяла ему.

— Сколько картин тебе надо завершить? — Миранда решила поговорить о приятном.

— Две, — ответила Изабель, с трудом возвращаясь к действительности. — Надеюсь успеть к приезду Скай. Она заберет их с собой в Нью-Йорк.

— Мне бы не хотелось, чтобы твоя нью-йоркская выставка совпала по времени с «Очарованием».

— Спросим о дате у Скай. Она приезжает завтра утром.

— Ах, мне так не терпится ее снова увидеть! — Миранда радостно рассмеялась. — Тебе она тоже понравится, Луис.

Луис кивнул и улыбнулся. Если эта девушка хоть самую малость соответствует тому образу, который нарисовали ему Миранда и Изабель, то она и в самом деле незаурядная личность.

Впрочем, все может оказаться совсем не так. Джулиан Рихтер получил такие же восторженные отзывы Миранды и Изабель, однако Луису он не понравился.

Каждый раз, когда Рихтер приезжал в Санта-Фе — а он уже побывал тут трижды, — Луис честно пытался проникнуться симпатией к человеку, сделавшему карьеру его подопечной, но Джулиан оказался собственником, а в этом нет ничего хорошего. Его забота об Изабель была всего лишь ловушкой: он заманил девушку обещаниями богатства и славы. Луису сразу все стало ясно, когда он наблюдал за Рихтером в мастерской Изабель. Он делал все, чтобы Изабель почувствовала неуверенность в собственных силах и стала зависимой от него, Рихтера. Луис давно подозревал, что мэтр вовсе не стремится представить Изабель широкой общественности. Он стремится сделать ее своей собственностью.

Вечером того же дня Луис закрыл входную дверь гостиницы и дал все необходимые распоряжения ночному клерку, а затем удалился в спальню.

Миранда подняла на него печальный взгляд. Ее глаза затуманились грустью.

— Как ты думаешь, она вернется домой?

Он сразу понял, что речь идет о Нине.

— Жить с нами? Вряд ли. А так, чтобы навестить... Возможно. Что бы Нина ни говорила тогда перед отъездом, она знает, что двери родного дома всегда для нее открыты.

— Звездная пыль запорошила ей глаза с самого детства.

— Да. Плюс ее богатое воображение. — Луис усмехнулся. — Не забывай, что она еще очень молода, а Голливуд в действительности совсем не похож на сказочную страну, которую она себе нарисовала.

— Скажи, она любит нас хоть немного?

Луис не ожидал подобного вопроса.

— Нина не сможет любить так самозабвенно, как ты, Миранда. Она находится в постоянной борьбе со своими страхами и сомнениями. Кто были ее родители, почему они бросили ее, почему мы с тобой так долго скрывали от нее правду? Она пытается найти ответы на все эти вопросы, и бог знает, что еще ее тревожит.

— Удастся ли ей справиться со всем этим?

Луис в упор взглянул на Миранду:

— Это зависит от того, что она выберет: правду или ложь.

Как всегда по возвращении в свою «хижину», Изабель остановилась на пороге и улыбнулась. Когда она сообщила Миранде и Луису, что едет домой писать картины, они предложили ей поселиться в небольшом домике, где жили в первые годы после приезда в Санта-Фе.

Само собой, Луис взялся его отремонтировать: заново покрыл пол плитами, расширил окна, переоборудовал помещения.

Стены в самой большой комнате Изабель выкрасила в теплые розовые тона; светло-коричневый кафель и кедровые балки и вовсе смягчили цвет. Две низкие стены ступенчатой формы разграничили комнату на гостиную и спальню.

Собрание индейских украшений Изабель поместила на ступенчатой стене, у кровати. На гвоздиках, тихонько звеня, раскачивались изящные вещицы: бирюза, кораллы, оливковые косточки, семена дыни, амулетики, цветы тыквы, серебро и жемчуг. Над камином Изабель повесила одну из картин Альтеи, посвященную Рождеству. Рядом с кроватью поместила в рамочку образчик ткани, выполненный по своему, еще детскому эскизу.

Мастерская Изабель резко отличалась по стилю от остальных комнат крошечного домика. Белые стены, мольберт, стул и деревянный стол, заваленный красками, кистями и другими художественными принадлежностями. Через застекленные проемы в просмоленном потолке в мастерскую падал солнечный свет. Ночью помещение освещалось лампой, впрочем, иногда в окна заглядывала луна.

Каждый вечер перед сном Изабель навещала свою маленькую студию. Вот и сегодня, включив свет, она устремила взгляд на огромный холст у стены. Написанная в фиолетовых и серых тонах, на холсте из почти черного вихря вырастала огромная клубящаяся туча. Туча заполняла все пространство картины, символизируя собой мощь природных сил, неподвластных человеку.

Изабель приступила к работе над этим холстом во время своей последней поездки в Барселону — после самого яркого дня за все пребывание в Испании и ночи, полной горького отчаяния. Флора приболела и почти не вставала с постели. Им с Изабель так и не удалось погулять по знакомым местам. Когда же наконец Флоре стало получше, они решили устроить по этому случаю торжественный обед на двоих. К немалому удивлению Изабель, тетя Флора спросила ее, была ли она уже влюблена.

— Думаю, что да, — ответила Изабель, имея в виду Коуди.

Флора пощелкала языком и укоризненно покачала головой:

— Если ты еще раздумываешь, то это не совсем то!

— А почему ты не вышла замуж за дядю Алехандро? — в свою очередь спросила Изабель. — Ты же говорила, что любишь его.

— И люблю его, так оно и есть. Всегда любила и буду любить. — Она пригубила вино. — Но мне хотелось сохранить свободу и независимость. Если бы я вышла замуж, мне пришлось бы с ними расстаться. — Флора погрустнела и задумалась. — Согласно неписаным законам мне надлежало занять подчиненное положение только потому, что я женщина. Я не желала мириться с дурацкими запретами, согласно которым женщине нельзя заниматься живописью, а если она пишет картины, то не имеет права их выставлять.

Флора усмехнулась, видимо вспомнив кое-какие эпизоды из своей юности.

— Когда Алехандро остался со мной, несмотря на мой отказ выйти за него замуж, и повсюду появлялся в моем обществе, мое сердце едва ли не выпрыгивало из груди от счастья. Меня восхищали его любовь, преданность и бесстрашие.

— Может, когда-нибудь и я найду своего Алехандро, — промолвила Изабель, глубоко тронутая рассказом своей тетушки.

Флора с усмешкой взглянула на Изабель.

— Я бы никому не пожелала тех мук, что нам с ним пришлось вынести. Тебе надо стремиться к тому, что было у твоих отца и матери. — Ее голос смягчился, и она с нежностью посмотрела на свою внучатую племянницу. — Как только тебе встретится мужчина, способный не только разжечь в тебе страсть, но и пробудить доверие и оберегать тебя, выходи за него замуж не раздумывая!

После этого разговора Изабель долго не могла уснуть. В конце концов она поднялась на башню Кастель и в благоговейном молчании стала ждать рождения нового дня.

Ночь отступала постепенно, шаг за шагом, но вот из-за горных вершин поднялось солнце. И наконец заиграли краски утра.

А Изабель, ставшая свидетельницей пробуждения природы, увидела во всем этом послание небес, призванное вдохновить ее на очередное восхождение к вершинам искусства.

В Нью-Мексико Изабель вернулась с твердым намерением приступить к работе над серией абстрактных пейзажей. С этой целью она отправилась в рискованное путешествие по долине Смерти, к наполненным эхом кратерам Большого Каньона, разноцветным скалам каньона Брайс, в овраги Бэдлендз, навстречу рассвету. По пути она останавливалась в самых живописных местах, знакомилась с окрестностями, спала под открытым небом и просыпалась с первыми лучами солнца.

Она с удивлением и восхищением постигала извечную истину: несмотря на то что рассвет каждый раз по-новому окрашивает окружающий ландшафт, сам процесс пробуждения всего живого повторяется каждый день с неизменным постоянством. Что бы ни творило человечество — добро или зло, — оно не в силах остановить победное шествие утра.

В сентябре Изабель де Луна выставила в галерее Рихтера сорок живописных полотен, посвященных рассвету, под общим названием «Ода Эос».

Скай и Дюраны нашли общий язык так быстро, как если бы были знакомы всю жизнь. Не прошло и часа после приезда Скай, как они уже непринужденно болтали и смеялись, обсуждая все на свете — от освещения в галерее до рецептов соуса чили. Джонас и Сибил, поженившиеся год назад, остались с ними после ужина.

Сибил спросила Скай, как ей работается со знаменитым Джулианом Рихтером.

Скай округлила глаза:

— Ужасно! Джулиан — гений, этого не отнять, но у него больное самолюбие. Вбил себе в голову, что он величайший меценат со времен Боттичелли, и смотрит на меня свысока, словно я человек второго сорта, представляете?

Под всеобщий хохот Скай изобразила в лицах их с Рихтером беседу.

Когда тема была исчерпана, присутствующие перешли к обсуждению положения евреев в Нью-Йорке и Санта-Фе.

— Когда я летела на самолете из Далласа, — вдруг произнесла Скай, — мне попалась на глаза статья о недавнем инциденте в Эль-Пасо. Вандалы разгромили магазины в целом квартале — побили витрины и изрисовали стены свастикой. В заметке сказано, что магазины принадлежали «подпольным» евреям. Раньше я никогда не слышала ни о чем подобном. Очень интересно.

В комнате повисла напряженная тишина. Джонас сидел с каменным лицом. Изабель и Сибил выжидательно смотрели на Скай. По выражению лиц Миранды и Луиса вообще невозможно было что-либо понять. Скай уже досадовала про себя, что затеяла весь этот разговор, но тем не менее продолжила:

— Оказывается, это потомки евреев, которые переселились в Мексику, после того как их изгнали с испанской земли в эпоху инквизиции.

— Но зачем кому-то понадобилось громить их магазины? — недоуменно спросила Изабель.

— Дело в том, что они прикидывались католиками, будучи на самом деле иудеями. Об этом стало известно, и горожане пришли в ярость.

— Надеюсь, никто не пострадал?

— Двое убитых. Несколько раненых. Их бизнесу нанесен серьезный урон.

— Просто возмутительно! — воскликнула Сибил.

— В статье сказано, что на юго-западе существуют целые поселения «подпольных» евреев. Некоторые семьи скрывали свои иудейские корни более пятисот лет.

— Это правда? — спросила Джонаса Изабель.

Он пожал плечами.

Скай задумчиво покачала головой:

— Нам хочется верить, что мир стал терпимее, но это далеко не так. Во все времена находятся фанатики, готовые отправиться в крестовые походы, — с тихой яростью продолжила она. — Нацисты, пожалуй, худшие из них. Но они не первые. И не последние.

Подруги удалились в домик Изабель во втором часу ночи.

— Тебе чертовски повезло, — заметила Скай, помогая Изабель застелить раскладной диван. — Мало того, что родители у тебя были сеньор и сеньора Перфекто, а твой ангел-хранитель — знаменитая оригинальная Флора. Когда фортуна повернулась к тебе задом, ты благополучно приземлилась в юго-западном раю, да еще и заимела в качестве приемных родителей Дюранов. Сама Золушка лопнула бы от зависти, узнав, что ты такая везучая!

— Они у меня замечательные, правда? — с нескрываемой гордостью подхватила Изабель. — Миранда тебя просто обожает!

— С первого дня нашего знакомства я поняла, что у нее исключительно тонкий вкус! — подхватила Скай. — Она обещала показать мне «Каньон-роуд» и другие галереи в Санта-Фе.

— Во всем Санта-Фе тебе не найти лучшего гида по художественным выставкам.

— Я смотрю, она хорошо знает художников, приславших свои работы в ее галерею. «Восемнадцать» — необычное название для выставки.

— Все объясняется очень просто: выставляются восемнадцать художников, — отозвалась Изабель.

— Знаю, знаю, но если группа художников выставляется под одной вывеской, это говорит о том, что их объединяет общая идея. К тому же в числах заключен некий мистический смысл.

— Художников из группы «Восемь» тоже многое объединяло, — заметила Изабель, имея в виду группу американских художников, популярных в начале двадцатого века, — но в их творчестве не было ничего мистического. Они всего лишь договорились выставляться вместе, после того как их работы, посвященные трущобам, отвергла Национальная академия дизайна.

— А как насчет «Синей четверки»?

— Я никогда не считала Кандинского, Джауленского, Клее и Лайонела Фейнингера единомышленниками.

— Это потому, что каждый из них добился признания как самостоятельный художник. Тем не менее немка, собравшая всех четверых под одним флагом в Штатах, назвала их «Синей четверкой», поскольку считала темно-синий цвет мистическим.

— Терпеть не могу синий цвет! — вырвалось у Изабель.

Подруга молча погладила ее по руке — слова здесь ни к чему. Она знала, что Изабель мучают кошмары: каждую ночь она погружается в зловещий темно-синий мрак, где нет ничего, кроме неясных звуков, видений и смутных воспоминаний.

— У тебя возобновились головные боли? — спросила она подругу.

— Во всем виновата погода. Каждый день идут дожди, а ты ведь знаешь, я плохо себя чувствую в такие дни.

Грозы она переносила еще хуже. От ударов грома у нее раскалывалась голова. Изабель консультировалась у врачей, но те только разводили руками, не в силах ей помочь. Правда, один из них обратил внимание на ее фамилию — де Луна — и предположил, что Изабель из тех, на кого влияет луна. Доктор попросил пациентку тщательно фиксировать, когда именно у нее возникают ночные кошмары и головные боли, чтобы как-то привязать их к грозам, приливам, отливам и фазам Луны. Она тотчас забыла рекомендации, но по-прежнему зарисовывала то, что являлось ей в зловещих снах, а рисунки складывала в отдельную папку в надежде, что их смысл прояснится в будущем.

— Твои кошмары и головные боли когда-нибудь исчезнут. Вот увидишь, Из.

Изабель попыталась было улыбнуться, но улыбка не получилась.

— Надеюсь, так оно и будет. Но мне кажется, в этих видениях содержится какой-то глубокий смысл. Может, это касается той ночи, когда убили мою мать.

— Из своего личного опыта общения с психотерапевтами могу сказать тебе следующее: если в глубине твоего серого вещества что-то скрывается, оно объявится, когда придет время — ни раньше ни позже. Так что выкинь эту чепуху из головы. Всему свой черед.

В течение последующих недель Изабель работала над своими картинами, а Скай почти все время проводила с Мирандой, которая не только сводила ее на все художественные выставки в Санта-Фе, но и съездила с ней за город к пуэблос и познакомила с гончарами, ювелирами, ткачами и другими индейскими мастерами-ремесленниками, внесшими большой вклад в художественную культуру юго-запада.

Скай часто расспрашивала Миранду о ее детище — галерее «Очарование»: как она начинала, как вела дела, когда денег было в обрез, как добилась успеха, где она знакомилась с новыми художниками.

— Ты хочешь открыть свою галерею? — поинтересовалась Миранда.

Скай неопределенно пожала плечами:

— Еще не знаю. Пока пытаюсь выяснить для себя, кем лучше стать: художником или дилером. Если я стану торговать картинами, то смогу принадлежать и искусству, и внешнему миру. Мне кажется, это интереснее.

Миранда кивнула. Она могла бы сказать то же самое о себе.

— Ты хочешь иметь дело с маститыми художниками или открывать новые дарования?

— И то и другое, — ответила Скай, тряхнув головой. — Стоит мне столкнуться с чем-то свежим, необычным — пусть и не новым словом в искусстве, но хотя бы маленьким шажком вперед, — как я становлюсь одержимой!

Следить за развитием таланта такой художницы, как Изабель, — для меня высшее наслаждение. Какие в ней произошли перемены? К чему она пришла? К чему еще придет?

— В Нью-Йорке ты видела разных художников.

— Да, это так, — подтвердила Скай, тотчас уловив в словах Миранды тревогу за будущее Изабель. — Но за нашу девочку не беспокойтесь. Поверьте, затмить ее невозможно. Изабель де Луна станет великой художницей.

После приезда в Санта-Фе Джулиан Рихтер беспокоил каждую неделю Изабель то письмом, то телефонным звонком. Расспрашивая ее о том, как подвигается работа над картинами, Рихтер использовал малейшую возможность, чтобы еще больше сблизиться с ней. Рихтер выказывал по отношению к ней заботу и теплоту, всегда старался ее ободрить, был с ней неизменно доброжелателен. Она чувствовала, что может во всем на него положиться, а Джулиан не переставая твердил ей о прекрасном будущем, которое ждет их обоих.

Тем не менее, несмотря на все его обаяние и настойчивость, что-то заставляло ее держать свои чувства в узде.

Шла вторая неделя августа, когда он сообщил ей по телефону, что выставка назначена на восемнадцатое сентября.

— Я не могу на ней присутствовать, — выпалила Изабель. — В этот же день состоится открытие выставки Миранды и Луиса в галерее «Очарование». — В трубке повисла звенящая тишина. — Я попробую уговорить их перенести открытие на другой день, — виновато промолвила она в заключение, понятия не имея, удастся ли ей это сделать.

— Нет, не стоит, — спокойно отозвался Джулиан. В его голосе слышалось даже некоторое сочувствие. — Я попытаюсь передвинуть на пару дней открытие нашей выставки, не беспокойся.

Изабель оторопела от такого великодушия.

— Не знаю, как тебя и благодарить.

— Была бы ты рядом — другой благодарности мне не требуется.

Так Джулиан пробил брешь в стене отчужденности Изабель.

Открытие экспозиции в галерее Миранды было не похоже на все, что она устраивала до сих пор. Во-первых, ни один из художников «Восемнадцати» не присутствовал на вечере. Их имена даже не значились в программе. Галерея все время была закрыта, пока гостей не пригласили в зал. По мнению Изабель, это был сильный ход.

Вечеринка для прессы и приглашенных проходила не в галерее, как обычно, а во дворике «Очарования». Погода стояла чудесная — теплый воздух был напоен ароматом осенних цветов. Высоко в небе над садиком, освещенным множеством фонариков, сияла яркая луна. Изабель переходила от одной группы гостей к другой, принимая поздравления тех, кто уже был наслышан о ее предстоящей выставке в Нью-Йорке, и наслаждаясь непринужденной атмосферой праздника.

Она посмотрела экспозицию накануне. Как и предполагала Миранда, работы художников поразили и даже ошеломили Изабель.

Они были разными по стилю: несколько полотен в традиционной технике, множество абстрактных картин и скульптур, сюрреалистические сюжеты кошмаров, символику которых Изабель так и не удалось разгадать, яркие пейзажи, проникновенные портреты — широкомасштабная панорама художественной экспрессии. Что именно пытались выразить авторы работ — гнев, страх, ярость, страсть, надежду, — Изабель так и не определила, но в одном Скай оказалась права: этих мастеров и в самом деле объединяло нечто большее, чем просто эстетика.

В назначенный час Миранда отперла двери галереи и пригласила собравшихся внутрь. В тот же миг в радостный гул праздника ворвался вой пожарной сирены. Вдалеке вспыхнуло зарево пожара. Все загалдели, обсуждая случившееся, потом обернулись к хозяйке, намереваясь предаться блаженному созерцанию.

И тут вечерний воздух прорезал отчаянный крик Миранды. Смех и разговоры разом смолкли. Луис сквозь толпу протиснулся к жене, за ним рванулась Изабель. Войдя в галерею, гости застыли как вкопанные, придя в ужас от увиденного.

Живописные полотна в первом зале были изрезаны в клочья. Две самые большие скульптуры превратились в груды обломков. В центре зала в одном из терракотовых горшков Миранды торчал деревянный крест, выпачканный в крови. Жуткая картина ненависти и вандализма. Но кошмары на этом не кончились.

Час спустя Миранда и Луис узнали, что зловещий пожар, который они наблюдали из сада галереи, поглотил Ла-Каса. Величественная гостиница превратилась в горстку пепла. Уцелел лишь домик Изабель.

Изабель и Дюраны провели остаток ночи у Хоффманов, а на рассвете вновь пришли на пепелище. Обугленный «скелет» дома уродливым силуэтом вырисовывался на фоне утреннего неба. От едкого запаха гари и дыма у них защипало в носу, заслезились глаза.

Миранда, всхлипывая, пробиралась между обломков. Луис застыл у ворот, не в силах двинуться с места.

— Все погибло, — шептал он. — Все, над чем мы трудились, поглотил огонь.

Изабель обняла Луиса за плечи. Ее тоже охватила боль утраты. Где-то здесь валяются обуглившиеся останки ее кровати, подоконника, на котором она так любила сидеть, мечтая о будущем, кладовой, где они с Ниной часто играли в детстве.

— Воспоминания не горят, — сказала Изабель Луису, стараясь ободрить и себя, и его.

Он кивнул, но оба они понимали, что среди золы и углей похоронено то, что уже не вернуть: две картины Альтеи, семейная коллекция рождественских елочных украшений, альбомы с вырезками и фотоальбомы, коробочка с детскими вещичками Нины, фотографии их сына Габриеля.

— Мы заново отстроим Ла-Каса. — Изабель попыталась взять себя в руки и вселить в Дюранов хоть какую-то надежду. — Вы с Мирандой уже не один год мечтали все здесь переделать и отремонтировать. Теперь для этого самое время!`

— У нас нет денег, — с трудом вымолвил наконец Луис.

— Мы найдем деньги.

Когда Сибил принесла кофе и булочки, Миранда вспомнила, что Изабель сегодня должна лететь в Нью-Йорк.

— Я остаюсь, — решительно заявила девушка. — Я помогу вам все разобрать, буду заботиться о вас, поддерживать и ободрять.

Миранда порывисто обняла Изабель и с трудом улыбнулась.

— Если ты уедешь в Нью-Йорк, мы сможем поселиться в твоей мастерской. А там решим, что делать.

После мучительного прощания Изабель уехала, но перед отъездом в аэропорт нанесла визит Оскару Йонту.

— Может, я не вправе вас спрашивать, но не будете ли так любезны сообщить мне, была ли Ла-Каса застрахована?

Йонт что-то забормотал про секретность страховки. Однако на ее последующий телефонный звонок он ответил:

— Боюсь, ваши опасения, Изабель, были не напрасны. Ла-Каса застрахована на весьма скромную сумму. При сегодняшних расценках страховой полис не покроет расходы на восстановление дома.

— А сколько денег на моем счете?

— Нам удалось приумножить ваш вклад, — ответил он радостно. — Мы вернули всю сумму в пересчете на нынешний курс. Двадцать пять тысяч долларов.

Изабель печально кивнула. Двадцать пять тысяч долларов — это, конечно, много, но все равно недостаточно, чтобы восстановить Ла-Каса.

— Завтра вечером в Нью-Йорке открывается выставка моих работ. Не знаю, сколько мне удастся заработать от продажи полотен, но я все перешлю на свой счет. Присовокупите эту сумму к моему трастовому фонду и выпишите чек Дюранам. Причем они не должны знать, от кого поступили эти деньги. Вы меня поняли?

Когда самолет приземлился в аэропорту Ла-Гуардиа, Изабель чувствовала себя усталой и измученной. Она была просто не в состоянии встречаться с Джулианом в галерее, но понимала, что отказаться невозможно — он ведь столько сделал для нее.

В главном зале царил полумрак. Шесть ее утренних пейзажей освещались лишь несколькими лампочками. Посреди зала на деревянном полу она увидела столик, накрытый на две персоны. Мерцающее серебро, вспышки хрусталя, белоснежная скатерть и нежный фарфор, пышный букет из белых лилий, роз, ирисов и тюльпанов — все это вместе составляло великолепный натюрморт в приглушенных тонах. Из глубины зала доносился «Бранденбургский концерт» Баха.

Джулиан, весь в черном, стоял под аркой, ведущей в следующий зал. Скрестив руки на груди, он смотрел на Изабель так пристально, что она невольно смутилась.

— Мне хотелось, чтобы ты насладилась экспозицией в тишине и спокойствии, до того как начнется вся эта шумиха, — произнес он, протягивая ей руку и приглашая сделать обход галереи.

Картины Изабель разительно отличались от большинства художественных стилей конца семидесятых. Она не принадлежала к минималистам, на полотнах которых почти с фотографической точностью были изображены четкие решетки или голые поверхности. Ее нельзя было отнести и к неоэкспрессионистам, проповедовавшим искусство буйных эмоций.

Пейзажи Изабель производили то же впечатление, что и речь оратора, который добивается всеобщего внимания вовсе не тем, что старается перекричать других, — слушателей завораживает спокойная уверенность его негромкого голоса. Чарующие красотой полотна напоминали зрителю, что, несмотря на бытовые и политические катаклизмы, жестокость и наркотики, экологическую угрозу и опасные геополитические игры, в природе есть еще укромные уголки, полные тихой прелести.

Наконец Рихтер подвел ее к столу, усадил и расположился напротив. Словно повинуясь тайному сигналу, на пороге зала возникли два дворецких в униформе. Один из них принялся разливать вино, а второй — раскладывать по тарелкам копченую форель.

— За успех «Оды Эос», — провозгласил Рихтер, поднимая бокал, — и за расцвет твоей славной карьеры.

Изабель покачала головой, отерла слезы и рассказала ему об «Очаровании» и Ла-Каса. На лице Рихтера отразилось искреннее удивление и тревога.

— По дороге сюда меня мучили страхи и сомнения. Но великолепный обед, который ты устроил, выставка, твое участие — все это так много для меня значит!

Джулиан чуть подался вперед и взял ее руку в свои.

— Ты значишь для меня гораздо больше, — тихо произнес он. — Ни о чем не беспокойся. Я не допущу, чтобы с тобой или с твоими работами что-нибудь случилось. Со мной ты в полной безопасности.

Вечером следующего дня де Луна радостно приветствовала гостей, отвечала на вопросы и принимала восторженные похвалы. Изабель не верилось, что все это происходит с ней. Позируя фотографам на фоне своих работ, она, казалось, нисколько не волнуется, что отнюдь не соответствовало ее внутреннему состоянию.

Но она тревожилась совершенно напрасно. В самый разгар вечеринки Джулиан сообщил, что все ее картины нашли покупателей. Она плакала от радости, забывшись в его объятиях.

Позднее, когда они сидели за праздничным ужином в городской квартире Рихтера, Изабель слушала отзывы прессы, которые ей зачитывал Джулиан, и ее снова и снова охватывало пьянящее чувство победы.

«Картины Изабель де Луна возвращают нас к периоду расцвета классической живописи и вместе с тем знаменуют новую веху в развитии искусства», — писала «Нью-Йорк таймс». Ей вторили «Арт-ньюс» и «Нью-Йорк обсервер».

Всю свою жизнь Изабель ждала этого часа. До сих пор не верится, что ее мечты стали явью. И все благодаря человеку, который сидит напротив. Вот он отложил газеты и обнял ее. А уже через мгновение впился в ее рот жадным поцелуем. Изабель видела, как велико его влияние в художественных кругах, и теперь ей захотелось испытать, как велико его могущество в интимной сфере.

Джулиан унес ее в спальню с изысканной мебелью, роскошными тканями и полотнами знаменитых художников. Бережно, словно великую драгоценность, раздел в благоговейном молчании. Еще минуту назад Изабель казалось, что в спальне играет музыка, но теперь все звуки смолкли. Бесшумно упала на пол одежда, и, сдернув покрывало с кровати, Джулиан увлек Изабель на белоснежные простыни.

Он по-прежнему молчал, предоставив своим рукам выражать восхищение ее красотой. Лаская ее тело с еле сдерживаемой страстью, Джулиан пристально наблюдал за ней и старался быть внимательным: вот кончики ее грудей затвердели, она прикрыла глаза в сладостной истоме, качнула бедрами. Пальцы его легонько касались ее кожи, а губы целовали нежную плоть. Он жадно ловил ее прерывистые вздохи, проникая в таинство ее женского естества. Едва он вошел в нее, как с губ ее сорвался стон и дрожь пробежала по телу. Джулиана охватил неземной восторг. Он так долго мечтал о ней, что теперь был просто вне себя от счастья.

Эта ночь любви пробудила у Изабель множество вопросов. Почему этот человек, рядом с которым она чувствовала себя желанной и ничего не боялась, заставил ее задуматься о необходимости самозащиты?

Зачем ей защищаться от него? Она доверила ему свою карьеру и вот теперь добилась потрясающего успеха. Она отдала ему свое тело, и он ее не разочаровал. И все-таки то, как он занимался с ней любовью, оставило в ее душе смутную тревогу.

На следующее утро он вновь возбудил ее чувственными ласками, и она опять ощутила легкий холодок. Джулиан стремился не столько ласкать ее, сколько владеть ею. Пусть он и удовлетворил ее, удовольствие, которое она получила, явилось всего лишь побочным продуктом его желания. В разгар страсти он воскликнул: «Наконец-то ты моя! Моя всецело! Принадлежишь мне и никому другому!» Изабель стало ясно что она легла с ним в постель в первый и последний раз.

Она отдаст ему свое искусство. Но тело и душу сохранит себе.

Глава 15

1982 год

В глазах международного бомонда свадьба Пилар Падильо и Нельсона, отца Филиппа Медины, стала событием года. Для Нины Дэвис, впрочем, это был несколько запоздалый выход в свет. Ей не хотелось думать, что ее фамилия значится в списке приглашенных только потому, что она когда-то работала у Филиппа Медины, а теперь является корреспондентом «Нью-Йорк дейли» и ведущей шоу «Сегодня», и, следовательно, ее присутствие обеспечит благосклонные отзывы прессы о свадебном торжестве.

Естественно, что с ее стороны последовал небывалый всплеск активности. Это ведь не какая-то захудалая нью-йоркская свадьба — праздничное действо будет происходить на мальоркской вилле Филиппа, и все, от транспорта до зубных щеток, будет оплачено Нельсоном Мединой. Приглашение на такое важное светское мероприятие все равно что приглашение ко двору. Нине вовсе не хотелось, чтобы на нее бросали неодобрительные косые взгляды только потому, что у нее нет перчаток, шляпки или длина юбки не соответствует светским стандартам.

Утром в назначенный день к дому подъехал лимузин, и Нину отвезли в аэропорт Кеннеди, где ее сразу же подхватили встречающие: один из служащих взял ее багаж, другой — паспорт, а третий проводил в отдельный зал, где она вместе с остальными гостями ожидала посадки на самолет, заказанный Нельсоном Мединой специально для американских гостей. Окинув взглядом зал, Нина немного приуныла. Хотя многие приглашенные были ей знакомы и составляли элиту Нью-Йорка, в ее статьях они удостаивались только краткого упоминания — интервью она у них никогда не брала.

Эти люди вовсе не горели желанием попасть в «Ящик Пандоры» Нины Дэвис; они уже стали героями «Четырех сотен самых богатых американцев» Форбса. Они занимали видное положение в обществе и этим отличались от светских знаменитостей. Завоевать репутацию среди «четырех сотен» сложно, а вот поддерживать — гораздо проще, чем репутацию в мире Голливуда. Для «четырех сотен» главное — деньги: пока ты приумножаешь капитал, тебе гарантировано признание и известность. А вот если бы в Голливуде ценился только талант, Нина осталась бы без работы. Машина по производству звезд работает на топливе, которое Нина называла «четыре составляющие»: скандал, сенсация, позор и клевета. Успех возможен и без них, но путь к нему более крут, обрывист, а на вершине не так-то легко закрепиться.

Окинув взглядом зал ожидания в поисках свободного места, Нина заметила пустое кресло рядом с Энтони Гартвиком. Он уже успел отделаться от второй жены и порядком устать от многочисленных возлюбленных, а посему представлялся Нине вполне подходящей кандидатурой.

— Надеюсь, это место не занято? — спросила она, усаживаясь в кресло рядом с ним.

Гартвик несколько секунд пристально смотрел на нее, пытаясь вспомнить, как зовут эту блондинку с длинными ногами.

— А, Нина Дэвис. Бывшая проныра официантка стала ведущей светской хроники. Поздравляю! Неплохой скачок в карьере.

— У меня длинные ноги, — усмехнулась она.

Он рассмеялся и снова с нескрываемым интересом прошелся по ней оценивающим взглядом.

— Успех вам идет, — наконец промолвил он.

— На вид это не хуже, чем на вкус.

Его губы скривились в усмешке, больше напоминавшей плотоядный оскал. К счастью, объявили посадку, и Нина была избавлена от щекотливой беседы.

Гартвик проводил ее на борт самолета, усадил рядом с собой и в течение всего полета развлекал разговорами. Ко времени приземления Нина окончательно убедилась, что Энтони Гартвик явно положил на нее глаз.

Они приехали в Дею, маленькую деревушку на окраине Пальмы, устроились в отеле, и после сиесты караван лимузинов повез гостей на виллу Филиппа Медины, где должен был состояться обед в честь предстоящего бракосочетания. По дороге на виллу Нину захлестнули воспоминания.

Скалы, окаймлявшие Дею, вдруг превратились в горы Сангре-де-Кристо в Санта-Фе, а дорога, по которой они сейчас ехали, — в дорогу от Барселоны до Кампинаса. Прозрачный вечерний воздух, пронизанный запахом миндальных и оливковых рощ, вплетался в ее воспоминания и становился все более пряным, как запахи с кухни Миранды или знаменитые барбекю Луиса. Глаза ее наполнились слезами, к горлу подступил комок.

Интересно, приедет ли на свадьбу тетя Флора? Очень может быть. Флора Пуйоль — одна из столпов светского общества Барселоны. Впрочем, встреча с бывшими знакомыми и друзьями не входила в ее планы. Изабель де Луна и ее родные навсегда вычеркнуты из биографии Нины.

В соответствии с документами Нина теперь была единственной дочерью Хейла и Лесли Дэвис, богатой супружеской пары англо-шотландских наследников, которые погибли в авиакатастрофе: они собирались посетить собственный винокуренный завод, но их самолет потерял управление и разбился. Когда Нине исполнилось четырнадцать, ее отправили в Шотландию заканчивать начальное образование, затем она вернулась в Штаты, окончила колледж и с той поры вела самостоятельную жизнь. Такова была придуманная ею легенда, которую она и рассказывала при каждом удобном случае.

— Вы раньше бывали на Мальорке? — спросил вдруг Энтони, придвигаясь к ней ближе и явно наслаждаясь ароматом ее духов.

— Нет, — ответила она, дружелюбно улыбаясь. — А вы?

— Частенько. Здесь живут многие из моих авторов.

— Так вот откуда вы знаете Нельсона Медину. Вас с ним связывает бизнес?

— И да и нет, — сказал он. — Мы с Нельсоном оба занимаемся изданием книг, но познакомились потому, что вместе с Филиппом были в Вартоне.

Нина нисколько не удивилась. У нее на этот счет была одна социологическая теория: для богатых мир тесен. А кроме того, те, у кого есть деньги, знают, на что их потратить. И вилла Филиппа Медины — лучшее тому доказательство.

Вилла возвышалась на скалистом мысе полуострова Форментор и выглядела впечатляюще.

Водитель лимузина рассказал, что сеньор Медина нанял для постройки виллы самого модного испанского архитектора.

Знатоком архитектуры Нина себя не считала, но даже на ее неискушенный взгляд мастер блестяще справился с задачей. Стены строений были сложены из местного камня, а огромные стеклянные галереи с видом на море и все детали архитектуры так удачно гармонировали со скалами, что сливались с ландшафтом в единое целое.

Вход в дом был расположен в сторожевой башне конца прошлого века, встроенной в главный корпус виллы. Через стеклянную решетку крыши в холл проникал мягкий дневной свет. Два огромных полотна абстракционистов в серо-голубых тонах (одно — Жоржа Брака, второе — Пикассо) повторяли изломы грубой кладки стены, на которой висели. Драматический эффект был столь велик, что Нина почувствовала дрожь в коленях. Проследовав вместе с гостями через стеклянную галерею в огромную гостиную, она с удовольствием выпила предложенный ей бокал кавы.

В гостиной стояла современная удобная мебель. В отделке комнаты преобладали спокойные тона, повторяющие нежные цвета ландшафта, а стены украшали великолепные живописные полотна. Работы признанных мастеров, таких как Фернан Леже, Кандинский, Шагал и Сезанн, соседствовали с современными гигантами.

В самолете Нина пыталась выяснить у попутчиков, почему свадьбу не стали проводить на вилле Нельсона у озера Лугано. И вот теперь, находясь в мальоркском особняке Филиппа, она решила, что вилла в Лугано не столь шикарна. Впрочем, одна из дам предположила, что будущая миссис Медина из суеверия попросила провести бракосочетание в другом месте, а не там, где праздновались три предыдущие свадьбы Нельсона.

Прохаживаясь среди приглашенных, Нина старалась уловить какие-нибудь интересные подробности, относящиеся к предстоящему бракосочетанию, и ей удалось-таки подхватить любопытную информацию: оказывается, отношения Пилар и Медины-сына можно назвать дружескими с большой натяжкой, отец с сыном тоже не очень ладят между собой. Нине оставалось только догадываться: либо Медина-старший заставил сына организовать праздник на своей вилле в знак примирения с его невестой, либо сам Филипп сделал такое предложение во имя семейной гармонии.

Энтони Гартвик оказался идеальным сопровождающим. Взяв Нину под руку, он повел ее на открытую площадку, что входила в ансамбль террас, каменных спусков, патио и садов с зарослями кактусов, кипарисов и рядом клумб с лавандой. Оказалось, что здесь они не одни. За столиком у фонтана сидела группка французов. Итальянцы облюбовали два столика в тени. Американцы же толпились вокруг Филиппа Медины, который показывал гостям свои владения. А у дальней стены невеста и жених принимали поздравления испанцев.

Нельсон, которому уже исполнился шестьдесят один год, пышущий здоровьем красавец, считался одним из самых знаменитых уроженцев Сан-Франциско, будучи основателем издательского дома Медина, известным коллекционером и прославленным любителем женщин. Его первая жена — мать Филиппа — Оливия Тарквин, происходила из семьи видных судовладельцев, что сделало ее свадьбу с Нельсоном в сорок третьем объектом всеобщих пересудов. Когда спустя десять лет они развелись, аннулировав таким образом свой неудачный брак, об этом говорили не меньше, чем о свадьбе.

После Оливии Нельсон последовательно заключал браки еще с двумя дамами, года на три с каждой. После третьего развода он наконец решился на относительно благородный поступок: в брак больше не вступал и таким образом избегал неверности.

В течение многих лет Нельсон наслаждался холостяцкой свободой, перелетая от цветка к цветку, как весенний мотылек. Его ухаживаниям за Пилар Падильо никто не придал особого значения. Красавица блондинка, она была чуть старше тех девиц, что наводняли его гарем, но намного моложе самого Нельсона. Родилась она в предместье Мадрида в семье с весьма скромным достатком. Ни для кого не было секретом, что она дважды выходила замуж — сначала за тореадора, а потом за владельца ночного клуба, — что у нее есть внебрачный сын, имя отца которого тщательно скрывается от любопытных, что она художница, прозябающая в безвестности, и что руководит ею собственная мать. Но любители сплетен явно недооценили Пилар: ей, единственной из всех женщин Нельсона, удавалось его рассмешить.

У отца с сыном было много общего. Оба работали в сфере информации (Нельсон издавал книги и журналы, а Филипп выпускал газеты и телевизионные передачи), оба достигли успеха (Филипп чуть-чуть отставал от Нельсона в списке «четырехсот»), оба прославились как страстные коллекционеры (Нельсон собирал картины старых мастеров, Филипп — современных). Но в то же время Нельсон вот-вот вступит в четвертый брак, а тридцатишестилетний Филипп до сих пор не женат: ни супруги, ни помолвки, ни продолжительных связей.

Нина размышляла об этом, пока не раздался звон колокольчика — сигнал к началу обеда. При виде троих испанцев, шедших чуть впереди, у Нины пересохло во рту: и спустя четырнадцать лет она безошибочно узнала в них супругов Мурильо и Паскву Барбу.

С какой же благодарностью она взглянула на Энтони, когда он усадил ее за несколько столиков от деда и бабки Изабель и того зловещего типа.

Она помимо воли бросала осторожные взгляды в сторону Мурильо. Интересно, узнают ли они ее, обернувшись? Правда, в то время она была еще ребенком, и видели они ее всего один раз, да и то их больше интересовали Изабель и Флора.

Тем временем, расхаживая между столиков, Филипп беседовал с гостями. Нина мысленно старалась оценить Филиппа со всей объективностью — не как бывшего и, возможно, будущего босса и не как потенциального поклонника или возлюбленного. Да, у него прекрасные манеры, он со всеми мил и любезен, независимо от возраста и национальности. О размерах его богатства можно судить по тому, как сильные мира сего прислушиваются к его мнению. И только слепой не заметит, как он хорош собой и по-мужски привлекателен.

Интересно, почему он до сих пор с ней не переспал?

Медина-младший уже успел обойти три столика, как вдруг его окликнул сидевший неподалеку барселонский издатель:

— Кто этот новый художник, Филипп?

Нина перехватила его взгляд и увидела огромную картину — почти во всю стену.

— Эта художница — уроженка вашего прекрасного города, — ответил Филипп. Сердце Нины отчаянно забилось. — Потрясающе талантливая Изабель де Луна.

Барба за соседним столиком не выразил никакого удивления, зато Хавьер и Эстрелья Мурильо мигом встрепенулись. Они одновременно, как по команде, повернулись к картине и уставились на нее, вытаращив глаза.

— Кстати, — добавил Филипп, — эта картина называется «Рассвет в Барселоне».

Гость одобрительно кивнул.

— А она, случаем, не родственница Мартина и Альтеи де Луна?

Нина так и впилась взглядом в Мурильо, сердце ее отчаянно забилось. Лицо Эстрельи налилось кровью, как будто у нее подскочило давление, а Хавьер побледнел как смерть.

— Понятия не имею. А что навело вас на эту мысль?

— Да так. Дело в том, что Альтея тоже была художницей и моим другом. Мне просто любопытно, может, это молодое дарование — ее дочь?

— Кем бы ни была Изабель, она выдающийся талант, Луис.

Филипп двинулся дальше, и гости принялись оживленно обсуждать картину и происхождение автора. Нина старалась не упустить ни слова, но глаза ее по-прежнему были прикованы к супругам Мурильо, которые как раз приносили свои извинения Нельсону и Пилар. Пожилая чета тотчас покинула столовую, буквально согнувшись под тяжестью свершенного почти двадцать лет назад преступления.

— Нравится? — спросила Нина, недовольно заметив, с каким нескрываемым восхищением Гартвик смотрит на картину.

— Я редко соглашаюсь с Филиппом, но на этот раз он не ошибся. Она будет великой художницей! — Он резко обернулся к Нине: — А ты с ней знакома?

— Я слышала о ней кое-что.

— Ну так ты знакома с ней или нет?

Нине не понравился тон, каким был задан вопрос. Хуже того, несколько человек за соседними столиками повернулись к ним и с интересом ждали, что она ответит. Нина внутренне сжалась. Одно дело предаваться воспоминаниям об Альтее и Мартине, другое — хвалить или защищать женщину, которую она твердо решила превзойти.

Ответ Нины не выдал ее внутреннего состояния — она лишь холодно констатировала факт:

— Как я уже сказала, мне приходилось о ней слышать. Если вы желаете знать, почему я до сих пор не взяла у нее интервью, сейчас объясню. Я имею дело со знаменитостями из мира шоу-бизнеса и социальной элитой. Изабель де Луна не принадлежит ни к тем, ни к другим.

День бракосочетания выдался прелестный. Под лазурным небом, какого Нина еще в жизни не видела, невеста в элегантном костюме цвета слоновой кости от Живанши и жених в темной тройке с черным шелковым галстуком давали друг другу клятву верности, которую сами же и написали. В руках Пилар держала очаровательный букетик апельсиновых цветов. На лацкане пиджака Нельсона красовалась белая розочка. Мать Пилар стояла рядом с дочерью, а Филипп выполнял роль шафера собственного отца. В конце этой несколько странной церемонии мальчик-подросток — сын Пилар — протянул новобрачным клетку с птицами. Невеста и жених вынули из клетки пару белых голубков, поцеловались, поцеловали каждый своего голубка и под восторженный гром аплодисментов выпустили птиц на волю.

Чуть позже, проходя по галерее, Нина нос к носу столкнулась с Эстрельей Мурильо. К счастью, поблизости никого не оказалось.

— Добрый день, — сказала Нина, одарив высокомерную старуху ослепительной улыбкой. — Прелестная свадьба, не правда ли?

— Да, — промолвила дама. — Прелестная. — И впилась взглядом в Нину. — Мне знакомо ваше лицо. Мы с вами раньше не встречались? Меня зовут Эстрелья Мурильо.

— Сеньора Мурильо, — задумчиво протянула Нина, делая вид, что старается вспомнить. — Нет. — Она почтительно склонила голову. — Я работаю на американском телевидении. Возможно, вы видели меня в одной из телепередач?

— Я никогда не была в Штатах, — заявила Эстрелья, презрительно фыркнув. — Должно быть, я ошиблась.

Чуть позже, выйдя в патио, Нина заметила, как Эстрелья указывает на нее Хавьеру и что-то шепчет ему на ухо. Раньше Нине было все равно, но теперь ей вдруг захотелось, чтобы ее названая сестричка стала читательницей «Ящика Пандоры». По возвращении в Америку она намеревалась написать подробную, сочную статью о своем посещении Мальорки, Филиппе Медине и влиятельных испанских сеньорах — супругах Мурильо. Пускай Изабель теряется в догадках, что связывает Нину с Филиппом и что говорилось у нее за спиной.

Застарелая ненависть вновь захлестнула ее, и Нина, резко развернувшись с досады, вдруг налетела на Филиппа Медину.

— Ну, как вам здесь нравится? — любезно осведомился он, придерживая ее за руки.

— Если не считать этого маленького столкновения, то очень. — Она поспешно нацепила на лицо ослепительную улыбку. — Да и как мне может у вас не понравиться? Вилла просто великолепна. Вокруг цвет общества. Угощение на высшем уровне. А сам хозяин не только внимателен и любезен, но, простите за откровенность, ваше высочество, чертовски хорош собой!

— Идемте со мной. — Он протянул ей руку. — Приглашаю вас на экскурсию по моим владениям.

Тропинки и лестничные подъемы, соединяющие между собой таинственные уголки сада, обвивали особняк. Одна из лестниц вела на крышу. Оттуда, по словам Филиппа, открывался изумительный вид на залив. Вокруг синели лазурные воды; по берегу залива тянулась манящая полоска белого песка и скалистые островки. На волнах качались маленькие яхты.

Несколько минут они шли под руку. Нина внутренне ухмылялась, замечая, как пялились на них гости. В свете ведь судят по тому, с кем и кто водит дружбу. Судя по всему, Нина заработала еще одно очко в свою пользу.

Обогнув угол главной террасы, они повстречали Энтони Гартвика.

— Я вас искал, — промолвил он, целуя руку Нины.

— И меня тоже? — с издевкой подхватил Филипп.

— Извини, Медина. Ты не в моем вкусе.

Пока они обменивались шутливыми выпадами, Нина с интересом наблюдала за их показным соперничеством. Они хорошо знают друг друга, это ясно, но их знакомство почему-то в дружбу не переросло.

Спустя мгновение Филипп пожал ей руку, улыбнулся и произнес:

— Не хочется вас покидать, но я обязан уделить внимание и другим. — Затем, обратившись к Гартвику, добавил: — Веди себя пристойно.

— Похоже, мне следует принести свои извинения, — заметил Энтони. — Вчера я был не прав и молю вас о прощении.

Что ж, если продолжать дуться на него, ничего не добьешься. И Нина изобразила примирение, которое сулило ей немалую выгоду. Чтобы отпраздновать это событие, Энтони заказал шампанского.

— За нас, — торжественно произнес он и, притянув ее к себе, поцеловал. Все произошло так быстро, что Нина даже опомниться не успела и потому не воспротивилась.

После этого Энтони ни на секунду не покидал ее, даже когда вокруг них снова стал крутиться Филипп.

Когда же наступил вечер, только один из них предложил ей провести ночь любви. Нина сразу приняла приглашение, тем более что внутренний голос тихонько нашептывал, что выбирать ей не приходится. Как и ему.

Когда Энтони и Нина вошли в комнату, на столе уже стоял графинчик с бренди и два бокала. В камине уютно потрескивал огонь. Помещение освещали лампа и несколько свечей. Энтони налил себе и ей немного бренди, прикрыл глаза и вдохнул его аромат. Поболтав в руках бокал с янтарной влагой, он одним глотком осушил его.

Сидя в кресле напротив кровати, Нина не спеша потягивала бренди и ощущала знакомое возбуждение. Выйдя из лимузина, они с Гартвиком не обмолвились ни словом. Он повел ее к себе, она покорно последовала за ним. Наверное, именно так он и строит свои интимные отношения: мужчина господствует, женщина уступает. Нине не нравилась роль подчиненной, но она твердо решила заполучить этого красавца. И если придется потакать его капризам, она пойдет даже на это — по крайней мере сегодня.

Он налил себе еще бренди и осушил второй бокал так же быстро, как и первый. Затем, поставив его на столик, приблизился к Нине, оперся руками о подлокотники ее кресла и обвел кончиком языка безупречную линию ее губ. Нина уловила аромат бренди и запах возбуждения. Он снова обвел языком ее губы, даже не пытаясь обхватить их и проникнуть внутрь.

Нина терпеливо ждала, покорно принимая его ласки и прислушиваясь к своему телу. Вот она закрыла глаза, и его губы скользнули по ее щеке, слегка касаясь ресниц, век, носа. Затем его язык сбежал вниз по ее шее; спустя мгновение Энтони прикусил мочку ее уха и нежную кожу под подбородком. Он не дотрагивался до нее руками, а тело Нины жаждало его все сильнее. Внезапно Гартвик отстранился.

— Разденься, — хрипло выдохнул он.

Она повиновалась: повернулась к нему спиной, чтобы он расстегнул молнию, а потом опять обернулась к нему лицом, медленно спустила с плеч легкое шифоновое платье, и оно легкими волнами упало на пол. Энтони просто ел ее взглядом; Нина потянулась за спину и расстегнула бюстгальтер. Он молча смотрел, как она обнажила грудь и сняла чулки.

— А теперь раздень меня.

Она с радостью принялась исполнять его просьбу — стянула с него пиджак, развязала галстук и одну за другой расстегнула пуговицы рубашки. Затем, подражая, уставилась ему в лицо и не отрывала взгляда в течение всей этой процедуры. Сняв с него рубашку, она прижалась к нему всем телом, расстегнула ремень, дернула молнию, сунула руку ему в брюки и с удовлетворением обнаружила, что он возбужден ничуть не меньше ее — ему явно понравилось увиденное.

Она поняла: он хочет, чтобы она раздела его полностью, но пока преимущество на ее стороне, надо этим воспользоваться. Все еще сжимая его жезл, она потерлась сосками о его грудь, свободной рукой притянула его лицо к своим губам и поцеловала жадно и страстно. Затем отклонилась и прижала его голову к своей груди, чтобы он сделал то, что нравится ей.

Энтони тотчас пожелал заполучить ее всю. Быстро скинув с себя оставшуюся одежду, он подхватил Нину на руки и опустил ее на кровать. Она откинулась на подушки, готовая принять его, но он тотчас приподнял и насадил ее на себя, захватил ртом один из сосков, а руками принялся ласкать ее раскаленное тело. Его дикая страсть передалась и Нине. Она с трудом сдерживала желание, стараясь, подобно ему, обуздать свои порывы, но это ей плохо удавалось. Едва он прикоснулся к ней, как что-то животное вспыхнуло в ней с новой силой — казалось, к кончикам его пальцев привязан каждый ее нерв. Она жаждала доставить ему такое же удовольствие, но он так и не предоставил ей такую возможность. Она была полностью в его власти.

Когда все закончилось, Нина рухнула с ним рядом, утомленная и удовлетворенная. Атмосфера вокруг была пропитана горячей чувственностью и вновь пробуждала в ней желание близости. Ей хотелось, чтобы он обнял ее, сказал, как ему было хорошо. Он же деловито зажег сигарету и стал молча курить, не сделав никакой попытки придвинуться ближе. Разозлившись на его холодность, Нина вскочила с кровати и натянула платье.

— Что ты делаешь? — Он изумленно уставился на нее.
— Разве не видишь? Ухожу.

— Так скоро? А что, если я снова тебя захочу?

— Что ж, придется тебе оторвать свою задницу и пойти меня поискать, — отрезала Нина, хлопая дверью.

Шагая по коридору к своей комнате, она пожалела, что ушла. Некоторым мужчинам после особенно откровенного секса хочется отдалиться от партнерши. К тому же вполне возможно, что для него это всего лишь рядовое мероприятие. Нет, возразила она самой себе. Энтони Гартвик хотел ее. Он добивался ее с отменным упорством и наслаждался близостью с ней. Значит, он снова ее захочет. Что ж, она подождет.

Остаток ночи Нина не сомкнула глаз.

Глава 16

Октябрь 1983 года

Джулиан Рихтер хмуро окинул взглядом свое отражение в зеркале — налицо первые признаки надвигающейся старости. Впрочем, он решил смириться с неизбежным и воспринимать морщины как украшение зрелого мужа с твердым характером. Что касается телосложения, то здесь все было в полном порядке. Он постоянно тренировался и выглядел подтянутым, как спортсмен.

Собираясь на сегодняшний вечер, он выбрал черный пиджак, серую рубашку, серые брюки и серый шелковый платок.

Вполне довольный собой, Рихтер вышел из офиса: пора пройтись по галерее. Наметанным глазом он проверил освещение, расположение картин, наличие стойки с репродукциями и открытками и доступность книги отзывов.

Джулиан взглянул на часы: полшестого. Через полчаса откроется выставка «Луна над Манхэттеном». С самодовольной усмешкой он пробежал глазами список приглашенных.

Все твердили ему, что глупо открывать выставку в пятницу вечером — на нее, мол, никто не явится. Устраивай выставки по субботам, как принято уже много лет. Но в том-то все и дело: Изабель де Луна не вписывается в прокрустово ложе общепринятых правил, а ее последняя серия ночного Нью-Йорка столь необычна, что заслуживает нетрадиционного представления, теперь все только и делают, что ниспровергают основы.

Жаль, что его покинула Скай. Рихтер привык доверять ее глазу и уху. Она слышала то, что ему было недоступно, улавливала отголоски новомодных веяний, которые проходили мимо него. У нее было сверхъестественное чутье на все новое и перспективное, а то, что стало вчерашним днем, она безошибочно отсекала. Было время, Джулиан и сам мог похвастаться способностью улавливать художественные течения и выделять наиболее талантливых художников, работавших в том или ином стиле. А теперь, по слухам, он потерял былую хватку. Да, во всем виноваты стремительные перемены, уследить за которыми не так-то просто. А еще — многочисленные конкуренты и недоброжелатели.

У Скай на этот счет имелось другое мнение: она полагала, что причина его неудач кроется в его впечатлительности. Часто случалось так, что мнение владельца галереи напрямую зависело от того впечатления, которое на него произвела личность художника: если Джулиан считал, что перед ним человек незаурядный, он готов был поверить, что и в работах его присутствует искра Божья.

В общем, Скай заявила, что Рихтер не видит дальше своего носа.

Мэтр попытался ее урезонить. По мнению Джулиана, ей следовало благодарить судьбу за то, что она имеет счастье работать в его галерее. Скай тотчас запальчиво напомнила, что он извлек немалую выгоду из большинства ее открытий, отказался повысить ей гонорар, несмотря на огромный вклад в процветание галереи, дурно обращался со всеми ее находками (и делал это ей назло — так она считала), а кроме того, нанес ей публичное оскорбление. Оно-то и стало последней каплей: узнав, что он неуважительно отозвался о ней в прессе, Скай тут же уволилась.

Вскоре его покинули и несколько художников. Из признанного короля в мире искусства Рихтер превратился, по словам одного умника, в «хитрого манипулятора с сомнительной тактикой ведения бизнеса».

Отбросив мрачные мысли и списав свои промахи на свойство американцев выискивать изъяны у ярчайших звезд и получать от этого удовольствие, Джулиан взглянул на часы. Десять минут. Он занервничал. Может, зря он отказался провести предварительную распродажу, как всегда это делал перед открытием выставки?

К семи часам приехали Хилтон Крамер, Джед Перл, Кельвин Томпкинс и другие критики. К ним присоединилась и журналистка из отдела светской хроники «Нью-Йорк дейли» — Нина Дэвис. Ее присутствие символизировало для Джулиана общую ситуацию в искусстве восьмидесятых. Само по себе оно стало играть второстепенную роль на мировой сцене. Теперь гораздо важнее, кто присутствует на выставке, во что одет, с кем и о чем говорят. У Рихтера эти перемены вызывали глухое раздражение. Кто уполномочил эти бульварные газетенки судить о высоком искусстве? Кто дал им право определять репутацию галереи и ее владельца?!

Впрочем, наплевать ему на эту светскую сплетницу! Сегодня для него нет никого важнее Изабель де Луна.

В ожидании ее приезда он в который уже раз пожалел о том, что ему не удалось сохранить с ней интимные отношения. Джулиан терпеть не мог проигрывать, особенно если это касалось его мужского самолюбия. Такие промахи моментально раздувались в его сознании до астрономических размеров, перекликаясь с отцовскими заповедями.

Генри Рихтер был эталоном, по которому Джулиан сверял свою жизнь. Дома Генри выступал горячим сторонником морали, а за пределами семьи предавался разгулу. Кичась своим образцово-показательным браком и хвастаясь им направо и налево, он тут же нашептывал скабрезные шуточки на ухо очередной любовнице. Он требовал от сыновей жить по законам совести, а сам безнаказанно дурачил и обманывал партнеров по бизнесу. И если братья Джулиана старались поступать в соответствии с отцовскими заповедями, то жизнь самого Джулиана зеркально отображала жизнь Генри.

В годы его молодости неразборчивость в связях считалась нормой. Чем больше у тебя перебывало женщин, тем больше очков ты заработал — отец может гордиться своим сыном. Но Генри как-то вскользь обмолвился, что с каждой хрюшкой спать — не велика доблесть. Уязвленный Джулиан немедленно поднял планку своих предпочтений и стал выбирать женщин в отцовском вкусе.

Так прошла юность, и наступила зрелость. Смерть Генри и пугающая перспектива подхватить какую-нибудь болезнь заставила Джулиана изменить правила игры. Убедившись, что в его кругу важно не что делать, а с кем, он принес количество в жертву качеству. Изабель де Луна стала бриллиантом в его коллекции, и все же, как он ни старался, повторить ночь страсти ему не удавалось. Это его беспокоило. И странное дело — возбуждало. Но главным образом оскорбляло как мужчину.

Когда-то давным-давно ему уже доводилось получать отказ, но в конечном итоге он подчинил себе ту женщину. Покорит и Изабель.

Изабель терпеть не могла присутствовать на собственных выставках и наблюдать, как зрители обсуждают ее картины. Была бы ее воля, она с удовольствием осталась бы дома. Тем не менее она прибыла точно в назначенный срок — в четверть восьмого — и тотчас направилась в офис Джулиана, чтобы дать эксклюзивное интервью представителям прессы. Она ответила на вопросы, касающиеся основной темы ее новых работ: «Я перешла от темы рассвета к ночной темноте, поскольку жизнь складывается из смены дня и ночи».

Почему она всегда носит белое? «Белое отражает свет». А личная жизнь? «Мое личное дело».

Изабель знала, что их с Джулианом все считают любовниками. Она понимала, что ее уклончивые ответы только порождают новые сплетни и слухи, но твердо стояла на своем. Недосказанность в вопросах личной жизни защищала ее от похотливых хищников и щадила самолюбие Джулиана. Скай, которая в последнее время редко удостаивала добрым словом своего бывшего работодателя, вряд ли стала бы столь же трепетно относиться к гордости Джулиана.

— Пора тебе уходить от него, — обронила как-то Скай.

— Но почему? Галерея Джулиана одна из лучших в Нью-Йорке.

— Так-то оно так, но твоя личная жизнь не должна его заботить.

— Не понимаю, о чем ты?

— О, прошу тебя! Этот сноб все за тебя решает: во сколько тебе вставать, когда браться за кисть, когда есть, когда спать! — Она внезапно остановилась посреди мастерской и вперила в Изабель обличительный взгляд. — Ты ведь на это не пошла? Фу! Неужели ты... — Скай скорчила гримасу и зафыркала.

— Только однажды, — робко промямлила Изабель.

— Один раз и то чересчур, — недовольно буркнула Скай. — Я сама вас свела, но теперь я же тебе и говорю: пора его оставить.

— Но от добра добра не ищут.

— Мне-то можешь лгать сколько угодно, — отрезала Скай, — но себя не обманешь. Этот ястреб настолько принизил твою самооценку, что заставил тебя поверить, будто он единственный способен обеспечить тебе успех.

— Он хорошо ко мне относится, Скай.

— Нисколько не сомневаюсь. Он подвернулся тебе, когда ты была молода и неопытна и потому уцепилась за него в надежде, что с ним будешь в полной безопасности и он позаботится о твоем будущем. Так вот, Из, послушай: ты уже взрослая девочка. Джулиан тебе больше не нужен. — Молчание Изабель Скай не остановило. — Я ему не доверяю и тебе не советую.

— Но ведь ты была его верной помощницей!

— Была, это верно. А теперь презираю его и то, что он делает. В течение многих лет, работая с ним бок о бок, я была свидетелем весьма неблаговидных его поступков.

— А именно?

— Он нарочно снижал цены на картины художников, которые ему чем-то не угодили. Новичков он попросту запугивал, принуждая к повиновению. Я видела, как он всеми правдами и неправдами старался заполучить лучшие картины своих подопечных в собственную коллекцию.

Изабель съежилась, как от удара, и все же заметила:

— Со мной он ничего подобного себе не позволял.

— Вполне возможно, — кивнула Скай. — Но как только представится удобный случай, он непременно сделает это, Изабель.

Грозное предостережение Скай все еще звучало в ушах Изабель, когда она заметила в толпе гостей Филиппа Медину. Странно, но все шарахались от него как ошпаренные. Из вечерних новостей Изабель знала, что он ведет переговоры с «Нью-Йорк дейли», и его предложение вызывает всеобщее недовольство: владельцы газеты считают, что он лезет не в свое дело; администрация воспринимает его как угрозу своему положению и представляет его своим подчиненным как зверя-людоеда. И только рабочие видят в нем своего спасителя.

То, что писали про Медину в газетах, да и сегодняшняя реакция окружающих как-то не вязались с тем впечатлением, которое у нее о нем сложилось. Правда, их первая встреча длилась всего несколько минут и тем не менее... Решительный — да; настойчивый — да; жестокий, грубый — вряд ли. В этот момент он обернулся и

221

поймал ее взгляд. Печать задумчивости, лежащая на его лице, мгновенно исчезла, глаза его заискрились радостью.

— Хорошеют не только ваши работы, — промолвил он, пожимая ей руку и чуть дольше задерживая ее в своей руке, — хорошеете и вы сами.

Туника и брюки цвета слоновой кости, волосы собраны в тугой пучок на затылке, на матовой коже нет и следа косметики, единственное украшение — жемчужные бусы. Она выглядела прелестно.

Изабель поблагодарила его за комплимент; они обменялись ничего не значащими фразами. И все же Изабель с самой первой встречи поняла: между ними существует внутренняя связь, таинственное единение, предвосхищающее более тесные узы.

— Если память мне не изменяет, я когда-то имел честь пригласить вас на обед. По-моему, вы согласились. Как насчет завтрашнего вечера?

Джулиан назначил обед с очень важными персонами.

— Нет, завтра я не могу.

— В воскресенье утром?

— А если в воскресенье вечером? — предложила она. Этот день недели Рихтер не любил.

— Обожаю воскресные вечера, — явно обрадовался Филипп. — Я позвоню вам днем, о'кей?

Рука Джулиана обвилась вокруг талии Изабель, и она вздрогнула от неожиданности. Но он только крепче обнял ее.

— Если ты имеешь в виду выставку, то сказать «о'кей» значит не сказать ничего. Все картины проданы — все до одной!

— Я в этом не сомневался, — отозвался Филипп.

— Успех никогда не бывает легким, — возразил Джулиан напыщенно. — Тебе бы следовало это знать.

— Насколько я понял, ты намекаешь на мою тяжбу с «Дейли». Что ж, спасибо на добром слове. — Лицо Филиппа потемнело, он гневно сверкнул глазами.

— Хочешь, дам тебе совет? — не унимался Рихтер. — Тебе надо завоевать доверие своих работников, убедить их, что ты намерен всего лишь разделить с ними плоды общего успеха. — Он прижал к себе Изабель и запечатлел на ее щеке поцелуй. — В нашем случае это сработало.

Изабель поморщилась: Джулиан произнес это тоном собственника. Но еще больше ее покоробил намек в адрес Филиппа Медины: Джулиан Рихтер — единственный владелец предприятия под названием «Изабель де Луна». Он не потерпит конкурентов и никому не позволит вмешиваться в его дела.

Филиппу ничего не оставалось, как поздравить Изабель с успехом, вежливо кивнуть Джулиану и удалиться. От Изабель не укрылось, что Скай лишь укоризненно покачала головой.

— Ну что, опять будешь учить меня жизни? — хмуро спросила Изабель спустя несколько минут.

— Ну уж нет. Сегодня вечер твоего триумфа. Зачем портить праздник разговорами о том, что этот недоумок обращается с тобой как с комнатной собачкой? — Подняв голову, Скай изумленно вытаращила глаза. — Что это за красавчик плывет в нашу сторону?

Изабель не ответила. Она уже бросилась навстречу высокому симпатичному мужчине в спортивной куртке, джинсах и ковбойских сапогах.

— Сэм! Вот так сюрприз!

— Итак, — заключил он, улыбнувшись Изабель, — ты своего добилась. Я здесь. Ты довольна?

— Вполне! — Она заключила его в объятия, потом представила его Скай.

— Так это о вас, значит, без умолку твердит мой отец? Хорошенькая евреечка, у которой довольно-таки странное имя, острый язычок, прелестные волосы и необыкновенные глаза.

— Вы забыли упомянуть божественное тело, проницательный ум и кожу, одобренную дерматологом.

— Об этих достоинствах отец предоставил мне возможность судить самому.

— Джонас много о вас рассказывал, — продолжала Скай. — Йельский университет. Гарвард. Выдающийся хирург. Это впечатляет. — Сэм принял комплимент с любезной улыбкой. — И как же случилось, что мы до сих пор не познакомились?

— На повторном открытии Ла-Каса Сэм не присутствовал. Он был в это время с лыжной командой Соединенных Штатов в Европе, на Олимпиаде-80, — пояснила Изабель.

— Мне очень жаль, что я не был на открытии, — отозвался Сэм, не сводя глаз со Скай. — А теперь я вдвойне сожалею об этом.

Изабель с удивлением заметила, что Скай покраснела.

— Открытие прошло замечательно, — сообщила она Сэму, пока подруга приходила в себя. — Там был весь город.

— Я видел их новый дом, — сказал Сэм. — Самое замечательное, что, несмотря на внешнюю помпезность, Ла-Каса осталась прежней.

— А поджигателей так и не нашли? — спросила Скай.

— Нет. Судя по всему, это группа религиозных фанатиков, — помрачнел Сэм.

Изабель это известие ошеломило, но, вспомнив кровавый крест, она мысленно согласилась.

— И что же было на той выставке, что они так взбеленились? — спросила она.

— Сперва никто не мог понять, в чем дело, — объяснил Сэм. — Миранда умалчивала о деталях и делала вид, что смирилась с судьбой. Дескать, прошлого не воротишь, все погибло, надо все забыть и жить дальше. В полиции догадывались, что она что-то скрывает, но только после того как они пригрозили допросить всех участников выставки, Миранда призналась, что в галерее были представлены работы художественного течения «конверсо».

— Что-то вроде «подпольных» евреев в Эль-Пасо. — Изабель вкратце пересказала статью, которую читала Скай.

— Миранда побоялась, что с ними случится то же самое, и поэтому молчала, — сказал Сэм.

— Теперь понятно, почему они назывались «Восемнадцать», — задумчиво промолвила Скай.

— Число восемнадцать — символ жизни и удачи, — кивнул Сэм. — Те, кто погубил картины и поджег галерею и дом, хотели запугать Миранду. «Если ты нам попадешься, тебе несдобровать!» — вот смысл их послания.

Изабель обеспокоенно молчала.

Скай эта история потрясла не меньше, чем Изабель. Но ко всему прочему она была еще и страшно любопытна.

Нина задержалась в дверях между залами экспозиции, когда в галерею вошел Сэм Хоффман и прямо на глазах порывисто обнял Изабель. Давно забытая боль захлестнула ее с новой силой. Она смотрела, как эти двое обнимаются и улыбаются друг другу, как рады встрече, как непринужденно беседуют.

Что за день такой неудачный! Сначала Филипп Медина с Изабель пожирают друг друга глазами. Если Медина выкупит «Дейли», он снова станет ее боссом. Нина возлагала большие надежды на Медину, потому и решила появиться сегодня в галерее.

Если не считать их случайного столкновения на улице, Нина старательно избегала встреч со своей «сестричкой». Но по мере того как звезда Изабель поднималась все выше и выше, а популярность «Ящика Пандоры» неуклонно росла, Нина постепенно смирилась с мыслью, что им придется-таки столкнуться. А коли так, она сама отрежиссирует этот спектакль.

Нина пряталась в соседнем зале: сейчас главное, чтобы ушли Скай и Сэм. Как только они покинули галерею, она решительно шагнула вперед.

— Рада вас видеть, мисс де Луна. Меня зовут Нина Дэвис. Я веду отдел светской хроники в «Дейли».

После того как поклонники Изабель извинились и оставили их наедине, Изабель воскликнула:

— Что происходит? Почему я должна притворяться, будто мы не знакомы?

— Так проще избежать вопросов, на которые я не желаю отвечать.

— И на мои вопросы ты не соблаговолишь ответить? — поинтересовалась Изабель. — Почему ты так отвратительно повела себя во время нашей первой встречи? Почему ты даже не удосужилась послать открытку Миранде и Луису и не написала им, что жива-здорова и у тебя все в порядке?

Нина смущенно переступила с ноги на ногу: она не сомневалась, что привлекла к себе всеобщее внимание. Ей не терпелось покончить с неприятным разговором и перейти к повестке дня.

Наконец она заговорила, и голос ее звучал спокойно и уверенно, но в нем слышались отголоски пережитых трудностей и страданий.

— Когда я приехала в Нью-Йорк, всем было наплевать, кто я и откуда. — Изабель кивнула. — Долгое время я прозябала в безвестности. Но потом стала работать в газете. И я... я придумала свою историю. Я придумала себе семью, чтобы никто не узнал правду. — Она нервно пригладила волосы. — Я знаю, ты осуждаешь меня, но попытайся понять. Мельчайший факт мог бы открыть лазейку в мое прошлое. — Ее серо-стальные глаза впились в лицо Изабель. — Я более чем уверена, что в заявлениях для прессы ты не разглашаешь истинную причину твоего переезда в Санта-Фе.

Изабель сказала Джулиану, что ее родители умерли, когда ей было семь лет, что ее вырастили Дюраны и что в Барселоне живет ее престарелая тетушка, но и только.

— Ты права, — согласилась Изабель.

— Итак, теперь, когда между нами полное взаимопонимание, — весело продолжила Нина, — давай восстановим былую дружбу.

— С радостью, — ответила Изабель. — Расскажи, как ты стала знаменитой Пандорой!

Нина коротко обрисовала свой путь к успеху, не обходя вниманием и роль Филиппа Медины в своей карьере. Дойдя до настоящего времени, она заявила:

— Ну, довольно обо мне. А чем занималась ты, кроме, разумеется, живописи?

Изабель следовало бы нагородить ей какой-нибудь чепухи, но, к сожалению, она не предвидела подвоха.

На следующий день «Ящик Пандоры» был посвящен одной-единственной теме: под заголовком «Романы в мире искусства». Изабель прочла, что они с Джулианом Рихтером состоят в интимной связи. Когда она ворвалась в офис Дэвис в «Дейли», гневно размахивая свежим номером, Нина только рассмеялась:

— Я разглашаю твою тайну? Искажаю факты? Не кипятись, остынь! Благодаря моей статье о тебе сегодня говорит весь Нью-Йорк. Кстати, Джулиан в общих чертах подтвердил мои догадки.

Глаза Изабель метали молнии. Ярость, боль, обида, негодование рвались наружу, застилая все вокруг красной пеленой гнева.

— Ты, Нина, просто мерзавка! Как ты могла так подло предать меня?

Улыбка Нины померкла.

— Ты называешь это предательством? Да ты и понятия не имеешь, что значит это слово!

Изабель вовремя сообразила, что Нина нарочно старается вывести ее из себя. Нет, больше она не позволит ей заманить себя в сети! Резко повернувшись, Изабель вышла из кабинета.

— Да ты еще будешь мне в ножки кланяться! — крикнула Нина ей вдогонку. — Я сделала тебе великое одолжение, сеньорита де Луна! Я сделала тебя звездой!

Глава 17

Париж
1985 год

После клеветнической статьи в «Нью-Йорк дейли» Изабель понадобился не один месяц, чтобы прийти в себя. Покинув офис Нины, она направилась в апартаменты Джулиана.

— Все правильно, — заметил он, махнув рукой. — Она сделала тебя звездой. Не вижу в этом ничего плохого.

— Что ты ей рассказал?

— Истинную правду. Я сказал, что у нас с тобой были близкие отношения, выходящие за рамки стандартной схемы меценат — художник. Когда она спросила, какие у нас планы на будущее, я ответил, что мы с тобой намерены продолжать совместную работу.

— Ты дал ей понять, что у нас с тобой роман. Но зачем?

— А почему бы и нет? Романтические интрижки помогают продавать газеты... и картины. Кроме того, — добавил он, раскрывая ей объятия, — теперь, когда все знают, что мы с тобой любовники, ты смело можешь покориться своим истинным чувствам.

Изабель не удостоила его ответом и молча вышла из комнаты.

Нину она простить не могла, но могла понять тайные мотивы ее поступка. А вот Рихтер... Он воспринимал публикацию с оскорбительным безразличием, а его грубое пренебрежение к чувствам Изабель возмущало ее почти так же сильно, как и массированная атака прессы, вызванная гадкой статьей Нины. Она не обвиняла Джулиана в предательстве — ее предала Нина, но простить его за попытку оправдать эту гнусность ей не удавалось.

Джулиан понимал, что все испортил. Несмотря на все его ожидания, Изабель не собиралась возвращаться в его объятия. Нет, она не отдалилась от него полностью, но перестала быть доступной и покладистой, как раньше. Отныне Изабель использовала малейший предлог, чтобы отклонить его приглашение на обед или на вечеринку. Когда им случалось вместе появляться на публике, она пресекала любые проявления внимания с его стороны, которые могли быть расценены как намек на интимные отношения. В разговорах с ним она все чаще отстаивала свои права.

Джулиан же с удвоенным рвением бросился отвоевывать утраченные позиции. Ее выставка-шоу имела звездный успех, твердил он ей. Она заработала на этом кучу денег. Ее имя теперь у всех на слуху. Он неустанно повторял, что у него и в мыслях не было ее обидеть и что статья в «Ящике Пандоры» фактически способствовала ее карьере.

Но если уж говорить начистоту, у Джулиана имелась и другая причина поощрять Нинины домыслы: намек на роман, существующий между ним и Изабель, позволил ему избавиться от стаи алчущих волков. К примеру, Филипп Медина лично позвонил ему, чтобы получить подтверждение изложенным в статье фактам. Джулиан, ни секунды не колеблясь, заявил ему, что да, они с Изабель уже не один год состоят в интимной связи. «Мы все чаще поговариваем о свадьбе, — солгал он, — но пока не пришли к определенному соглашению».

Чтобы противостоять разрушительному напору Скай, Рихтер продолжал восстанавливать доверие Изабель, надеясь, что за этим последует и потепление в отношениях. Он действовал осторожно, постепенно и старался на нее не давить. Когда же стало ясно, что хотя гнев ее усмирен, в сердце не осталось и следа былой увлеченности, он переменил тактику и решил прибегнуть к действенному приему, который не раз помогал ему в прошлом: он предложил Изабель поискать вдохновения за пределами Нью-Йорка. Впоследствии он не раз сокрушался по этому поводу.

Французский художественный совет устраивал в Пале-Рояль специальную выставку, посвященную творчеству американских художников. Выставку, конечно же, окрестили «Американцы в Париже» и провозгласили событием года в мире искусства.

— Напрасная потеря времени, — заявил Джулиан, прочитав приглашение. Все словно сговорились отнять у него Изабель! — Париж вот уже полвека не является центром мирового искусства.

— Приглашение прислали мне, Джулиан, а не тебе. И я ответила согласием.

— А что, если я не желаю, чтобы ты там выставлялась? Что, если таким образом ты серьезно повредишь своей будущей выставке в Нью-Йорке?

Изабель смело взглянула ему в глаза:

— На выставку приглашены лучшие художники Америки, Джулиан. Отказаться от экспозиции все равно что признать, что я недостойна называться лучшей. А мы с тобой прекрасно знаем, что это не так!

Нина шагала по улице Фобург-Сент-Оноре, весело размахивая пакетами с логотипами известных модельеров, и вдруг увидела, как из «Гермеса» выходит Энтони Гартвик собственной персоной. Она хотела было проигнорировать его и таким образом отомстить за ту ночь на Мальорке, но поздно — он уже заметил ее и ринулся ей навстречу.

— Нина! Какой приятный сюрприз! — Он обнял ее за плечи и расцеловал в обе щеки. — Я чуть не забыл, как ты прелестна.

— Иди к черту, Гартвик!

Если бы в его изумрудных глазах не вспыхивало пламя, если бы его чувственные, резко очерченные губы не сложились в лукавую мальчишескую улыбку, если бы от него не пахло дорогим одеколоном, напоминавшим ей о дворцах и сказочных принцах, она бы отпихнула его в сторону и пошла своей дорогой. Но он выглядел для нее не менее привлекательным, чем она для него, если верить его словам. Вот почему вечером того же дня она обедала с ним в «Ле Гран-Вефур», а потом очутилась в его номере в «Плаза-Атене», а точнее — в его постели.

Он ужасно изголодался по ней и никак не мог насытиться. Он овладевал ею снова и снова, меняя позиции. Ласки его порой были грубоваты, но, слушая, как он стонет, впиваясь в ее плоть, потом почти всхлипывает от наслаждения и снова стонет, возбуждаясь, Нина упивалась животной страстью. К утру все тело ее ныло, но, засыпая в его объятиях, она решила, что влюблена.

Париж оказался именно таким, каким его представляла себе Изабель. Она приехала за неделю до начала выставки, чтобы всласть побродить по городу и поглазеть на его чудеса. Она гуляла по улочкам с блокнотом в руках, часто останавливаясь и делая зарисовки.

Помимо набросков и прогулок, в культурную программу Изабель входило также посещение многочисленных парижских музеев. Город предлагал поистине королевский выбор шедевров, и Изабель наслаждалась этим изобилием.

В Лувре, переходя с этажа на этаж и из зала в зал, Изабель пыталась осмыслить увиденное не только с точки зрения сюжета и мастерства, но и в контексте времени. Она как завороженная следила за эволюцией искусства. В определенные моменты, когда, казалось, художественная мысль уже зашла в тупик, происходили новые открытия в науке, менялись философские доктрины и взгляды, и это давало мощный импульс какому-либо течению в искусстве.

В день открытия выставки Изабель, минуя Лувр, направилась в Тюильри к маленькому музею «Же-де-Пом», приютившему импрессионистов. Вероятно, сюда вела ее любовь к пейзажам или же роман с цветом и светом. Проходя по полутемным, плохо освещенным залам музея, Изабель боролась с желанием выставить полотна на улицу, в залитый солнцем сад или в маленькие открытые кафе, где они явно выглядели бы эффектнее.

Восторг не улетучился, даже когда Изабель покинула «Жеде-Пом». Впрочем, живи она в то время, ее наверняка бы тоже захватили перемены, происходящие в обществе. «Да это и понятно», — размышляла она по дороге к отелю. События мирового масштаба повлияли и на ее судьбу, и на судьбы ее современников. Европа и Соединенные Штаты пережили две мировые войны. Государства изменили границы, ядерное оружие превратилось в страшнейшую угрозу целостности мира. Технология переживает период расцвета. Живописные полотна и фотография перестали быть единственными средствами визуального общения. Человека со всех сторон обступает реальность. Неудивительно, что абстрактное искусство стало логическим продолжением выразительного ряда. Художники экспериментируют с цветом и формой и создают стиль, представляющий собой нечто среднее между поп-, оп-, нео- и постартом.

Многие, как и Изабель, пытаются сочетать абстрактное и образное в искусстве. Одни используют свои работы как рупор политических идей или как социальный протест. Другие бросают вызов общественному вкусу. И все требуют зрительского соучастия и ответной реакции на свои произведения. Может, именно поэтому Изабель и ее коллеги потянулись к образности? Может, они просто встревожены тем, что общество теряет ориентиры? А может, все дело в осознании собственного «я»? И образное искусство — всего лишь новый способ создать себя заново? Или же это просто очередная ступень в эволюции живописи?

вошла в Пале-Рояль, размышляя о философских ... лах. Торжественный вечер был уже в самом разгаре: зал сиял огнями, между гостями, предлагая всем желающим шампанское и пирожные, сновали официанты. Мужчины, все в смокингах, любезные и элегантные, составляли «черное обрамление» зала. Американки в большинстве своем тоже оделись в черное, отдав предпочтение испытанному временем строгому изяществу.

В отличие от американок француженки напоминали цветущий сад. Это был праздник женственности — прически, макияж, украшения, дорогие духи, яркие шелка и буйные краски.

Изабель же осталась верна себе — белому цвету — и тем не менее не устояла перед соблазнами французской моды, купив платье цвета слоновой кости от Ив Сен-Лорана. Незатейливый покрой, нежная подкладка, ласкающая тело, и две длинные вставки вместо рукавов, ниспадающие с ее плеч, словно римская туника, — настоящий триумф строгого вкуса. Как всегда, в качестве украшений она выбрала изделия американских индейцев — ожерелье из золотых треугольников с зигзагообразным узором. Центральный треугольник, как и серьги, инкрустирован красным кораллом.

Едва она появилась в главном зале, как к ней сразу же подскочили спонсоры и стали знакомить с гостями, расхваливая ее работы и восхищаясь ее безупречным французским. Вдруг в толпе перед ней мелькнуло знакомое лицо.

— Коуди! — Изабель сразу же его узнала. Он обнял ее, поохал и поахал по поводу ее сногсшибательного платья и от души поздравил с успехом.

— По дворцу пронесся слух, что Изабель де Луна — жемчужина выставки. — Он усмехнулся, но лицо его затуманилось грустью. — Если бы ты тогда поехала со мной, я мог бы сейчас купаться в лучах твоей славы.

— Тебе вовсе не обязательно быть чьей-то тенью, Коуди. Ты и сам талантливый художник.

— Ты мне льстишь, однако дела мои так плохи, что я усомнился в своих способностях.

Изабель погладила его по щеке, пытаясь как-то сгладить неловкость.

— Может быть, все дело в дилере? Мне повезло. Меня представляет Джулиан Рихтер, знаменитый среди художников дилер. — Она произнесла это спокойно, без эмоций. — А ты не хотел бы вернуться в Штаты? Организаторы выставки постарались на славу, но, даже рискуя обидеть парижан, я вынуждена признать, что Париж не пуп земли.

— Да, я уже подумывал об этом. Но ведь все не так просто. Здесь у меня кругом знакомые, а в Нью-Йорке — никого. Там мне все пришлось бы начинать сначала.

— Зато ты знаешь меня, — возразила Изабель.

Коуди хотел было продолжить разговор, но подошло время официального открытия выставки. Несмотря на то что Изабель пообещала позвонить ему перед отъездом из Парижа, он был уверен в обратном. Сегодня вечером она стала мировой знаменитостью. А он как был, так и остался никем.

Нина с любопытством наблюдала за встречей Изабель и Коуди Джексона. Она понятия не имела, кто он, но язык их жестов рассказал ей целую повесть о том, что они когда-то значили друг для друга. Была бы ее воля, она непременно подошла бы к этому неизвестному блондину, но Энтони так за ней ухаживал, что ей не хотелось разрушать магические чары. Поначалу она предполагала, что за пределами спальни он будет вести себя осторожнее, но, как ни странно, он повсюду представлял ее так, что становилось ясно: она для него больше чем просто очередное увлечение. Еще ни один мужчина его положения не ухаживал за Ниной с такой настойчивостью. Она вся так и светилась от счастья.

В ... ...ался на редкость удачно. Нина предстала пе... ...й публикой не только в качестве возлюблен... ...мого красавца, но и как корреспондент ... ...ты «Дейли» — самого известного ежедневного издания Нью-Йорка — и владелица собственного агентства. Она стала «той самой» Ниной Дэвис. К ней наконец-то пришел успех.

Наметанным глазом скользя по залу в поисках подходящих объектов для интервью, она заметила, что к ним приближается Филипп Медина. За последние годы их дружба окрепла, но так и не переросла в близкие отношения. Похоже, такое положение вещей его вполне устраивало. Но он был ее боссом, и она не решалась форсировать события.

— Филипп! Какая приятная встреча! — воскликнула она и тотчас, извинившись, поспешила «отрабатывать гонорар».

Медина и Гартвик смерили друг друга взглядом. Энтони хотел было удалиться, но Филипп задержал его.

— Я подумываю купить «Гартвик-хаус», — заявил он без обиняков.

— «Гартвик-хаус» не продается.

— Возможно, но, по слухам, у тебя большие неприятности!

— Мы расширили печатный цех, вот и все. На обновление печатных установок пришлось потратить уйму денег. Я чуть не влез в долги. — Глаза его сузились, губы скривились в ядовитой усмешке. — Впрочем, спасибо за заботу, — добавил Энтони и повернулся, намереваясь уйти.

Филипп крепко схватил его за локоть.

— Ходят слухи, что ты использовал фонды компании, чтобы оплатить свои карточные долги.

Гартвик выдернул свою руку, лицо его исказила гримаса бессильной злобы.

— Ну да, мне нравится играть в карты! И что с того? Это еще не означает, что я проматываю деньги компании! Как ты смеешь бросать мне такие обвинения, Медина?

— Если это не так, прошу меня извинить, — отозвался Филипп. — Но если это правда, позвони мне, как только решишь продать компанию.

— И не надейся, — буркнул Энтони, состроив гримасу вслед уходящему Медине. — Я сам позабочусь о том, ка спасти свою шкуру. Раньше у меня это получалось, получится и теперь.

Нину ужасно злило, что Изабель стала центром всеобщего внимания. Еще до открытия выставки в ней всколыхнулась жгучая зависть, а вместе с ней пробудилось и знакомое ощущение собственной никчемности: ей снова суждено играть второстепенную роль в спектакле под названием «Успех Изабель де Луна». После официального открытия шоу она в сопровождении Энтони совершила обход залов. Некоторые картины и впрямь были ничего, но при виде работ Изабель у нее захватило дух. Прекрасно понимая, что Изабель наверняка настроена враждебно по отношению к ней, Нина прикрылась Энтони как щитом и осторожно приблизилась.

— Браво! — промолвила она. — Вы покорили Париж и, осмелюсь сказать, все мировое искусство! — Ей с трудом удалось сохранить на лице улыбку, тем более что Изабель смотрела на нее с явной неприязнью. — Позвольте представить вам еще одного почитателя вашего таланта, — произнесла Нина, выступая вперед. — Это мистер Энтони Гартвик, глава издательства «Гартвик-хаус». Энтони, Изабель де Луна.

Произнося эту фразу, она невольно обернулась. Выражение лица Гартвика ее потрясло. Он смотрел на Изабель как завороженный и совершенно машинально пожал протянутую ему руку.

— Рада познакомиться, — непринужденно отозвалась Изабель.

— Я тоже. — Он отвесил ей церемонный поклон. — Вы замечательная художница, мисс де Луна. Я уже имел удовольствие видеть одну из ваших работ.

— Ах да! — воскликнула Нина, вмешиваясь в их разговор, чтобы напомнить о себе. — Мы как раз были на вилле ... ы на Мальорке. Нас пригласили на свадьбу ...льсона. А как называлась та картина, Эн-

— «Рассвет в Барселоне», — ответил он, не сводя глаз с Изабель.

— Так вы бывали в Барселоне? — спросила она.

— Не раз.

— Если вы были там в годы правления Франко, то поезжайте туда сейчас. Город ожил, повеселел и стремится наверстать упущенное. — В ее улыбке читалась гордость за свой народ.

— Ваше детство прошло в Барселоне?

— Нет, я выросла в Соединенных Штатах, но у меня в Барселоне тетя, поэтому я часто там бываю.

— Так вот почему у вас этот нежный кастильский акцент!

Изабель поблагодарила его за комплимент, отметив про себя, что он не только хорош собой, но и чрезвычайно любезен. Неудивительно, что Нина вцепилась в него как в собственность. Что ж, пусть ревнует, так ей и надо!

Как будто прочитав ее мысли, Энтони задал ей неожиданный вопрос:

— У вас есть сестры или братья?

— Нет, — быстро ответила Изабель, и сердце Нины екнуло. — А теперь, мистер Гартвик, мне надо идти. Рада была познакомиться.

Изабель смешалась с толпой, оставив Гартвика в смятении, а Нину в расстроенных чувствах.

— Почему бы тебе не попросить у нее номер телефона? А еще лучше спроси-ка ее напрямик, согласна ли она с тобой переспать?

Гартвик поморщился.

— Терпеть не могу ревнивых зануд. Когда выпустишь пар, приходи. Ты знаешь, где меня найти.

С этими словами он удалился, а Нина осталась одна в окружении картин Изабель.

Взволнованная встречей с Ниной, Изабель направилась к выходу — глотнуть свежего воздуха. Повернув за угол, она с размаху налетела на Филиппа Медину.

— Извините, — пробормотала она, залившись краской.

— Не стоит. — Филипп слегка придержал ее за локти. — По крайней мере на этот раз вы бежите ко мне, а не от меня. — Он пристально посмотрел ей в глаза.

Изабель попала во власть его чар. В Филиппе Медине было что-то магнетическое. Она виделась с ним всего два раза, причем эти встречи разделяли годы, и тем не менее ее неодолимо к нему влекло.

— Если я приглашу вас сегодня отобедать со мной, как вы к этому отнесетесь?

— Положительно. — Он улыбнулся, Изабель тоже. — Правда, мне придется пробыть здесь до конца шоу.

— Я вас подожду.

Нинин триумф все более походил на шарик, из которого потихоньку выпускают воздух. Она дефилировала мимо картин де Луна, изыскивая возможность добавить в ее успех ложку дегтя, но Энтони постоянно путался у нее под ногами, таращась на Изабель, как театральный статист на примадонну.

Часы пробили десять. Нина решила, что момент сейчас самый подходящий. Толпа ей не нужна, но и оставаться с Изабель наедине тоже не хочется.

— Быть звездой не так-то просто, — негромко промолвила Нина, приближаясь к Изабель. — Что ж, привыкай. Завтра ты проснешься знаменитой на весь мир. — Изабель промолчала. — Ну хорошо, — отчеканила Нина деловым тоном. — Перейду к сути. Я хочу, чтобы ты дала мне эксклюзивное интервью. Гарантирую, что оно появится в прессе и на телевидении. — Она сделала выразительную паузу и добавила: Я также гарантирую, что оно будет весьма

зрительно рассмеялась:

х, твои гарантии ничего не стоят. Во-второсили о том же многие репортеры, представляющие международную прессу. С какой стати мне делать исключение для светской сплетницы?

— Где же твоя лояльность? — Нина чувствовала себя уязвленной, но все еще размахивала праведным гневом, словно стягом борца за свободу.

— Да как ты смеешь говорить о лояльности? — Голос Изабель перешел в свистящий шепот. — Где была твоя хваленая лояльность, когда ты выдумала роман между мной и Джулианом Рихтером? Где твоя лояльность по отношению к Миранде и Луису? Как ты отплатила им за все то, что они для тебя сделали? Нет, ты лояльна только к себе самой. Но запомни вот что, Нина Дэвис: как аукнется, так и откликнется.

Изабель двинулась к Филиппу Медине. Нина увидела, как они улыбнулись друг другу, как Изабель взяла его под руку, и они направились к выходу. Нина двинулась за ними, надеясь, что кто-нибудь из них обернется, но увы...

Смущенная и раздраженная, Нина понятия не имела, куда ей податься. Ее наверняка ждет Энтони, но теперь он ей вроде бы и не нужен. Правда, перспектива провести вечер в одиночестве тоже не представлялась ей заманчивой.

— Вы не против, если я поеду вместе с вами? — раздался сзади мужской голос, когда к крыльцу подкатило такси.

Нина обернулась и ослепительно улыбнулась.

— Не против, — отозвалась она, садясь в такси рядом с Коуди Джексоном.

Изабель следовало бы уделить больше внимания изысканным блюдам — «Тайвен» считается одним из лучших парижских ресторанов, — но ее буквально околдовал сидящий рядом с ней мужчина. Изабель следила за тем, как меняются его черты в отсветах маленькой настольной лампы. Тени подчеркивали скулы, полоска света выхватывала из полумрака нос, губы, подбородок. Его глаза, устремленные на нее, мерцали, словно черные опалы, и в них то и дело вспыхивали зеленоватые и голубоватые искорки.

От выпитого вина и близости собеседника у Изабель слегка закружилась голова. Филипп рассказывал ей о вилле «Фортуна» на озере Лугано, где располагался домашний музей Нельсона. С безразличием выросшего в богатстве и роскоши мецената он описывал массивный особняк семнадцатого века и собрание шедевров мирового искусства.

— Вы научились коллекционированию у отца? — спросила Изабель, пораженная таким обилием бесценных полотен в частном собрании.

— Все получилось как бы само собой. Мой отец коллекционирует все на свете — произведения искусства, знакомых, друзей, предприятия, женщин. Я с детства постиг науку собирательства. А что коллекционируете вы?

— Индейские украшения и керамику — я покупаю их, если мне позволяют средства. — Филипп недоверчиво усмехнулся. — Родители мои погибли, когда я была совсем маленькой. Они доверили мое воспитание людям, у которых денег было не много, зато любви и заботы — в избытке.

— Вам повезло. Любовь не купишь ни за какие деньги.

Он часто заморгал, как будто что-то попало ему в глаз. Изабель порывисто сжала его руку. Он улыбнулся, но она почувствовала, что в душе его зияет рана, которую никто и ничто не исцелит.

Чтобы сменить тему, она произнесла:

— Я с вами согласна, хотя жить в достатке тоже было бы неплохо.

— Вам пришлось пережить трудные времена?

— Я, конечно, не голодала и не бедствовала, но мой образ жизни вряд ли можно назвать роскошным.

— А разве Джулиан не заботится о вас? — Он чем-то недоволен или ей почудилось?

— Он выплачивает мне ежемесячное жалованье, исходя из результатов выставки.

— А мне казалось, что Джулиан для вас больше чем просто торговый агент.

Изабель вспыхнула, но не от смущения, а от раздражения. Не хватало еще, чтобы Джулиан Рихтер испортил ей вечер!

— Вы ошибаетесь, но если бы даже так оно и было, он все равно не является моим благодетелем.

— Извините, если я переступил черту, то сделал это ненамеренно. Меня всегда интересовало, как творческие натуры умудряются выживать в нашем насквозь коммерческом мире.

Филипп признался, что, помимо огромных сумм, которые вкладывает в музеи, он еще и является учредителем стипендии для талантливых юных дарований, а также выступает как патрон многообещающих, с его точки зрения, художников.

Он говорил так горячо и убежденно, что Изабель поняла: для него это не просто слова.

— Скажите, вы и сами хотели стать художником? — осторожно спросила она. — В этом кроется причина вашей страсти к искусству?

— И да и нет. — На губах его заиграла лукавая усмешка. Он покачал головой, взял ее руку и пристально вгляделся ей в лицо.

— По натуре я человек скрытный, — сказал он, — но стоило мне только вас увидеть, как мне захотелось узнать о вас все. Меня интересуют мельчайшие подробности вашей жизни, поэтому вы вправе узнать кое-что и обо мне самом.

Когда мне было восемь лет, я заболел полиомиелитом. К счастью, паралич был излечим, хотя и затронул ноги и руки. Доктор заверил моих родителей, что постельный режим, теплые обертывания и сеансы массажа помогут мне подняться на ноги. Моя мать Оливия делала все, чтобы меня вылечить. К тем методам, что прописал врач, она добавила и два своих. Пока я был прикован к постели, она развлекала меня тем, что показывала альбомы по искусству и слайды. Затем дала мне блокнот для рисования, карандаши и краски, чтобы я разрабатывал пальцы, руки. — Филипп усмехнулся, вспоминая свои неловкие попытки. — Конечно, конкурентом Пикассо я не стал, — заметил он. — Мои творения никуда не годились, но я научился уважать и ценить тех, у кого есть талант.

— Тяжелое для вас было время, — покачала головой Изабель. — Слава Богу, вам удалось выкарабкаться из этого кошмара.

— Да, я тоже благодарю Бога, но более всего, — добавил он сдержанно, — благодарен своей матери. Левая сторона моего тела очень ослабла. Оливия решила, что для укрепления мышц мне необходимо заняться гольфом. Она считала, кроме того, что эта игра не только полезна для моего здоровья, но и сближает нас.

— У вас с ней до сих пор хорошие отношения?

Глаза Филиппа потемнели. Выражение его лица резко изменилось.

— Нет. Моя мать меня продала! — Давнишняя боль, которую он тщательно скрывал, неожиданно вырвалась наружу. Он помолчал, борясь с нахлынувшими воспоминаниями, потом продолжил: — Когда мне было одиннадцать лет, мои родители развелись. И моя мать предпочла опеке над сыном денежную компенсацию.

Он не стал рассказывать Изабель, что мать оставила его жить с отцом, от которого сын не получал ни любви, ни одобрения. Филипп скучал без матери, но Оливия исчезла из его жизни.

— Она вышла замуж за друга семьи, биржевого маклера, и уехала с ним в Нью-Йорк.

— Вы виделись с ней?

— Нет. — Он подозвал официанта, расплатился, и они вышли из ресторана. Всю дорогу до отеля Изабель Филипп пребывал в мрачном настроении. Когда они подошли к двери ее номера, он неловко промолвил:

— Не очень-то любезный кавалер из меня получился. Если вы еще не совсем во мне разочаровались, может, согласитесь заглянуть со мной на Мальорку в этот уик-энд?

— Я собиралась навестить свою тетю в Барселоне.

— Что, если мы заедем к ней по пути?

— Думаю, она будет очень рада, — ответила Изабель.

— А вы? — Он слегка коснулся губами ее губ. Легкий, нежный поцелуй, ничего не требующий, но очень много обещающий.

Квартира Коуди Джексона представляла собой чердак на одной из узких, мощенных булыжником улочек Монмартра. Напросившись в гости, Нина никак не предполагала, что ей на шпильках придется взбираться пешком на пятый этаж, но она упорно лезла вверх, как гончая, почуявшая след. Когда же они наконец добрались до мастерской, Нина мысленно охнула: чердачная берлога! В Париже ли, в Нью-Йорке — художникам требуется максимум свободного пространства. Коуди откупорил бутылку белого вина, а Нина уселась в мягкое кресло в дальнем углу комнаты и огляделась.

Мистер Джексон оказался большим ценителем женских прелестей. Его ню поражали дерзкой, соблазнительной красотой, и все же Нина сразу поняла, почему они не имеют успеха. Слишком уж они совершенны, слишком обольстительны и слишком напоминают одалисок Матисса. Последние же тенденции современного искусства предписывали изображать человеческое тело в реалистичной манере, со всеми морщинками, складками и анатомическими подробностями.

— Нравится? — спросил Коуди, протягивая ей бокал вина и присаживаясь на кушетку.

Нина была так поглощена его картинами, что ответила не сразу. Она завидовала этим женщинам, его моделям. Плоть этих женщин ласкала рука, боготворившая все женственное.

Нине тоже хотелось, чтобы ее обожали и лелеяли. Сэм Хоффман почти соответствовал ее идеалу мужчины, и по-своему любил ее, но молодость относилась к числу его главных недостатков. После него у нее были и другие мужчины, но эти отношения не затрагивали ее чувства, что она объясняла отсутствием опыта. Энтони выгодно отличался от своих предшественников. Непредсказуемый, в совершенстве постигший науку секса, он пробуждал в ней необузданное, страстное желание и сумел внушить, что она любит его. Но он ни разу не дал ей понять, что уважает ее, ценит и восхищается ею.

— Да, они прелестны, — ответила она, оторвавшись наконец от картин и устремив взгляд на их создателя. — Когда вы переехали в Париж? И что вас сюда привело?

Коуди представил ей краткую биографическую справку. Поскольку он интересовал Нину только как сексуальный партнер, она больше разглядывала его, чем слушала. И чуть не упустила тот факт, что он учился в Лиге студентов-художников вместе с Изабель. Отчего дрогнул голос? Нина дорого бы дала, чтобы выяснить это.

Вскоре его брюзжание порядком надоело Нине. И когда он спросил, не хочется ли ей посмотреть другие его работы, она уже готова была, сославшись на головную боль, поехать домой, но он взглянул на нее с такой мольбой, что она нехотя поднялась с кресла в надежде удовлетворить-таки свое влечение.

В дальнем углу чердака за рабочим столом, заваленным красками, кистями и неоконченными полотнами, висели две картины.

На грубой зернистой поверхности загрунтованного холста в ореоле пастельных тонов были изображены две ню с затушеванными лицами. Как и на всех остальных работах, обнаженные тела были тщательно выписаны, но на этих полотнах чувствовалось нечто неуловимое, что сразу привлекло внимание Нины. Может, излишняя идеализация модели — знак того, что художник был без ума от своей натурщицы? Или позы, в которых были изображены женщины: одна в предвкушении наслаждения, другая — после утоления страсти?

— Кто она? — спросила Нина, скользя взглядом по плавным изгибам тела незнакомки с темными распущенными волосами.

— «Стыдливая искусительница». — Он задумчиво посмотрел на ню. — Эти картины относятся к той самой серии, о которой я вам рассказывал. Собственно, благодаря им я и оказался в Париже.

— Как ее имя?

— Я никому не открываю имена своих натурщиц, — отрезал он.

Но Нина ничуть не смутилась. Доверившись своей журналистской интуиции, она сопоставила время и место, особенно отметив тот факт, что Коуди упомянул Изабель среди прочих студентов лиги, а главным образом то, как он смотрел на картины и на саму Изабель сегодня вечером.

Джексону не надо открывать имя своей модели. Нина теперь точно знала, кто она.

Глава 18

В самом начале своей карьеры, до того как стать владельцем газет и телевизионных программ, Филипп работал репортером. Иногда ему казалось, что это было лучшее время в его жизни: он «шел по следу», собирал информацию и открывал никому не известные подробности и факты. Когда же ему пришлось принести свое увлечение в жертву редакторскому столу, сбор информации превратился в хобби.

К тому моменту, когда Филипп столкнулся с Изабель в Пале-Рояль, у него уже имелось на нее обширное досье.

Он начал собирать сведения о ней после первой же встречи в галерее Джулиана. Его поразили ее картины, ее смелость и, конечно же, красота. Досье еще не заполнено до конца: в нем содержится только та информация, которую он смог почерпнуть из испанских газет и разговоров с Рихтером.

Наступил долгожданный уик-энд в Испании. По приезде Педро сообщил им, что «сеньорита» в саду племянницы. Изабель тотчас повела Филиппа вокруг особняка к своему любимому зеленому садику. Там они и нашли Флору: она сидела на траве в позе лотоса, одетая в белые шаровары и белую тунику, выпрямив спину и перебирая четки. Глаза ее были закрыты, на лице застыла блаженная полуулыбка.

Наконец Флора открыла глаза и Изабель представила ей Медину.

На вопросы Флоры он ответил предельно откровенно, представив на ее суд свою краткую биографию. Ее больше заинтересовала его деятельность мецената, нежели успехи в сфере бизнеса.

Она прикрыла рукой глаза, заслоняясь от яркого солнечного света, и внимательно посмотрела на Филиппа. Его лицо ей понравилось: широкий лоб напоминает Мартина, задумчивый взгляд, который заметно теплеет, когда он смотрит на Изабель, и остается непроницаемым во всех иных случаях. Строгое, волевое лицо — такое может быть только у человека уверенного, хладнокровного. Но резкие морщинки на переносице говорят о другом.

— А вы не практикуете медитацию? Может, вы один из тех американских недоучек, что презирают восточные учения?

— Тетя Флора!

— Ничего-ничего. — Филипп мягко коснулся руки Изабель. Флоре нравилось, как он держит себя с ее племянницей. — Я вовсе не презираю йогу и медитацию, но отношусь к ним довольно скептически.

— Йога и медитация восстанавливают внутреннее равновесие. — В глазах Филиппа отразилось недоумение. Он не мог понять, в чем секрет ее безмятежного спокойствия. — Йога соединяет воедино разум, тело и душу. Она помогает исцелить даже самые глубокие раны.

— Довольно об этом! — воскликнула Изабель. — Я собираюсь показать Филиппу Кастель, а потом мы будем обедать.

«Эль кастель де лес брюшотс», его история, великолепная архитектура, сады и богатое убранство комнат очаровали Филиппа, привыкшего к изяществу и роскоши. После просмотра полотен Гойи, Миро, Сурбарана и других, картины Флоры удивили его — должно быть, потому, что резко отличались от всего остального в ее особняке.

Праздничные, красочные, эти работы носили глубоко личный характер. Будучи немного знакомым с историей рода Пуйоль, Филипп сразу же узнал Вину и Рамону, Мартина и даже маленькую Изабель.

Картины Флоры запечатлели время ее молодости, но кое-где чувствовался и социальный подтекст. Филипп понял, в чем состоит парадокс Флоры: в светских кругах она была и своей, и чужой. Не только богатая владелица замка, знакомая со многими интересными и знаменитыми людьми, но и художница, и убежденная феминистка.

— Она повлияла на ваш художественный стиль? Кроме смелых цветовых сочетаний, других совпадений не вижу, — после долгого молчания проговорил Филипп.

— Идемте, — промолвила Изабель. — Покажу вам другой источник влияния.

В парадных комнатах Кастель висели четыре работы Альтеи. Еще несколько картин украшали коридор, ведущий в южное крыло замка. Остальные висели в бывшей комнате супругов де Луна. Филипп заметил, что Изабель не сразу решилась зайти туда. Он взял ее за руку. Несмотря на то что его родители живы, ему порой тоже казалось, что он потерял их в раннем детстве.

После картин Флоры работы Альтеи шокировали Филиппа. Там, где Флора проявляла деликатность, Альтея была предельно откровенна. Образность Флоры Альтея сменила на абстракцию. И все же одного взгляда на полотна этих женщин было достаточно, чтобы понять: на зарождение таланта Изабель, несомненно, повлияли и Флора с ее любовью к радужным краскам, и Альтея, в совершенстве владевшая линией.

— Она была очень одаренная женщина, — тихо произнес он, разглядывая фотографию Мартина и Альтеи на туалетном столике. — И очень красивая.

Не отводя взгляда от фотографии, он обнял Изабель.

— Ты унаследовала самое лучшее от каждого из них, — произнес он. — У тебя красивые родители.

— Ваш отец тоже хорош собой, — раздался голос Флоры.

Филипп убрал руку с Изабель и поставил фотографию на место. Они оба обернулись и увидели на пороге улыбающуюся Флору.

— Ты знаешь отца Филиппа? — удивилась Изабель. Медина тоже был удивлен и встревожен.

— Я знаю Нельсона не один год. С вашей матушкой я не встречалась, но имела сомнительное удовольствие быть знакомой с другими миссис Мединами. — Она переводила лукавый взгляд с Филиппа на Изабель, смотревших на нее с искренним недоумением. — Твой отец тоже хорошо его знал, — кивнула она племяннице.

— Папа?

— Во время экономического спада Мартину понадобилась значительная сумма денег, и он продал кое-что из своей коллекции. Нельсон купил у него две «испано-сюизы» Ротшильда.

— О, это были просто красавицы! — воскликнул Филипп, вспомнив тогдашнее приобретение отца. — К сожалению, его вторая жена потребовала двухместный автомобиль «Ивонна Ротшильд» в качестве компенсации после развода. Вторая «испано-сюиза», «Энтони Ротшильд Джей-12», находится в огромном ангаре вместе с остальными экспонатами отцовской коллекции.

— Я бы показала вам папин гараж, но сейчас он пуст, — проговорила Изабель.

— После ленча, — отрезала Флора, беря Филиппа под руку и отсылая Изабель предупредить кухарку. Поднимаясь по ступеням лестницы, старуха внезапно остановилась. — Вы приятный человек, Филипп Медина. И вы мне понравились.

— Благодарю. Ваше мнение очень много для меня значит.

— А Изабель значит для меня еще больше.

Филипп кивнул, не найдя что ответить. Флора наверняка считает, что они с Изабель — родственные души, которые в прошлой жизни были вместе. Хотя Филипп и не верил во всю эту оккультную чепуху, но, как ни странно, чувствовал нечто похожее.

— Не торопите события, — промолвила Флора, как будто угадав его тайные мысли. — Ей тоже требуется время.

Настало время прощаться. Расставание в равной степени расстроило и Флору, и гостей. Филипп пообещал навестить старушку, как только ему снова доведется побывать в Барселоне. В течение всего перелета в Пальму и по дороге к Форментору Филипп только и говорил, что о Флоре и Кастель. Впрочем, как только они прибыли на виллу, настал черед Изабель удивляться.

Дом Филиппа подавлял своим великолепием: сторожевая башня, необычные комнаты, обстановка, предметы искусства, картины, стены из стекла, позволявшие любоваться восхитительной панорамой. Филипп отодвинул одну из стеклянных дверей, и Изабель выбежала на террасу, выходившую на залив, чтобы полюбоваться открывавшимся оттуда видом. Однако, очутившись на террасе, она застыла как вкопанная.

Со всех сторон ее окружала синева — бирюзовые воды залива, ярко-голубое небо. У нее закружилась голова. Синий цвет пугал ее. Прислонившись к стене, она испуганно зажмурилась. Но страшные видения так и не возникли, и тогда она осторожно приоткрыла глаза. Вокруг ни жутких бесов, ни искаженных ненавистью лиц. Только яркое мерцание живительного синего цвета. Теперь он не угрожал, а, наоборот, радовал глаз. Изабель решила запечатлеть эти новые для нее ощущения.

Поначалу Филипп ничего не заметил. Он шел впереди, повествуя о строительстве виллы и вдруг почувствовал за спиной пустоту. Он обернулся и увидел, что Изабель потянулась к холщовой сумке на плече, вытащила оттуда блокнот и коробочку с пастелью и принялась переносить на бумагу окружающий пейзаж.

Глядя, как она откликается на картины природы и превращает реальность в художественные образы, Филипп в который уже раз восхитился ее стремлением к самовыражению. Что его удивляло, так это ее способность изолировать себя, не отгораживаясь от окружающего, ее самокритичность и предельная искренность. Он по-хорошему завидовал Изабель.

Передохнув с дороги и переодевшись, они спустя какое-то время встретились в гостиной. На Изабель был ярко-красный брючный костюм. Распущенные волосы, алые губы, на запястьях — серебряные браслеты, в ушах — серебряные кольца. Все в ней так естественно и просто, кроме чувства, которое она пробуждает.

— Еще ни разу не видел вас в цвете, — пошутил Филипп. — И белое, и черное вам к лицу, но в красном вы просто неотразимы. — Он коснулся губами ее щеки, вдохнув с наслаждением слабый аромат пачулей.

За обедом Изабель попросила его рассказать о «Сиско комьюникейшнз». Пока он описывал обширную сеть газет и телеканалов, она мысленно возобновила нескончаемый диалог с самой собой. Тщетно пытаясь заглушить внутренний голос, постоянно сравнивающий Филиппа и Джулиана, она хотела бы сейчас избавиться от мыслей о Рихтере.

Возможно, она вспомнила о нем потому, что Филипп был одет в черное, но выглядел совсем неофициально. В нем не было никакой театральности, он вовсе не стремился выгодно себя подать. А вот Джулиан, напротив, все время играл, даже когда они оставались одни. Его роли — начальник, советчик и, конечно, «отец». Филипп тоже выказывал уверенность, решительность, умел вести дела, но не ждал от нее одобрения, согласия или восторженных отзывов.

После обеда они расположились на террасе. Им подали каталонское десертное вино. Это была божественная ночь! Из скрытых динамиков, обволакивая террасу и устремляясь к заливу, тихо льется нежная музыка. Едва стало прохладнее, как Филипп накинул свой пиджак на плечи Изабель. Она оперлась о перила балкона и подставила лицо свежему ветру. Филипп затаил дыхание.

— Не знаю, что и делать, — наконец промолвил он с обескураживающей прямотой. — Я не привык ощущать себя безоружным.

— Тебе со мной неуютно?

Он рассмеялся и, словно сдаваясь, поднял руки.

— Совсем наоборот. С тобой мне хорошо, спокойно, интересно, тревожно и...

Изабель обхватила ладонями его лицо и поцеловала в губы. Он тотчас обнял ее, с силой прижал к себе. Поцелуй становился все жарче, объятия — крепче, но внезапно Изабель отстранилась.

— Ты тоже меня смущаешь, — еле слышно выдохнула она. — Поэтому я иду спать. Прямо сейчас. Одна.

Филипп проснулся среди ночи и вышел из комнаты. Его внимание привлек слабый свет с террасы. Там перед деревянным мольбертом стояла Изабель в легком халате, в одной руке она держала палитру с красками, а в другой — широкую кисть. Она работала с увлечением, как одержимая, накладывая на холст все новые и новые мазки. Даже

251

издалека было видно, как на полотне постепенно возника-
ет ночной пейзаж: серебристая луна, темно-синее небо с
бледно-серыми облаками. Он, словно зачарованный, наблюдал за ее работой.

Внезапно она бросила кисть, устало собрала краски,
уложила их вместе с палитрой в коробку и, сладко потянувшись, подошла к балкону. Подняв лицо к небу, она
взглянула на луну. Может, ждала нового всплеска вдохновения или надеялась получить чье-то одобрение?

— Почему ты рисуешь в темноте? — спросил Филипп,
встав рядом.

— Отец всегда повторял, что луна нам покровительству-
ет. Ведь мы — де Луна, она нам как родственница. Когда
я была маленькой, то в такие ночи, как сегодня, он часто
брал меня с собой в башню Кастель. Из окна башни я
смотрела на темное небо и голубую луну, а отец говорил,
что луна побледнела, потому что тоскует обо мне. А сегодня я тоскую по нему.

Филипп протянул ей руку, и они молча обнялись. Так
они стояли долгое время, вслушиваясь в шорохи ночи, затем направились в его комнату. Он закрыл стеклянные двери, но луна все равно проникла вслед за ними в спальню.
В ее голубом свете Филипп неспешно развязал пояс халата
Изабель. Она осталась в легкой шелковой комбинации с
глубоким вырезом. Он заскользил взглядом по ее совершенным формам. Ему нравилось это визуальное путешествие, и она позволила ему вдоволь насладиться зрелищем.
Как художник, она лучше чем кто-либо другой понимала,
какое сильное эротическое удовольствие можно получить
одними лишь глазами. Зрение тоже обладает властью над
нашими чувствами.

Как и прикосновение. Изабель еле заметным движением плеча сбросила халат на пол. Филипп воспринял это
как приглашение. Скользнув руками по спине Изабель,
он привлек ее к себе. Она вздрогнула, но он тут же впился
ртом в ее губы, и ее тело постепенно затопила жаркая вол-

на. Вот она уже обвила его руками за шею, а он все еще пробовал ее на вкус, скользя ладонями по шелковистой ткани и лаская ее грудь.

Соблазнительный шелест шелка действовал на нее как наркотик. Она совершенно потеряла голову от его прикосновений и торопливо распахнула ему халат. Ей почудилось, что он застонал, когда она коснулась его груди, но в ушах ее гулко отдавались удары собственного сердца, а в висках пульсировала кровь. Никогда еще ей не приходилось испытывать такого дикого желания.

Филипп стащил с нее комбинацию, сбросил свой халат, и они повалились на постель, лаская друг друга с какой-то безумной страстью. Не в силах утолить жажду обладания ею, он ласкал ее руками и губами, с трепетной нежностью прикасаясь к ее плоти, вдыхая ее аромат. Все вокруг плыло как в тумане, и тем не менее он понимал, что возбуждает его вовсе не запах, а ее аура, ее суть и сознание судьбоносной неотвратимости происходящего.

Ее руки подвели его к страждущему лону, но он почему-то все дразнил и дразнил ее, доводя до безумия. Наконец, будучи уже не в силах выносить эту сладостную муку, Филипп овладел ею, и она с готовностью прильнула к нему. И все, что произошло до сих пор — день, проведенный в Барселоне, вечер, знакомые и даже возлюбленные, — оказалось всего лишь прелюдией к этому мощному взрыву страсти.

Потом, когда они лежали в объятиях друг друга, утомленные и умиротворенные, испытывая восхитительные мгновения, следующие за физическим и духовным слиянием, потоки их жизней изменили свое направление. Теперь уже не важно, готов ли к этому Филипп, готова ли Изабель. Не важно, поспешили они или нет, наговорили друг другу лишнего или же, наоборот, чего-то не досказали. Изменить ничего невозможно.

В голубоватом свете луны на Мальорке родилось не поддающееся никакой логике нечто.

* * *

Открыв глаза, Филипп ощутил рядом с собой пустоту. Рука его нащупала простыни, на которых лежала Изабель. Они были еще теплыми. Зажмурившись, он встал, натянул плавки и халат, умылся и отправился искать Изабель. В домике для гостей дверь была не заперта. Войдя в комнату, он окликнул ее. Никто ему не ответил. Он заглянул в платяной шкаф и вздохнул с облегчением. Одежда на месте — значит, она не уехала.

Глубокие, сильные чувства, захватившие Филиппа прошлой ночью, стали для него тревожным сигналом. Он вовсе не верил в интимные отношения: в его жизни было не так уж много удачных примеров, поэтому он и сам не стремился к подобному.

В общем, от отца он усвоил: лучше иметь вещи, которые тебе принадлежат, чем самому стать чьей-то вещью.

Облачившись в защитный панцирь привычных уже умозаключений, Филипп продолжил поиски Изабель в доме и на террасе. Но стоило ему заметить ее на пляже, как все его бастионы вмиг рассыпались. Узкие полоски бикини, волосы забраны в пучок, на голове повязка из перекрученного жгутом платка. Боже, она занимается йогой! Он смотрел, как Изабель меняет позы, с изяществом танцовщицы превращая упражнения в своеобразные композиции отточенных движений, ловкости и грации.

Прошлой ночью он был поражен тем, как много у них общего: любовь к искусству, одинокое детство, независимость, темперамент.

А сегодня утром обратил внимание на то, что их отличает друг от друга. Если ее можно назвать поэмой, то уж он, без сомнения, проза. Он классифицирует и объясняет, рассуждает и холодно оценивает. Руководит огромным конгломератом средств массовой информации и испытывает трудности в выражении собственных эмоций. Он попросту спрятался за энергией и здравомыслием, не давая волю чувствам.

254

— Я по тебе соскучился, — сказал Филипп и нежно поцеловал ее в затылок.

Потянувшись за спину, она дернула завязки купальника, затем распустила волосы и развязала узелки бикини на бедрах.

Пока они занимались любовью на пляже в первых лучах восходящего солнца, Изабель захватил целый сонм ощущений. Каждой клеточкой своего тела она жадно принимала Филиппа и готова была еще больше отдавать в ответ. Ее влекло к Медине с самой первой встречи, и подсознательно она не раз воображала себе близость с ним.

Лежа рядом с ним на песке, она потом пришла к выводу, что их связывает не только секс. Ей нравится говорить с ним, смеяться, молчать. Но вот вопрос — любит ли она его? И знает ли она, что такое любовь?

Большую часть дня они провели на пляже. Позавтракав, расположились в шезлонгах под огромными зонтиками. Изабель взяла с собой блокнот и принялась рисовать Филиппа. Это занятие настолько ее поглотило, что она не сразу заметила его беспокойство.

— Не любишь, когда разглядывают твое тело? — удивилась она. — Осмелюсь заметить, на меня оно произвело самое благоприятное впечатление.

— Как ты относилась к отцу? — внезапно спросил он.

— Я его любила, — коротко ответила она.

— Даже после того как его обвинили в убийстве твоей матери?

— Да, — твердо произнесла она.

— Видишь? — Он указал на свою левую ногу.

Она кивнула, догадываясь, о чем пойдет речь. Его икроножная мышца была сильной, а мышцы бедра — гораздо слабее и тоньше. То же самое и с левой рукой: предплечье такое же мощное и упругое, как и мышцы правой руки, а левый бицепс слабый.

— Отец не простил мне несовершенства. В его глазах это выглядело как уродство.

— У нас обоих было тяжелое детство, Филипп, — отозвалась Изабель. — Это тяжелый груз, но в наших силах его облегчить.

— Тебе это удалось?

— Почти, — кивнула она. — Правда, мне еще многое предстоит сделать, чтобы избавиться от него окончательно.

— Что же тебе мешает? — спросил он, пытаясь разгадать ее тайну.

Изабель ответила не сразу. Филипп напрягся: может, она решает, стоит ли ему доверять? Вроде бы она с ним откровенна, но вот что касается семьи, тут она многое скрывает.

— Хочу восстановить доброе имя семьи, — отозвалась она наконец.

— И потому собираешься выкупать «Дрэгон текстайлз»? Изабель с явным сожалением пожала плечами.

— Я бы с радостью выкупила предприятие, но вряд ли мне удастся. Компания не продается, а если бы и продавалась, у меня все равно нет денег.

Филипп понял, что предлагать свою помощь не стоит. Он вернулся к тому, с чего они начали.

— Ты думаешь, что спустя столько лет люди все еще обсуждают вашу семью?

— Наверное, нет, но доказать невиновность отца для меня очень важно.

— А у тебя нет никаких догадок насчет того, кто мог это сделать?

— Есть кое-какие подозрения, но нет доказательств. Мне же было всего семь лет. Я ничего не помню из событий той ночи.

Она вдруг задрожала всем телом, и Филипп крепко ее обнял. Он ей сочувствовал: его ведь тоже преследовали загадки прошлого. Почему мать отказалась от него? Может, в этом виноват он сам? Или кто-то ее заставил? Как и Изабель, он постоянно ощущал, что ответ от него ускользает. Впрочем, если бы он захотел, то мог бы встретиться с матерью и потребовать объяснений. А Изабель уже некого расспрашивать. Ее тайна либо так и останется неразгаданной, либо будет разгадана самой Изабель.

На следующее утро Филипп преподал Изабель первый урок игры в гольф. Затем они поехали в Пальму и позавтракали в маленьком бистро в квартале Портела. Неторопливо потягивая вино, Изабель вдруг заметила, что в скверике толпятся какие-то люди. Несколько минут она внимательно наблюдала за ними, потом улыбнулась, и в глазах ее блеснул задорный огонек.

— Сейчас будут танцевать сардану! — Схватив Филиппа за руку, она повлекла его за собой.

Вот все взялись за руки и встали в круг. Филипп кое-что слышал о сардане, но танцевать ни разу не приходилось. Знал только, что это национальный танец Каталонии, гордость каталонцев.

Как из-под земли возник маленький инструментальный оркестрик — два гобоя (тенор и сопрано), барабан и флейта, — и танцующие медленно и грациозно сделали первый шаг. Рядом собралась толпа зевак и туристов. К танцорам присоединились какие-то желающие, и Филиппа и Изабель разъединили.

Темп музыки все ускорялся, и один из танцующих, вероятно, ведущий, что-то громко крикнул, призывая всех двигать руками вверх и вниз. Изабель подняла руки, затем опустила, поклонившись, потом снова подняла, гордо вскинув голову. Филипп наблюдал, как ловко она выстукивает ритм, как владеет своим гибким телом, каким вдохновением горят ее глаза. Сам он не знал ни единого па и то и дело спотыкался, но это его ничуть не смущало.

На обратном пути в Форментор и весь остаток дня танец Филиппа и гольф Изабель были предметом их взаимных шуток и подтруниваний. Оба решили чаще упражняться и достигнуть приемлемого уровня. К счастью, в постели тренировки не требовались.

На следующий день позвонил Джулиан и потребовал, чтобы Изабель немедленно возвратилась в Штаты.

— Ты говорила, что тебе представилась редкостная возможность. Я сначала воспротивился, но теперь понял, что ошибался. Твоя слава перекинулась через океан. Меня буквально осаждают просьбами как можно скорее устроить очередное шоу Изабель де Луна. Это очередной шанс, Изабель. Думаю, тебе не следует его упускать.

— Мне надо ехать, — сказала она сидевшему рядом Филиппу.

— Ты едешь, чтобы рисовать или потому, что хочешь вернуться к Джулиану?

— Мой отъезд не имеет к Рихтеру никакого отношения. — Она помолчала и добавила: — И к тебе тоже. Не знаю, способен ли ты понять меня, Филипп, но смысл моей жизни — искусство. Я принадлежу в первую очередь живописи.

— Именно это мне и нравится в тебе больше всего, — отозвался он. — Я никогда не стану тебя просить изменить своему призванию. А вот Джулиан ведет себя так, словно ты его собственность.

— Вовсе нет. Он просто меня представляет.

Филипп смягчил тон:

— Ты имеешь пятьдесят процентов прибыли от выставок, Изабель. Ты деловой партнер Джулиана, а не подчиненная. А это значит, что он обязан консультироваться с тобой по таким вопросам, как дата открытия выставки.

— Джулиан забирает шестьдесят процентов прибыли от продажи моих картин.

— Это несправедливо! — воскликнул Филипп, гневно сверкнув глазами.

Изабель не хотелось больше говорить на эту тему. Разве дело в прибыли? Их отношения с Джулианом куда сложнее. Филипп и сам знает это.

— Забудь о Джулиане и его методах. В Париже я добилась успеха. Это неоспоримый факт. Передо мной открылись блестящие перспективы, Филипп. И это тоже факт. Так надо же воспользоваться открывающимися возможностями. — Она с мольбой посмотрела ему в лицо.

Этой ночью их близость была, как и накануне, окрашена страстью, но к ней примешивался легкий холодок. Изабель ощущала некую отстраненность: Филипп вел себя более сдержанно, осторожно, как будто пытался выяснить, стоит ли ей доверять. А ведь еще несколько часов назад он считал, что они без ума друг от друга!

В их отношения впервые проникло взаимное недоверие.

Глава 19

Санта-Фе

Изабель не стала заезжать в Нью-Йорк и отправилась прямо в Нью-Мексико. Первые несколько недель она буквально места себе не находила: тоскуя по Филиппу и избегая Джулиана, она даже рисовать не могла. Каждое утро они с Луисом ездили на верховые прогулки, а затем она помогала ему по дому, как в детстве. Изабель полностью истратила свои сбережения из трастового фонда и почти весь гонорар за две выставки, но теперь, сравнивая новую и старую Ла-Каса, она втайне гордилась результатом.

В архитектурном плане новая Ла-Каса повторяла старую, правда, теперь дом стал более компактным.

Ресторан в Ла-Каса во главе с шеф-поваром, создавшим блюдо под названием «новый вкус юго-запада», стал для горожан излюбленным местом отдыха. В самом укромном уголке сада располагался небольшой бассейн. В нишах стояли индейские поделки, а картины и скульптуры известных художников юго-запада украшали стены фойе, библиотеки, ресторана и бара. Луис и Миранда по праву получили для своей гостиницы четыре звездочки.

Большую часть дня Изабель проводила с Мирандой в «Очаровании». Они беседовали обо всем на свете, кроме Филиппа и Джулиана.

Тот названивал ей по три раза на день. В конце концов он собственной персоной явился в Санта-Фе. Когда Изабель проводила его в отведенную ему комнату, Джулиан намекнул, что предпочел бы поселиться вместе с ней.

— Нам ведь было так хорошо вместе, — промолвил он. Взяв ее руки в свои, он поднес их к губам и поцеловал.

В ответ Изабель через силу улыбнулась, отдернула руки и сделала шаг назад.

Ее отпор Джулиан воспринял как пощечину, но все еще не собирался сдаваться. В последней попытке восстановить гармонию он вернулся к одной из своих любимых ролей — заботливого опекуна.

— Скажи, что тебе надо, — великодушно проговорил он, — и я достану из-под земли! Все что ни пожелаешь — только одно твое слово.

Изабель видела, что он заманивает ее в ловушку. Ведь приняв его одолжение, она будет обязана ему.

— В данный момент, — заявила она, отклоняя его щедрость, — мне пора приниматься за работу. А чтобы рисовать, нужно как можно больше свободного пространства.

Он пробыл в Санта-Фе три дня. Изабель пыталась не сравнивать его с Мединой, но глядя на Джулиана и Дюранов, она невольно вспоминала Филиппа и Флору. Филипп держал себя с Флорой открыто и приветливо, с юмором воспринимая ее резкие суждения. Джулиан относился к Дюранам и их друзьям с изрядной долей снисхождения. Он не выказывал неприязни, но был просто не способен адаптироваться в новой среде. Рихтер смотрелся белой вороной на общем фоне. Когда он уехал, все вздохнули с облегчением.

После отъезда Джулиана Изабель затосковала еще больше: от Филиппа уже целый месяц не было никаких известий. Дюранам она говорила, что ее мрачное настроение — следствие стресса, но Миранду не проведешь! Как-то вечером она зашла в студию, увидела сидевшую перед чистым холстом Изабель, протянула ей чашку чая, присела в свободное кресло и без обиняков попросила:

— Расскажи мне про Филиппа Медину.

Изабель как будто только этого и ждала. Скрытая пружина распрямилась, и она принялась изливать Миранде душу, описывая чудесный уик-энд, который они провели у него на вилле. Она призналась, как ей страшно брать на себя ответственность, как ей надоел Джулиан со своими капризами, и как она боится покончить с прошлым и перейти к следующему этапу своей жизни. Миранда посоветовала Изабель вплотную заняться карьерой и одновременно проверить свои чувства к Филиппу.

Изабель лишь плечами пожала.

— При всем моем желании это мне не удастся. С тех пор как я покинула Мальорку, от него нет никаких вестей.

— Может, он считает, что у вас с Джулианом серьезные отношения, и решил дать тебе время подумать и сделать выбор?

— Какой выбор? Филипп не является моим дилером, а Джулиан — любовником. Как же между ними выбирать?

— Джулиан не станет делить тебя ни с кем.

— То же говорит и Филипп, — тихо согласилась Изабель.

— Судя по всему, он не глуп. — Миранда заметно приободрилась. — Ты его любишь?

— Не знаю, — неуверенно отозвалась Изабель. Лицо ее как по волшебству зарумянилось, доказывая обратное. Внезапно она посерьезнела. — Даже если я его и люблю, к моей карьере это не имеет никакого отношения. Джулиан сделал меня знаменитой.

— Ну и что? Ты всегда сможешь найти того, кто станет продавать твои картины. А вот сердечную привязанность отыскать гораздо сложнее.

— Рихтер — удачливый бизнесмен.

— Да, поначалу это имело решающее значение. Но теперь-то ты известная художница. — Изабель покачала головой. Миранда говорит точь-в-точь как Скай. Ей захотелось зажать руками уши.

— Ты талантлива, Изабель. Джулиан всего лишь дилер. Таких, как ты, единицы. Таких, как он, — тысячи, — не отступала Миранда.

— Я не могу его бросить! Это будет предательством! — в отчаянии воскликнула она.

— Не надо путать Джулиана с Мартином, — осторожно возразила Миранда. — Ты не бросала Мартина, он сам прислал тебя к нам. Даже если бы ты с ним осталась, то все равно ничем не смогла бы ему помочь.

— Филипп старше меня лет на десять, — произнесла Изабель спустя некоторое время. Звучало вполне обыденно, но на самом деле в этой фразе таились все ее невысказанные тревоги и сомнения: неужели она всегда будет искать замену Мартину? Зачем она так держится за Джулиана? Почему постоянно повторяет одни и те же ошибки?

— Мы говорим не о возрасте, Изабель, а о ваших отношениях. — Миранда решила избавить Изабель от сомнений, называя вещи своими именами. — Джулиан Рихтер хочет, чтобы ты от него зависела. Это не родительская любовь и даже не романтическая. Это — обладание.

Ночи Изабель посвящала размышлениям, а дни — работе. Несмотря на молчание Филиппа, после разговора с Мирандой ей стало гораздо легче, и она с головой ушла в работу. Каждая ее новая картина становилась воспоминанием о чудесных днях, проведенных на вилле, и страстным посвящением хозяину виллы. Уик-энд на Мальорке повлиял на всю ее последующую жизнь — она обрела уверенность в себе и своих силах.

Раньше Изабель почти не употребляла синий цвет, а теперь не могла использовать никакой другой. Кобальт, королевский синий, лазурь, небесно-голубой, цвет морской волны, ляпис, индиго. Синий цвет превратился в излюбленное средство выражения ее эмоций, а его оттенки расставляли окончательные акценты на полотнах. Казалось, он сочится через поры холста, заливая его мерцающим светом. Мазки, растушевка, акварельные заливки рассказывали зрителю о романе Изабель с природой Мальорки и о ее страстной влюбленности в Филиппа.

Предыдущие пейзажи Изабель были написаны как бы со стороны. Она воспринимала мир издалека, а реальность в ее картинах всегда имела словно бы размытые очертания. Знакомство с Филиппом вдохновило ее на углубленное изучение взаимодействия собственного «я» и окружающей действительности. Теперь из наблюдателя она превратилась в непосредственного участника событий, в ее полотнах воспевалась красота линий и образов, усиливая волшебство природы.

Картины получились очень выразительными, но наиболее удачной оказалась «Голубая луна» — ночной пейзаж, который она начала на террасе Филиппа. Его она решила оставить себе, чтобы потом когда-нибудь подарить Медине.

В эту серию под общим названием «Видения в голубом», по убеждению Изабель, вошли лучшие ее работы.

В сентябре Изабель вернулась в Нью-Йорк и показала картины Рихтеру. Она ожидала, что он будет в восторге, но Джулиан отказался их выставлять, обозвав коммерческой мазней и подражанием Ван Гогу. Изабель его реакция неприятно удивила. Мысленно отбросив обидные замечания Джулиана, она склонна была обвинить его в необъективности: за отказ спать с ним он теперь ей мстит.

— Если ты не выставишь мои картины, я найду того, кто это сделает вместо тебя.

— Нет, — отрезал Джулиан, и глаза его торжествующе сверкнули. — Не забывай, что у нас с тобой контракт. Я владею всем, что ты сделала и сделаешь. А значит, моя дорогая, имею право решать, что достойно выставки, а что нет.

— Не смей так обращаться со мной, Джулиан! — Сейчас она его ненавидела. — Либо выставляй «Видения в голубом», либо верни их.

— Я не стану устраивать показ и ничего тебе не верну.

— Но почему? — воскликнула Изабель возмущенно. — Если они тебе не нравятся, почему бы не отдать полотна тому, кто их оценит?

— Потому что я вложил в тебя большие средства, а эта серия может уронить тебя в глазах художественного мира, — ответил он, презрительно фыркнув. — Отвратительная мазня!

В течение нескольких недель Изабель буквально места себе не находила. Как только обида и злость на Джулиана немного утихали, ее охватывало отчаяние. Если она переставала упрекать себя в бездарности, то начинала ругать за то, что предоставила Рихтеру такую всеобъемлющую власть над собой и своими творениями. Порой она воображала себе сладкие картины мщения, а чаще всего корила себя за подписание кабального контракта с галереей Рихтера.

В довершение ко всем несчастьям в ноябре Джулиан устроил ее выставку, где представил разрозненные работы из разных серий, производившие впечатление полного хаоса и не несущие в себе никакой идеи. Этой выставкой он хотел унизить непокорную. И добился своей цели.

Скай старалась ее утешить:

— Он не сможет уничтожить тебя. Ты слишком талантлива.

— Почитай отзывы о выставке. — Изабель бросила ей пачку газет. — «Нью-Йорк таймс» полагает, что у меня головокружение от успехов. «Вашингтон пост» сравнивает меня со звездой, ярко вспыхнувшей на небосклоне, чтобы тут же угаснуть.

Скай успокаивала подругу как могла.

— По-моему, большинство догадывается, что эта выставка не более чем хорошо организованный спектакль! Забудь об этом, Изабель. Это всего лишь царапина на стекле, а не трещина.

Но подруга по-прежнему терзалась сомнениями.

Как-то вечером, три недели спустя, в дверь мастерской Изабель позвонили. Она открыла и увидела на пороге Филиппа Медину в кашемировом пальто, твидовом спортивном пиджаке, широких брюках с защипами на поясе и шелковой рубашке. Она же предстала перед ним растрепанная, взъерошенная — волосы стянуты в пучок на затылке, лицо и руки в краске.

— Я не опоздал к обеду? — спросил он, словно они виделись не далее как сегодня утром.

— Опоздал. На полгода.

Он склонил голову набок и приложил палец к губам.

— Должно быть, обед успел остыть.

— Вот именно.

Он отступил в сторону, потянув за собой Изабель, прищелкнул пальцами, и в тот же момент в комнату один за другим прошествовали три официанта. Поставив посредине столик и стулья, они расстелили скатерть, разложили серебряные приборы, салфетки и водрузили на стол вазу с цветами; затем выложили на кухонную стойку аппетитные кушанья; поместили калифорнийское белое вино в серебряное ведерко со льдом; поставили пластинку с музыкой Баха и удалились.

Филипп подошел к стойке и приподнял крышку кастрюльки.

— Видишь? Горячее, с пылу с жару.

— Прямо как я. — Она старательно насупилась, изображая крайнюю степень раздражения. — Я страшно зла на тебя, Филипп. Я требую объяснений.

— Обед остынет.

— Сейчас же!

Несмотря на ее отказ, он все же налил вина, протянул ей бокал, усадил ее за стол и сел сам.

— Я говорил тебе еще на Мальорке, Изабель, что ты сводишь меня с ума. Но я никак не мог смириться с тем, что стоило Джулиану только свистнуть, и ты помчалась к нему со всех ног.

— И вовсе я не помчалась! У меня перед ним определенные обязательства. Я думала, ты это понял.

— В общем, да, но в глубине души я считал твой отъезд знаком того, что ты принадлежишь отнюдь не галерее Джулиана Рихтера, а ему самому.

— Ты ошибался.

Ее откровенно враждебный тон смутил его. По правде сказать, ему ничего не известно об истинных отношениях дилера и художницы. Он принял на веру заявление Джулиана после той статьи в «Ящике Пандоры», что они любовники и собираются пожениться, но теперь вспомнил, что Изабель ни словом не подтвердила этот факт.

Отбросив неприятные мысли в сторону, Филипп взял Изабель за руку. Она ее не отняла.

— Я слышал о том, что произошло, — сказал он. Лицо ее смертельно побледнело. — Я и сам там побывал.

Глаза Изабель заблестели, но она сдержала слезы.

— Мне следовало быть рядом с тобой.

— Так почему же тебя не было?

Он растерянно развел руками и вздохнул.

— Если бы я знал, что Джулиан так жестоко отомстит тебе, я бы ни за что не оставил тебя с ним один на один.

— И что бы это изменило? Картины ему не понравились, и он отказался их выставлять.

— Возможно, мне удалось бы заставить его пересмотреть свое решение.

— Рихтер никогда своих решений не меняет.

— Не всегда.

Филипп произнес это так уверенно, что Изабель оторопела. Она попросила его объясниться, но он ловко ушел от разговора.

— Хватит о Джулиане. — Медина легонько стукнул ладонью по столу. — Поговорим лучше о нас. Я признаю, что вел себя как последний мерзавец. И прошу у тебя прощения. Могу ли я надеяться, что ты снимешь бремя с моей души?

Изабель пожала плечами. Тогда он озадаченно потер подбородок. Внезапно его лицо озарилось улыбкой. Пошевелив бровями, он бросил на нее лукавый взгляд:

— Я знаю, что поможет мне заслужить прощение ее высочества!

Изабель подавила улыбку и с королевским величием протянула ему пустую тарелку:

— Обслужи-ка свою госпожу, пока обед снова не остыл.

Изабель и Филипп решили не афишировать свои отношения — по тактическим соображениям. Вместо того чтобы обедать в «Ла кот баск», где им перемыли бы все косточки, они посещали ресторанчики в деловом центре города. Иногда Изабель случайно сталкивалась там со знакомыми художниками, но все, как правило, ограничивалось кратким «привет».

Скай обрадовалась, узнав о романе Изабель и Филиппа. После совместного похода в итальянский ресторан и обилия великолепных красных вин Скай и Сэм в один голос заявили, что Филипп — парень что надо. Скай организовала еще пару походов в рестораны, визит в Музей современного искусства и вечеринку в своей квартире.

Накануне Рождества Филипп пригласил Изабель посетить выставку в галерее Греты Рид. Он протянул ей буклет, озаглавленный «Искусство и душа: истинное лицо гения». Изабель повертела открытку в руках и отрицательно покачала головой:

— Чем-то напоминает цирковую афишу. А у меня нет настроения смотреть клоунаду.

Филипп тотчас принялся объяснять ей, что проигнорировать выставку — значит признать свое поражение и безоговорочную победу Джулиана.

Она смущенно тряхнула головой.

— Ты прав. Я не привыкла уклоняться от битвы, но он почти сломил меня. Эта проклятая выставка не идет у меня из головы.

— Как бы тяжело де Луна ни переживала свою неудачу, — Филипп ободряюще обнял ее, и она доверчиво прильнула к нему, — она не из тех, кто так просто сдается. Я знаю точно, потому что видел неукротимую Флору Пуйоль!

Изабель высвободилась из его объятий и принялась расхаживать по комнате. Она мысленно взвешивала все «за» и «против», бросая на одну чашу весов свое уязвленное самолюбие и триумф Джулиана, а на другую — возможность продолжить карьеру и обеспечить успех. Вспомнив, как высокомерно-пренебрежительно вел себя Джулиан, с каким тайным торжеством он критиковал ее работы, она ощутила, что со дна ее души поднимается глухой протест. Она не нуждается в чужих похвалах. Она сама знает, что талантлива. Да, к тому же ее не так-то легко сломить.

— Решено! — воскликнула Изабель, и они выпили за ее первый шаг к возрождению.

Филипп улыбнулся. Изабель наконец-то доверилась ему. Значит, у них есть будущее.

Галерея Греты Рид на Спринг-стрит в Сохо в буквальном смысле слова осаждалась прессой, коллекционерами, художниками и всеми, кто имел хоть какое-то отношение к миру искусства.

Выйдя из такси под руку с Филиппом, Изабель сразу же заметила Джулиана — он стоял у окна галереи, позируя фотографам и беседуя с корреспондентом «Арт-ньюс». Хорошо, что он повернулся спиной к окну. Она встретится с ним, обязательно встретится, но чем позже, тем лучше.

Филипп взял ее за руку и стал пробираться сквозь толпу. Небольшой коридор вел в главные залы галереи. В углу Изабель увидела кучку репортеров; они словно пчелы роились вокруг Коуди Джексона. Он давал интервью художественному критику «Нью-Йорк таймс».

— Что он здесь делает? — удивилась Изабель. — И почему его интервьюирует «Таймс»?

— А кто он?

— Один мой знакомый художник. Я встретилась с ним в Париже. Он жаловался на зрительское непонимание и злую судьбу.

Присутствие этого человека взволновало Изабель и встревожило Филиппа. Зачем «Таймс» понадобилось выслушивать откровения какого-то неудачника? Что-то подсказывало Филиппу, что надо бы увести Изабель, но было уже поздно. Их вынесло вперед, в огромный главный зал галереи.

Поначалу Изабель не сообразила, что именно предстало ее глазам. На стенах огромного зала висело шесть полотен с обнаженной натурой, причем картины показались ей странно знакомыми. На узком стенде в центре зала висела ее «Голубая луна», сверкая и переливаясь в свете ламп. Картина смотрелась великолепно, и Изабель, забыв обо всем, с гордостью любовалась своим творением. Поглощенная созерцанием, она не сразу заметила, что толпа расступилась, Филиппа оттеснили, и навстречу ей легким шагом вышла светская репортерша Нина Дэвис со своей командой.

Не успела Изабель и глазом моргнуть, как на нее наставили камеру, сунули ей под нос микрофон и ослепили вспышками. Она беспомощно оглянулась вокруг и поняла, что попала в ловушку.

— Леди и джентльмены, — громко произнесла Нина в камеру, — позвольте представить вам Изабель де Луна — художницу и натурщицу. — Повернувшись к Изабель, она уставилась на нее хищным взглядом. — Как чувствует себя

269

художница, выставленная на всеобщее обозрение? — спросила она, злорадно наблюдая, как Изабель съежилась под слепящим светом прожекторов.

Интервьюируемая молчала, и Нина направила камеру на полотна с обнаженными моделями, а затем продолжала:

— Коуди Джексон рассказал нам, что когда вы с ним учились в Лиге студентов-художников, вы стеснялись посещать занятия по рисованию обнаженной натуры. Наверное, это зависит от того, с какой стороны мольберта смотреть. — Она рассмеялась. Кое-кто из присутствующих последовал ее примеру.

Скрестив руки на груди, Джулиан Рихтер с бесстрастным выражением лица следил из-за ближайшего угла за тем, как публика сжирает Изабель де Луна. И только при ближайшем рассмотрении становился заметным злорадный огонек в его глазах, что не ускользнуло от внимания Филиппа.

— Как ты мог? — гневно прошипел он, заслоняя Рихтеру обзор. — Это подло, Джулиан.

— Не понимаю, о чем ты. — Он сделал шаг в сторону, но Филипп не собирался отступать. — Галерея не моя. Коуди Джексон не принадлежит к числу моих художников.

— Мы с тобой заключили соглашение, — продолжил Филипп. — Ты его нарушил, но по-прежнему заставляешь Изабель выполнять какой-то идиотский контракт, который она подписала по неведению.

— Вся разница в том, мой друг, что наш с ней контракт заключен на законных основаниях. А джентльменское соглашение действительно только между джентльменами. Я не джентльмен, да и ты тоже. — С этими словами Рихтер скрылся в толпе.

Коуди Джексон испытывал смешанные чувства по поводу выставки. Он неожиданно оказался на гребне славы. У него брали интервью, его фотографировали. Его картины висят в одной из самых престижных галерей Нью-Йорка. Его имя завтра будет красоваться в заголовках утренних газет. Рядом с именем Изабель. И это обратная сторона медали. Ее имя смешают с грязью, опорочат, раздуют скандал, и все из-за его наивности.

Но Коуди и не подозревал, что все так закончится. Нина сказала ему, что он, по ее мнению, потрясающе талантливый художник и его картины должны стать достоянием публики. После сладостных утех, которым они предавались на его чердаке, она, изобразив искреннее сочувствие, пообещала ему помочь и сделать так, чтобы он вернулся в Штаты героем. Она также предложила ему представить на свою первую выставку все картины из серии «Стыдливая искусительница». Заверив его, что у нее большие связи в мире искусства и среди владельцев галерей, Нина нарисовала ему блестящие перспективы — восторженные отзывы критики и передачи по национальному телевидению. И ни словом не обмолвилась об Изабель.

Накануне выставки он зашел в галерею, сразу все понял и потребовал у Нины объяснений. Но теперь она совсем не походила на ту женщину, что нежилась в его постели.

— Мне что, сказать Грете, чтобы она отменила шоу? — взорвалась Нина. — Этого ты добиваешься? Хочешь опять вернуться в свой свинарник на чердаке и превратиться в ничтожество? Или все-таки попытаешься стать знаменитостью? Тебе решать.

Коуди никогда не отличался благородством, равно как и альтруизмом и самопожертвованием. Он ведь обычный деревенский парень, который всю жизнь жаждал признания своего художественного таланта. Нина даровала ему это признание. И он не отказался.

— По оценкам критики ваше последнее шоу в галерее Рихтера — откровенный провал, — продолжила Нина, нахмурив лоб и напуская на себя огорченный вид. — У вас есть какие-либо комментарии по этому поводу?

Не в силах больше сносить оскорбления и глядя прямо в лицо Джулиану, Изабель веско произнесла:

— Экспозиция была выполнена очень примитивно. Ее устроили без моего ведома и согласия. — И добавила, обращаясь к Нине: — Откровенно говоря, меня удивляет, что Грета Рид позволила обвести себя вокруг пальца.

Грета, находясь неподалеку от места действия, все слышала. Слова Изабель больно резанули ее самолюбие. Ну почему она не послушалась своей интуиции и не вышвырнула эту Нину Дэвис пинком под зад?!

Когда Нина принесла ей слайды ню Джексона, Грету они не особенно впечатлили. Она уже собиралась отказаться от серии, как ей внезапно представилась возможность приобрести картины Изабель под общим названием «Видения в голубом». Именно тогда Грете и пришла идея устроить двойное шоу. До той самой минуты, пока Изабель не обвинила ее в том, что она позволила себя обмануть, Грета была уверена, что оригинальная идея выставки принадлежит ей одной. Теперь она в этом усомнилась.

Изабель решила, что с нее хватит. Она прервала интервью очень просто — повернулась и пошла прочь. Нина осталась невозмутимо стоять посреди зала, окруженная зрителями, жаждавшими эффектного заключения. Она протянула руку, привлекая внимание аудитории к картинам. Камера неторопливо прошла вдоль стен, увешанных портретами обнаженных, и наконец остановилась на «Голубой луне».

— Эта выставка — прекрасная характеристика выдающейся художницы Изабель де Луна. Восходящая звезда на небосклоне живописи долгое время оставалась загадкой. Но сегодня ее собственные картины и картины Коуди Джексона срывают последние покровы с ее тела и души.

Она настоящий парадокс, эта Изабель де Луна. Женщина, которая терпеть не могла занятия по обнаженной натуре и охотно позировала обнаженной перед своим возлюбленным. Женщина, которая вместо благодарности обвиняет того, кто сделал ей имя, в продажности. Женщина, которая во всеуслышание заявляет о своей независимости, а сама тем временем во всем потакает человеку, который ее купил. — Она мысленно досчитала до десяти, ожидая, когда утихнет шум в зале. — Смотрите наши интервью с тремя наиболее влиятельными людьми в жизни Изабель де Луна.

Нина махнула оператору, чтобы тот выключил камеру и протянула микрофон ассистенту. Она так и сияла от удовольствия. Но тут Изабель схватила ее за руку, и Нина отпрянула, как ужаленная.

— Что ты имела в виду, сообщая о человеке, который меня купил?

Нина весь вечер ждала этого вопроса.

— Свою крошечную стипендию ты получала не от Джулиана Рихтера, а от Филиппа Медины. Не знаю, любит ли он тебя, дорогая, но владеет тобой — это уж точно.

Изабель, раскрыв рот от удивления, машинально выпустила Нинину руку.

— Филипп сам мне сказал. — На самом деле ей сказал об этом Джулиан. — Мы с ним давно знакомы. — Лицо Изабель вмиг стало пепельно-серым. — Ах, дорогуша, ты и этого, очевидно, не знала. — Она сочувственно прищелкнула языком. — Мы познакомились с ним несколько лет назад. Филипп помог мне сделать карьеру. — Она улыбнулась, как будто припоминая некий приятный момент. — Мы работали вместе, обедали, ходили на премьеры и... словом, много чего делали вместе, надеюсь, ты понимаешь.

— Я... я тебе не верю, — запинаясь пробормотала Изабель. В глазах ее блестели слезы.

— Веришь ты или нет, мне все равно, — заявила она вслух. — Я-то знаю, как все обстоит на самом деле.

Нина победно улыбнулась своей жертве, тряхнула волосами, распрямила плечи и нырнула в толпу, чтобы взять интервью у Греты Рид, Джулиана и других знаменитостей, которые уже обсуждали публичное унижение Изабель де Луна.

Филипп наконец-то пробрался к Изабель. Она одиноко притулилась в углу. Лицо ее покрывала смертельная бледность, губы приоткрыты в немом изумлении, глаза пустые... Как только Изабель передала ему слова Нины, он похолодел. Если бы он мог снять с себя ответственность за случившееся!

— Когда я впервые увидел твои работы, то сразу понял, что ты талантлива. Я купил твой угольный набросок — тот, что теперь висит в моей спальне. Помнишь?

Она не ответила, только посмотрела на него в упор огромными карими глазами.

— Я уже говорил тебе, что покровительствую молодым художникам. После того как я купил набросок, ко мне пришел Рихтер и предложил мне помочь раскрутить тебя. Я согласился.

— Почему ты сам не сказал мне об этом?

— На днях собирался.

Изабель кивнула, недоверчиво прищурясь.

— Ты не сказал об этом мне, зато рассказал Нине.

— Я ничего ей не говорил. Она лжет.

— Она лжет, но все, что она говорит, — правда. — Внезапно ее осенило: — Так вот почему ты собирался заставить Джулиана изменить свое мнение относительно «Видений в голубом»! Потому что он забрал у тебя твои же деньги?

Молчание Филиппа она восприняла как признание.

— А тогда, на Мальорке, ты разозлился на Джулиана, потому что он вел себя как мой хозяин, в то время как мой настоящий хозяин — ты?

— Изабель, не раздувай из мухи слона. Да, я выплачивал тебе гонорар за твои картины. Я делаю то же самое и для других художников, в талант которых верю. В этом и заключаются обязательства патрона.

— Я думала, мы с тобой любим друг друга. А теперь ты говоришь, что мы всего лишь патрон и художник.

— Все совсем не так...

— Благодарю за поддержку, — произнесла она ледяным тоном, — но я в состоянии обеспечить себя сама. Мне не нужны твои деньги. И ты сам мне тоже не нужен.

Она направилась к двери, но, увидев Грету Рид, рванулась к ней и, протиснувшись сквозь толпу посетителей, потребовала от той объяснений, как у нее оказались ню и где она приобрела «Голубую луну».

Памятуя о присутствии прессы, Грета ответила спокойно и с достоинством:

— Мне предложили сделать из этих картин интересную выставку. А что касается «Голубой луны», то я приобрела ее и еще несколько работ из серии «Видения в голубом» как уплату за долги.

Смущение Изабель мгновенно сменилось яростью.

— Вам должен Джулиан Рихтер?

Грета чуть не рассмеялась. Вряд ли кто-либо представляет себе истинную сумму его долга.

— Я партнер Джулиана по галерее Рихтера. Он развернул дело на мои деньги. Именно мои деньги выручают Рихтера, когда его авантюры с треском проваливаются.

— Он говорил, что мои последние работы ему не нравятся.

— Джулиан лжец и никудышный бизнесмен. Они чудесны, дорогая. И вы сами это знаете. К счастью для меня, вы сильно уязвили мужское самолюбие Джулиана, поэтому в уплату за долги он предложил мне несколько ваших картин.

Странно все как-то, подумала Изабель.

— Я понимаю, что долг можно выплатить картинами. Это обычная сделка. Но я не понимаю, почему вы до сих пор не расторгли соглашение с Джулианом, несмотря на его неспособность вести дела.

— Но это же проще простого, — ответила Грета, усмехаясь. — Он мой муж.

Глава 20

«Что правда, то правда, — думала Нина, — месть сладостна». В Париже, когда она попросила Изабель дать ей эксклюзивное интервью, эта доморощенная О'Кифф отмахнулась от нее, как от назойливой мухи. Теперь она наверняка поняла, как могущественна Нина, как хитра и умна, и будет относиться к ней с должным почтением.

Просматривая в офисе Греты кассету с сегодняшней записью перед одиннадцатичасовым эфиром, Нина мысленно поздравляла себя с победой. Наконец-то справедливость восторжествовала! Она, Нина, наверху. Изабель же — на самом дне.

Правда, вечер ей все-таки подпортили. Ей стала угрожать эта девица по имени Скай.

— Я знаю, кто ты и что скрываешь, — заявила она, тряхнув своей курчавой темной гривой. — Или ты вычеркнешь Изабель де Луна из своего черного списка, или я сообщу твоим коллегам кое-какие факты твоей личной биографии!

Нина презрительно усмехнулась, вздернув нос, и небрежным взмахом руки положила конец разговору, но угрозы Скай не на шутку ее встревожили — глупо было бы их игнорировать.

Вторым неприятным моментом явилась встреча с Филиппом Мединой. Он шел к выходу, а Нина направлялась в офис Греты. Они чуть не налетели друг на друга. Нина не знала, что именно успела рассказать ему Изабель, а поскольку пройти незамеченной не представлялось возможным, она изобразила на лице улыбку. Но его ледяной взгляд мгновенно ее отрезвил. Нине оставалось только гадать, что последует за ее сегодняшним репортажем.

Сидя в такси, она постаралась выбросить эти пустяки из головы и сосредоточилась на предстоящем вечере. В предвкушении собственного триумфа она организовала у себя на квартире праздничный ужин, посвященный открытию выставки. Приехав за полчаса до прихода гостей, она торопливо проверила, все ли готово к вечеринке, включая вазы с цветами и закуски. Потом дала последние указания официантам.

После этого Нина удалилась в свою комнату, чтобы переодеться, и, окинув довольным взглядом спальню, мысленно восхитилась своим вкусом. Когда здесь жила Джоди Катлер, обстановка была под стать хозяйке — мрачная и обшарпанная. Меньше чем за полгода Нине удалось превратить эту берлогу в приличное жилье. Теперь каждый скажет, что живущая здесь леди — благородного происхождения.

Вбежав в гардеробную и раздвинув двери платяного шкафа, Нина невольно улыбнулась, вспомнив тот вечер, когда Энтони предложил ей сюда переехать. Это случилось вскоре после того, как они вернулись из Парижа. (Сладострастная, но весьма продуктивная ночь, проведенная с Коуди Джексоном, возбудила ревность Энтони. Он ждал ее в отеле, но она вернулась только под утро. И Гартвик понял, что ее мазила-неудачник кое-чего да стоил.) Итак, они с Энтони были на ее старой квартире — готовились к благотворительному вечеру. Все еще мокрый и возбужденный после их совместного душа, любовник заявил, что хочет посмотреть, как Нина вытирается. Ему нравилось наблюдать, как она прикасается к плоти, которой он только что наслаждался, и растирает тело, которое он тискал, мял и брал силой. Но ее ванная комната была слишком мала для такого шоу. Разозлившись, он подошел к платяному шкафу, в котором висело несколько его костюмов. Снял с вешалки темно-синий пиджак от Армани и хотел было бросить его на постель, как вдруг ощутил слабый цветочный аромат. Ему показалось, что в комнату вошла Нина, он даже оглянулся, но рядом никого не было. Значит, этот запах распространяет смесь из сухих лепестков или ароматическая свечка. К сожалению, он снова ошибся. Тогда Энтони поднес пиджак к носу, и его опасения подтвердились: его костюм пропах викторианскими духами-саше.

— Нет, это просто невыносимо! — воскликнул он, с грохотом захлопнул двери шкафа и вихрем влетел в ванную. — Здесь и развернуться-то негде!

Нина не только согласилась с ним, но и предложила альтернативный вариант. Джоди Катлер переехала с Шестьдесят шестой улицы сразу же после скандала, и ее бывшая квартира до сих пор пустовала. Энтони такое решение проблемы виделось единственно приемлемым, а Нина к тому же считала его справедливым. И чтобы не повторять ошибок Джоди, она, прибегнув к услугам адвоката, подписала двухгодичное соглашение на субаренду.

— Если мы вдруг поссоримся в постели, — заявила она Энтони, — я не хочу наутро просыпаться на улице.

Теперь у нее была мраморная ванная, и божественная гардеробная с зеркальными шкафами, и трюмо с канделябрами. На встроенных в стену полочках выстроилась коллекция дорогих духов, серебряных коробочек и вееров, на комоде — орхидея в серебристо-зеленом горшочке.

Обычно процесс переодевания занимал у Нины довольно много времени. Ей нравилось любоваться своей комнатой, но сегодня надо торопиться. Она быстро освежила макияж, натянула на себя черные шелковые брюки и черную шифоновую блузку и сунула ноги в туфли на высоком каблуке. На шее она застегнула жемчужное колье, которое, по ее словам, досталось ей в наследство от мамы. Посмотревшись в зеркало, она склонила голову набок и одобрительно кивнула.

Приветствуя гостей, Нина еле сдерживала свою радость. Перед ней проходили сплошь известные лица, у стойки бара, беседуя с Джулианом Рихтером, красовался ее возлюбленный Энтони Гартвик. Вокруг ее почетного гостя, Коуди Джексона, кружился рой разодетых, пышноволосых светских пчелок, обожавших молодых знаменитостей.

Нина прохаживалась среди гостей, оживленно обсуждая открытие выставки и принимая комплименты своим фамильным безделушкам с изяществом, достойным богатой наследницы. О Дюранах она теперь и не вспоминала. Они остались в прошлом — в чужом прошлом.

Единственным контактом с той жизнью (если не считать столкновений с Изабель), были для нее объявления, которые она регулярно помещала в газетах, пытаясь разыскать родившую и бросившую ее женщину.

В тот день, покидая Ла-Каса, перед отъездом в аэропорт Нина зашла в редакцию одной из наиболее читаемых в Альбукерке газет и поместила в ней первое объявление: «Найдена в мусорном баке 22 февраля 1954 года, Санта-Фе, Нью-Мексико. Мама, я все тебе простила. Пожалуйста, отзовись».

С этого момента она стала ежемесячно покупать место в колонке объявлений в самых популярных газетах одного из американских городов. Города менялись каждый месяц, но она выбирала их преимущественно в западных регионах, каждый раз помещая в газете одно и то же объявление и номер своего абонентского ящика в Нью-Йорке. Через несколько лет цикл повторялся. Список городов увеличился, объявления участились. Но она ни разу не получила ответа. И как она поступит, если получит его, Нина тоже не знала.

Энтони Гартвик с довольным видом потягивал шотландское виски и наблюдал за Ниной — она смеялась, болтала с гостями, а ее роскошное тело соблазнительным облаком плавало по комнате. При мысли о ночи любви после вечеринки ему становилось жарко. Почувствовав на себе его жадный взгляд, Нина обернулась. Он поднял свой бокал и ухмыльнулся.

Энтони неодолимо влекло к Нине Дэвис. Его восхищали не только ее длинные ноги и чувствительные груди. Он узнавал в ней себя. Окруживший свою жизнь тайной и яростно защищающий свою независимость, Энтони интуитивно чувствовал, что за внешним блеском общительной репортерши кроется одиночество, которое сторожит ее прошлое, воздвигает каменную стену вокруг ее сердца и вынуждает ее не доверять никому, кроме себя самой.

Еще одна общая черта — их любовь к игре, к риску. И Энтони, и Нине нравилось бороться и побеждать. Она была такой же неутомимой и безжалостной, как и он. Сегодня вечером, наблюдая за ее поединком с Изабель де Луна, он вдоволь повеселился, особенно когда заметил в толпе Филиппа Медину. Энтони Медина никогда не нравился. С первой же встречи они стали соперниками и включились в игру под названием «Кто лучше». К немалой досаде Энтони, Филипп выиграл гораздо больше раундов, чем проиграл.

По сравнению с «Сиско комьюникейшнз» «Гартвик-хаус» выглядел финансовым пигмеем. Художественная коллекция Гартвика и в подметки не годилась собранию Медины. Сеть компаньонов Филиппа по численности значительно превосходила партнеров Энтони. Впрочем, Гартвик с удовлетворением отмечал, что по части женщин он далеко обогнал Филиппа Медину.

Им не раз случалось ухаживать за одной и той же прелестницей. И каждый раз Энтони выигрывал соперничество. То же самое и с Ниной. Он видел, что Медина увивался вокруг нее на свадьбе своего отца; волочился он за ней или нет, Энтони не знал, да и какая разница? В конечном итоге Медина проиграл. Но Изабель де Луна вряд ли можно назвать утешительным призом. Было бы неплохо познакомиться с ней поближе, неожиданно для себя решил Гартвик. Это пригодится ему в той игре, которую он ведет с Ниной и Филиппом.

— Расскажи-ка мне об Изабель де Луна, — попросил он Рихтера.

— Полагаю, во мне говорит любопытство издателя. Меня всегда интересовали биографические подробности любимцев публики.

— Сомневаюсь, что после сегодняшней выставки тебе удастся привлечь внимание своих читателей к биографии некогда знаменитой Изабель де Луна. — Рот Джулиана скривила злорадная ухмылка.

Гартвик бросился защищать Изабель:

— Мне кажется, ты недооцениваешь ее талант, Рихтер, и переоцениваешь реакцию публики. Твой роман с мисс де Луна завершился весьма неудачно, поэтому вполне понятно, что сегодняшнее шоу для тебя что-то вроде реванша. Но не забывай, что для всех остальных поражение де Луна — всего лишь еще одна художественная выставка.

Что до Коуди Джексона, то сегодня пробил его звездный час. Проданы последние две картины — одну купил Энтони Гартвик, а другую — владелец «Сиско комьюникейшнз» Филипп Медина. Оба приобрели его работы за баснословную цену. Меньше чем через час интервью с ним появятся во всех телевизионных новостях. Утренние газеты разнесут по стране весть о его успехе и его связи с Изабель. Его согласилась выставлять Грета Рид. Он пьет шампанское «Вдова Клико», ест треугольные тосты с черной белужьей икрой, чокается с теми, у кого еще вчера мечтал бы попросить автограф, и смеется над шутками, которых не понимает.

Заметив, что Нина направилась на кухню, он последовал за ней и остановил ее в фойе. Шампанское вскружило ему голову и стимулировало остальные рефлексы. Опершись руками о стену по обе стороны от Нины, он склонился над ней и ухмыльнулся:

— Ты классная, Нина. Когда все уйдут, я продемонстрирую, как сильно тебе благодарен.

Нина уперлась ладонями ему в грудь и оттолкнула его от себя.

— Давай-ка проясним ситуацию, Джексон. Наша парижская встреча — всего лишь временное помрачение ума. Советую тебе забыть ту ночь и никому о ней не рассказывать. Ты меня понял?

Коуди оторопел. Хмель с него как рукой сняло.

— Кажется, да.

— Никаких «кажется». Я хочу, чтобы ты четко себе уяснил: я помогла тебе получить то, о чем ты мечтал. Ты мой должник и отплатишь мне молчанием.

Не хватало еще, чтобы этот зануда ковбой распустил язык. Энтони будет в ярости, но это еще что! До настоящего момента в глазах общественности она совершенно непричастна к этому злосчастному шоу, если не считать интервью. Грета подписала документ о неразглашении, и Нина жалела, что не догадалась потребовать того же от Джексона.

Итак, либо он ей подчинится, либо она развенчает его так же быстро, как и вознесла к славе.

Коуди смотрел ей вслед, пока она не скрылась за дверью кухни, и удивлялся, почему у него так гадко на душе.

— Ах ты, старая ведьма! — прошипел Джулиан, втолкнув Грету в спальню Нины для беседы один на один.

— Я тоже люблю тебя, дорогой.

— Зачем ты сказала Изабель, что мы женаты?

Пальцы Греты теребили золотой браслет на запястье правой руки. Джулиан в ярости схватил ее за локоть, и взгляд его случайно упал на кольцо у нее на пальце.

— Почему ты до сих пор его не сняла?

— А зачем? — промолвила она, вырвав у него руку. — Прелестное колечко. — Она полюбовалась кольцом и вновь обернулась к Джулиану. — Это смущает твоих возлюбленных? Потому-то ты не носишь своего?

Джулиан злобно усмехнулся. Когда-то Грета уважала его, но теперь в ее тоне слышалось только презрение.

— Я требую развода.

— О'кей. — По ее губам медленно проползла ядовитая ухмылка. — Я великодушно оставлю тебе квартиру, хотя она записана на мое имя, а вот долги придется выплатить. — На лице Джулиана против его воли изобразился панический ужас. — Не можешь отдать наличными — я заберу у тебя галерею вместе с твоими художниками.

— Ради всего святого, Грета! Я даром отдал тебе «Голубую луну» Изабель и предложил все остальные картины из этой серии, — прошипел Джулиан, закипая от гнева. — Почему ты никак не успокоишься? Доход от продажи «Голубой луны» покроет все мои долги.

Она покачала головой:

— Во-первых, общая сумма твоей задолженности составляет несколько миллионов долларов. Во-вторых, Изабель наверняка потребует от тебя расторгнуть контракт. Пока идет тяжба, я не стану продавать ее работы. И в-третьих, Джулиан, ты мне должен не только деньги.

— Чего же тебе еще от меня надо?

— Крови, — спокойно ответила Грета. — Твоей крови.

Он ударил кулаком по столу.

— Зачем ты это делаешь? Зачем обвиняешь меня в преступлении, которого я не совершал?

— О каком преступлении ты говоришь, Джулиан? О связи с моей сестрой, которую можно рассматривать как супружескую неверность? Или об убийстве, причастность к которому ты так горячо отрицаешь?

— Она покончила жизнь самоубийством.

— Ей было семнадцать лет, Джулиан. Девочка и понятия не имела, что означает соблазн. Ты завлек ее в постель, чтобы вырасти в собственных глазах. Но ты не только спал с ней. Ты снова и снова повторял, что любишь ее, пока она тоже не поверила в эту сказку. А когда она тебе наскучила, ты выбросил ее, как грязную тряпку. Она умоляла тебя вернуться, была в отчаянии, и все это видели. Но вместо того чтобы проявить хоть каплю сострадания, ты посмеялся над ней. Она повесилась, и ты в ответе за ее смерть.

— Я ничего не сделал! — взвизгнул Джулиан, трясясь от страха.

Грета чуяла его звериный, животный страх. Сверкая глазами, она медленно прошлась вокруг него.

— Можешь все отрицать, но мы оба знаем, чего ты заслуживаешь.

— С каких это пор ты стала верховным судьей?

— С тех пор как решила, что в моей власти восстановить справедливость. — Она окинула его насмешливым взглядом. — Забавно, но ты сам помог мне расставить сети. Другой на твоем месте удивился бы, почему жена не живет с ним и не требует развода; почему женщина, которая его ненавидит, продолжает одалживать ему крупные суммы. Но ты был таким самонадеянным и алчным, что сам полез в западню. Ты просил денег, я тебе их давала. Снова и снова, пока ты не задолжал мне огромную сумму, которую вряд ли способен выплатить.

Она рассмеялась, но теперь в ее смехе звучало торжество: наконец-то она ему отомстила!

— Поскольку картины Изабель — твой главный капитал, я подожду, пока она не расторгнет ваш контракт. А затем подам на развод. — И с нескрываемым злорадством продолжала: — Все газетенки будут мусолить эту историю. Наш с тобой брак и романы на стороне будут рассматриваться под микроскопом, включая и твою связь с моей бедной сестрой. А самое главное, все твои грязные махинации и сомнительные сделки выплывут наружу. Отныне с тобой не захочет иметь дела ни один художник, ни один коллекционер!

Грета облизнула губы, словно пробуя на вкус этот сладостный момент.

— К тому времени, Джулиан, я заберу все твои деньги, уничтожу твой бизнес и опорочу твое имя. Вот так, мой дорогой! Надеюсь, у тебя найдется обрывок веревки, чтобы повеситься!

***

В кабинете Нины столпились желающие разделить с ней ее триумф. Сегодня в галерее она видела Джеффа Гринфилда и сразу поняла, что скандал с де Луна станет главным в его репортаже. Что ж, видеомагнитофон включен и готов к записи.

Вот и вводная фраза. Сердце Нины отчаянно заколотилось, во рту пересохло. Ощущение такое, словно стоишь над пропастью. Один неверный шаг — и вместо успеха и славы тебя ждут поражение и позор.

Камера показала крупным планом лицо Нины, пока она предваряла интервью соответствующими пояснениями. «Так, лицо вышло хорошо. Только чересчур бледное. Надо было нарумяниться». На экране появилась Изабель. Средний план. Палач и жертва смотрят друг на друга. Вопрос следует за вопросом. Изабель молчит. Молчат и зрители в галерее, да и в кабинете повисла напряженная тишина. Нина внутренне сжалась. Наблюдать со стороны свои жестокие нападки на человека вовсе не так приятно, как ей поначалу казалось. В тот момент она ощущала себя сильной, смелой, справедливой. Теперь все это смотрится по-другому. Надо было умерить пыл и дать Изабель возможность ответить. Но Нине не терпелось начать свой крестовый поход против де Луна. А что в результате? Она ведет себя как задиристая уличная собачонка.

Когда интервью закончилось, никто не стал аплодировать. Никто не поздравил ее с успехом. Вместо этого все куда-то заторопились — кто в дамскую комнату, кто к бару. Спустя несколько минут в кабинете остались только сама Нина и Клайв Фроммер.

— Топорная работа, — изрек он. — Странно, что платье твое не забрызгано кровью бедняжки.

— Именно так многие и восприняли мой репортаж, — парировала она. — А я считаю, что это тщательно спланированное, содержательное интервью.

— Содержательное, провалиться мне на месте! — Он вперил в нее проницательный взгляд. — Не знаю, чем тебе

285

так досадила Изабель де Луна, но последний репортаж иначе как местью и не назовешь.

— Клайв, дорогуша, у всех свои методы. Мой стиль несколько жестче твоего, вот и все.

— Это сказано в порядке самообороны или же намек на то, что от моих статей веет скукой? — Он криво усмехнулся. Клайв был постоянным ведущим утреннего ток-шоу и ночных новостей. Статьи Клайва печатались в двух популярных нью-йоркских газетах, а число его читателей не уступало ее аудитории. Оба прекрасно понимали, что скукой тут и не пахло.

— Я не собираюсь оправдываться.

Глаза его угрожающе потемнели. Когда-то они светились дружелюбием, но теперь...

— Берегись, Нина. Настанет день, и этот нож, которым ты владеешь так виртуозно, вонзится тебе в спину. От себя добавлю, — промолвил он, протягивая ей бокал шампанского, — ты это заслужила!

Энтони лежал рядом с Ниной, утомленный и пресыщенный. Сегодня вечером он вел себя как настоящий дикарь: набросился на нее, чуть только они остались вдвоем. Взял ее прямо на полу гостиной, не заботясь о том, что жесткий ворс царапает ей обнаженную спину, и навалился на нее всем телом, толкаясь в нее с такой силой и яростью, как будто хотел разорвать ее на части.

Обессилев после его вспышки, она собралась было улечься в постель, но он дал ей понять, что еще не закончил вечер сладостных утех. Взяв с собой в душ бутылку виски, он пил прямо из горлышка, пока Нина его удовлетворяла. Сам же он и не пытался доставить ей удовольствие. Вряд ли это можно было назвать взаимным наслаждением. Это более походило на секс-обслуживание — акт расплаты за его финансовую щедрость. Нина убеждала себя, что у нее есть выбор, что ей приятно ублажать его так, как он того хочет, что так он тоже отдает ей себя.

Позже, лежа в темноте рядом с ним, Нина спрашивала себя: в чем смысл их отношений? Внешне все выглядит вполне понятно. В ее глазах Энтони неотразим, он тоже считает Нину чертовски привлекательной. Его манера заниматься сексом отдает жестокостью и грубостью, но ведь ей никогда не нравились пассивные, нежные любовники. И она, и Энтони много читают, в дождливые воскресные вечера любят ходить в кино, предпочитают обедать в четырехзвездочных ресторанах Нью-Йорка, обожают политические дебаты. Энтони отлично танцует. Танец доставлял им обоим чувственное наслаждение, и посещение танцклуба вскоре вошло у нее в привычку.

А что, если они с ним решат вступить в законный брак? Впрочем, Энтони, как и Нина, не больно-то распространялся о своих корнях. Он был единственным ребенком в семье, обожал мать и ненавидел отца. Родители его умерли, когда он был еще маленьким. Энтони воспитывали преподаватели частного пансиона, бабушка и глава семейного клана, дед Олстон Гартвик (весьма неприятный человек, ныне покойный). По словам Энтони, родных у него не осталось.

Казалось бы, Нине радоваться надо. Такой жених — подарок судьбы. Но отсутствие у него богатой родословной разочаровало ее.

«Ну и что с того?» — вдруг подумала она, глядя на спящего Энтони. С ним она обретет высокий общественный статус и положение. Станет миссис Энтони Гартвик. Так при чем здесь его семья, если она сама в состоянии создать династию?

На следующее утро Нина прибыла в «Дейли» около одиннадцати. Шагая к своему офису, она весело принимала поздравления тех, кто видел вчера ее интервью и с нетерпением ждал ее статью — очередную сагу об Изабель де Луна.

Все еще улыбаясь, она оглядела свой рабочий стол. В одной стопке — телеграммы, в другой — телефонные сообщения. Букет цветов от операторов. Но тут она заметила небольшой конвертик, приклеенный скотчем к компьютеру, и улыбка ее померкла. В конверте находилось письмо, подписанное Филиппом Мединой. Смысл его сводился к короткой фразе: «Вы уволены».

К часу дня, после того как она освободила свой стол и офис в «Дейли», ее вышвырнули и из Эй-би-си. И все благодаря Филиппу Медине. И Изабель.

Глава 21

Барселона
1987 год

Изабель старалась быть выше той шумихи, которую вызвало шоу Греты Рид, но в конце концов смирилась с реальностью: до тех пор, пока публика не утолит потребность в сплетнях по поводу ее персоны, от домогательств прессы ей не избавиться. Настроение у нее было отвратительное. Приближалось Рождество, но грядущий праздник ее не радовал; она чувствовала себя преданной теми, кому бесконечно доверяла. Коуди, Нина, Джулиан, Филипп — с мужчинами у нее были интимные отношения, с Ниной когда-то связывала теснейшая дружба. Каждый из них имел беспрепятственный доступ к ее душе. И теперь по каким-то непонятным причинам эта близость обернулась против нее.

Сначала она забаррикадировалась у себя в квартире, затем одинокая, напуганная, остро ощущая потребность в родном человеке, перебралась в квартиру Скай. Вскоре, впрочем, стало ясно, что она лишь сменила одну клетку на другую.

— Я понимаю твое желание убраться отсюда, — отозвалась Скай, внимательно выслушав Изабель. — Почему бы тебе не поехать в Санта-Фе со мной и Сэмом? Возьмешь с собой краски. Миранда и Луис убьют каждого, кто попробует к тебе подойти. Поехали, Из. Праздники же! Тебе нечего делать в Нью-Йорке. Только туристы проводят Рождество в городе.

— Я не собираюсь оставаться в Нью-Йорке. Я поеду в Барселону.

— Отлично! — воскликнула Скай, хотя в глубине души расстроилась. — Флора и Алехандро будут в восторге!

— Я наняла адвоката, чтобы расторгнуть контракт с Джулианом, — продолжила Изабель. — Тяжба, возможно, будет просто отвратительной.

— Пожалуй, — сказала Скай, которая знала, сколь злопамятен Джулиан Рихтер.

— Понимаю, но это уже не важно. До тех пор пока я не избавлюсь от него, у меня нет возможности продавать работы, а значит, я не в состоянии зарабатывать себе на жизнь. Он загнал меня в угол. — Скай тяжело вздохнула. — Кроме того, — продолжила Изабель, — мне нужно на какое-то время сменить обстановку и побыть одной.

— Я понимаю, тебе очень горестно, Изабель. Но бежать от жизни и прятаться — не лучшее средство против боли.

— Я ни от чего не бегу. Скорее напротив, бегу чему-то навстречу, — сказала она. — В последнее время моя творческая энергия пошла на убыль. Такое ощущение, что моя муза устала и обессилела. Я сама себя не узнаю. Редко смеюсь. Мне трудно сидеть взаперти и еще труднее куда-нибудь выйти. Я не могу общаться с людьми и схожу с ума от одиночества. — Изабель горько усмехнулась, пожала плечами и безвольно опустила руки на колени. — Первые свои годы я провела на холмах Кампинаса. Там, глубоко в земле, мои корни, и, несмотря на тот кошмар, из-за которого я приехала сюда, именно эти корни меня держат. В Кастель с тетей Флорой я чувствую себя в безопасности. Я люблю тебя, Скай, люблю Миранду и Луиса. Знаю, что вы всегда готовы и защитить меня и помочь, но сейчас мне будет спокойно только там.

Несмотря на все усилия тети Флоры, Изабель мало ела, еще меньше спала, ни с кем не хотела ни встречаться, ни говорить. А уж с Филиппом тем более. Однако с Флорой Изабель разоткровенничалась, ей хотелось излить тетке свою душу. И чем больше они говорили о том, что произошло, об отношениях Изабель с Коуди, Джулианом и Филиппом, тем больше Флора узнавала в ней себя.

Изабель разочаровывала мужчин так же, как обычно мужчины разочаровывают женщин: она к себе никого не подпускала, никому не позволяла полностью завладеть ее душой; она отдавала многое, но самым сокровенным не делилась. Впрочем, Флора считала это нормальным, ибо только так следует противостоять извечному мужскому требованию: женщина должна принести себя в жертву. Наконец Алехандро стал уважать ее право на самостоятельность и признал справедливым ее желание любить его, не становясь при этом рабыней. Увидев Филиппа, Флора определила в нем человека, способного на такое же отношение к женщине.

— Я говорила с ним. Ты разбила ему сердце, Изабель. Он любит тебя, разве ты не видишь?

— Мне все равно.

Изабель задумалась. Она не видела смысла в разговоре о Филиппе, потому что не представляла их совместного будущего. Их тянуло друг к другу и в то же время отталкивало: оба признавали взаимное физическое влечение, но никто из них не осмелился прямо заявить о своих чувствах, сделав первый шаг навстречу другому.

— Сейчас вопрос не в том, безразличен он мне или нет, — подвела она итог. — Прежде чем разбираться с Филиппом Мединой, я должна примириться с Изабель де Луна.

Флора готова была оспорить это утверждение, но воздержалась.

Прошло полгода. Тетка ничем не могла помочь Изабель, ей оставалось только молча сидеть и смотреть, как племянница теряет всякую надежду сбросить с себя тяжкий груз депрессии. За свои восемьдесят шесть лет Флора несколько раз переживала подобные кризисы и знала, что боль порождает новое понимание, страдания приносят опыт.

Почувствовав, что племянница вот-вот скатится в пропасть отчаяния, тетка объяснила, что жизнь похожа на горы, в которых прошло ее детство: можно подняться на самую вершину, но оттуда путь один — вниз. И единственная альтернатива — сделать рывок и попробовать взобраться еще выше.

Незаметно весну сменило лето, и Изабель начала постепенно возрождаться. Процесс очищения проходил мучительно и трудно, но она вдруг ощутила потребность вернуться к работе. Отказавшись от автомобиля и лошади, она в поисках натуры ездила по окрестностям на велосипеде и каждый день возвращалась домой с папкой, полной карандашных набросков, ни один из которых не устраивал ее в качестве основы для серьезной работы. Когда от Реев — давних знакомых Флоры — пришло приглашение провести несколько дней на их вилле Котэ д'Азур, это показалось ей спасительным знаком свыше.

Ренальдо и София Рей, состояние которых выросло вдесятеро во время постфранкистского строительного бума, считали Барселону своей базой, что не мешало им проводить горнолыжный сезон в шале в Цюрихе, а лето — на вилле в Хуан-лес-Пинс. Их огромный дом в испанском колониальном стиле стоял на холме, откуда открывался прекрасный вид на бухту Ангелов — полоску моря между Ниццей и Каннами.

Центральное место на вилле занимала двухэтажная постройка со стеклянной крышей, в которой имелся внутренний дворик и которая использовалась как гостиная. От нее лучами расходились просторные комнаты, роскошно и со вкусом меблированные, переполненные произведениями искусства восемнадцатого-девятнадцатого веков, а также и работами современников — молодых испанских живописцев. Здесь же висели полотна из серии «Ода Эос», которые Изабель подарила хозяевам дома.

Под студию ей предоставили пустующий гараж.

Каждое утро она просыпалась на рассвете и выходила на балкон полюбоваться обновлением природы. Затем, после занятия йогой на лужайке, направлялась в гараж и работала там до самого вечера, стараясь выразить свое недавнее психологическое состояние серией насыщенных цветом полотен.

Иногда ее тянуло на балкон среди ночи. От черного как смоль неба веяло покоем. Стройные пальмы покачивались от легкого морского бриза, шорох их листьев напоминал тихий шепот влюбленных.

Как-то вечером Изабель сидела на балконе, закутавшись в халат, и любовалась далекими грозовыми всполохами у горизонта. Там бушевал шторм. Иногда и сюда долетали резкие порывы ветра, и в воздухе ощущалась тревога, но дождя на побережье не было. Изабель всмотрелась в ночную темень, но различила лишь смутные тени. Все было как в тумане, ничто не воспринималось отчетливо, кроме того ощущения, что когда-то давным-давно она уже была свидетельницей этой драмы, но финала, к сожалению, не видела.

Каждый год Реи устраивали праздничную вечеринку, приглашали родню, соседей, друзей из Испании и других стран, и кроме того — деловых партнеров из Штатов. Изабель с Флорой поняли, что им не избежать участия в таком событии, и присоединились к хозяевам заранее, с нетерпением ожидая начала праздника.

К заходу солнца гости прибыли: на яхтах, бросивших якорь в порту; на «роллс-ройсах» и «мерседесах» с личными шоферами; на такси, взятых у отелей по всей Ривьере. Изысканные, разодетые в шифон и тончайшие шелка дамы с аксессуарами от Кристиана Лакруа украсили лужайку всеми цветами радуги. Мужчины представляли собой вариации на заданную тему: белые брюки, шелковые рубашки с открытым воротом, легкий пиджак, иногда жокейская кепка, реже галстук, волосы тщательно набриолинены, ногти ухожены, кожа загорелая, блестящая.

После того как Изабель познакомилась с несколькими десятками человек, они с Флорой оказались у бассейна в окружении старых приятелей Мартина — Франсуа Леверра и его жены Эунис.

— Я разделяю страсть Ренальдо к автомобилям, — сказал Франсуа, словно оправдывая таким образом свое здесь присутствие.

— Вы познакомились с моим отцом таким образом? — спросила Изабель. — Продали ему автомобиль?

— Нет. — Франсуа, казалось, хотел что-то сказать, но удержался, перехватив взгляд жены. — Мой отец торговал мануфактурой на юге Франции. Большую часть тканей он покупал у «Дрэгон текстайлз», поэтому познакомился с сестрами Пуйоль. Когда ваш отец собирался поступать в университет, Флора отправила его в Экс-эн-Прованс. Он жил у нас в семье несколько лет. — В его взгляде отразилась тоска. — Он был моим лучшим другом.

Изабель редко встречалась с людьми, которые знали ее отца еще до знакомства с Альтеей. Она готова была весь вечер слушать воспоминания Эунис и Франсуа о молодом Мартине де Луна.

— На самом деле это мой отец привил Мартину страсть к классическим автомобилям, — продолжал Франсуа. — Одно время у отца была великолепная коллекция.

— И что с ней стало?

— Вторая мировая война, — отозвался Франсуа, но Изабель почему-то почувствовала себя неловко. Заметив, что она в замешательстве, собеседник дружелюбно похлопал ее по руке. — Когда пришли немцы, отец подкупил некоторых офицеров, предоставив им бесценные модели из своей коллекции для передвижения по городу. — Франсуа погрустнел, погрузившись в воспоминания. — Он думал, что таким образом защитит нас. К тому времени мы остались единственными евреями, которым удалось выжить в Эксе. Мои родители уговаривали вашего отца вернуться в Барселону, но он отказался.

— Догадываюсь почему, — мягко улыбнулась Изабель, стараясь ободрить француза.

— В конце концов нам пришлось покинуть свой дом и спрятаться в подвале отцовской фабрики. Вернувшись однажды после очередной вылазки в город, мы с Мартином обнаружили, что моих родителей нет. Окна были разбиты, повсюду кровь, в том числе и там, где они спали. Я собирался продолжить поиски, облазить все здания в Эксе, а если все будет безрезультатно, то отправиться по следу родителей в Германию. Мартин старался убедить меня в бессмысленности моей затеи: раз немцы пришли за моими родителями, то значит, вскоре вернутся за мной. — Франсуа тяжело вздохнул. — Мы уехали из Экса той же ночью, направляясь к западу по сельским дорогам на «мерседесе» двадцать третьего года модели «К». — Он усмехнулся, признавая, как глупо было надеяться скрыться на коллекционной модели автомобиля, которая, естественно, привлекает к себе повышенное внимание.

— И куда вы отправились? — спросила потрясенная до глубины души Изабель.

— В Барселону. — Франсуа снова рассмеялся. — Затея была рискованной, но Мартин действительно верил в успех и настаивал на том, чтобы ехать ночами, без остановок. Днем мы тщательно прятали машину в лесах, заброшенных амбарах, в каких-то тупиках — где угодно. Я стоял на страже, а Мартин отправлялся за съестным. В Монтпелье я постарался разыскать кое-кого из родственников и друзей. Их дома были пусты, а имена прочно стерты из памяти соседей и знакомых. Все это подводило нас к пониманию того, какая судьба постигла моих родителей. Тогда Мартин решил пробираться к границе.

— Но это было слишком опасно! Вас разыскивали. А что, если бы вас схватили? — Изабель невольно поежилась.

Оказалось, Франсуа потом на протяжении нескольких лет мучился ночными кошмарами.

— Я неплохо разбирался в машинах, поэтому переделал кузов модели «К»: соорудил уютное местечко между задним сиденьем и багажником. Там было неудобно, и на ухабах подбрасывало, и через час все тело ломило от ушибов. Дышать выхлопными газами порой становилось невыносимо, и я задавался вопросом, что разорвется скорее — мой мочевой пузырь или легкие. Впрочем, тогда это было несущественно. Ведь мои мучения ни в какое сравнение не шли с теми страданиями, какие выпали на долю моих родителей.

— Вас останавливали?

— Дважды — в Нарбонне и в Сигане. И оба раза нас спасал прекрасный немецкий Мартина. Он показывал немцам старые бумаги, которые мы нашли в отцовском гараже, и говорил, что перегоняет машину по приказу офицера из Экса. После того как немцы, удовлетворенные осмотром, закрывали багажник, мы оба вздыхали с облегчением.

Мы направлялись в Прейдс, маленькую коммуну неподалеку от испанской границы, где находили приют беженцы из Каталонии. И вот мы почти у цели, но тут дорога разветвлялась. Здесь лучшим средством передвижения был бы мул, но Мартин не сомневался, что густые кущи обеспечат нам необходимую защиту, а трудная дорога — отсутствие встречного транспорта. Через несколько часов мы достигли пика горы. Обследовав окрестности и убедившись в том, что поблизости никого нет, Мартин выпустил меня из ящика. Ноги у меня затекли, я не мог ступить и шагу.

Франсуа поморщился, словно это ощущение до сих пор не покидало его.

— Мартин отправился на разведку, а я сел возле машины и стал с наслаждением вдыхать свежий воздух. — Лицо Франсуа вдруг ожесточилось, он невольно сжал кулаки. — Они оказались рядом со мной в считанные секунды. Я почувствовал, что в плечо мне уперся ружейный ствол, а в затылок жарко и тяжело дышит немецкий солдат. Это были те двое, которые остановили нас в Сигане. Они связали меня и били до тех пор, пока я не потерял сознание, а затем оттащили на расстояние десяти футов от модели «К». Один из них не отводил ружья от моего виска. Другой залез в машину. В этот момент вернулся Мартин и обезоружил моего охранника. Тем временем машина завелась. Немец смеялся от радости и выкрикивал антисемитские лозунги, угрожая проехаться на таком шикарном «мерседесе» по мне. Мартин выстрелил. Пуля попала немцу в затылок. Машину развернуло, переднее колесо зацепило мою ногу, после чего модель «К» сорвалась в пропасть.

Франсуа смотрел вдаль невидящим взглядом. Он был бледен, с трудом дышал, видимо, вернулся в прошлое. Изабель сочувственно обняла его за плечи.

— А что случилось со вторым солдатом?

— Он умер. Мартин перерезал ему глотку.

Изабель остолбенела. Она вдруг почувствовала, что голова у нее пошла кругом. В ушах звенело, казалось, еще немного, и она не выдержит такого напряжения. Франсуа постарался утешить ее.

— Ваш отец спас мне жизнь, Изабель. Он исполнял свой долг.

Изабель молча кивнула, после чего обернулась к Флоре:

— Ты никогда ничего мне не говорила. Почему?

— Я решила, что в сложившихся обстоятельствах так будет лучше, — ответила Флора прямо.

Прежде чем Изабель успела что-либо ответить, к ним подошла София Рей в сопровождении Хавьера и Эстрельи Мурильо, Пако Барбы и незнакомой темноволосой женщины. Изабель, мысли которой пришли в полный беспорядок, хотела было извиниться и уйти, но куда там!

— Представляете, как я была удивлена, когда увидела ваших бабушку с дедушкой? — спросила София с деланной радостью. Как старая подруга Флоры, она прекрасно знала чету Мурильо, поэтому старалась с честью выйти из неудобной ситуации. — Хавьер и Эстрелья гостят на яхте, принадлежащей моей племяннице и ее мужу, Пако Барбе.

Пробормотав, что мир тесен, София извинилась и оставила всех в полном замешательстве.

Внучка не ответила на приветствие бабушки, и та обратилась к Хавьеру, ища его поддержки.

— Мы уже не молоды, — сказал он, обращаясь только к Изабель. — У нас нет сил хранить в сердце давние обиды. — Глаза его слезились, кожа сморщилась от старости. — Мы одной крови, Изабель. Стоит ли сохранять вражду до конца дней?

В голове Изабель крутились десятки ответов, но ни один она не сочла подходящим. Если бы Флора легонько не подтолкнула ее, она отказалась бы пожать протянутую руку Хавьера — иногда некоторые ни к чему не обязывающие жесты даются с большим трудом.

Пако, которого ничуть не смутило замешательство Изабель, представил свою жену.

Изабель вежливо кивнула и, представив Леверров, замолчала.

Пако, поняв, что ситуацию спасти невозможно, что-то бессвязно пробормотал, взял жену под руку и ушел искать более расположенную к общению компанию.

Изабель хотелось бы, чтобы чета Мурильо ушла вместе с Барбами, но те остались. К ним подошли и другие гости. По непонятным ей самой причинам Изабель не стала возражать, когда чета Мурильо принялась представлять свою знаменитую внучку всем подряд.

Странно, что все они так восхищались ее работами, в том числе и «Закатом в Барселоне», который висит на мальоркской вилле Филиппа. Но вот Леверры откланялись, и Флора вышла вместе с ними, чтобы глотнуть свежего воздуха.

Через несколько минут Хавьер стал ожесточенно спорить со старым приятелем по поводу пестицидов, которые отравляют конский корм. Оказавшись наедине друг с другом, женщины погрузились в неловкое молчание. Эстрелья, подавленная возрастом и временем, была смущена успехом Изабель и эмоционально подавлена ее сходством с Альтеей.

— Ты такая же красавица, как твоя мать, — выдохнула она осторожно. — А вот талантом ты ее, несомненно, превзошла. Она могла бы гордиться тобой, Изабель.

Изабель хотела надерзить Эстрелье, но подавила свой гнев и, глядя на бабушку, выдавила:

— Спасибо.

— Мне бы хотелось думать, что между нами возможны теплые отношения, — ободрилась Эстрелья. — Когда ты родилась и в течение нескольких следующих лет, Альтея просила, чтобы я пришла посмотреть на тебя, почувствовала себя бабушкой. Но увы, мне потребовались десятилетия, чтобы признать свою ошибку.

— Вы ошибались и насчет моего отца, — ответила Изабель. — Моя мать любила его, и он сделал ее счастливой. Вы придерживаетесь другого мнения, но он был прекрасным мужем и отцом. — Она замолчала, ожидая возражений со стороны Эстрельи, но их не последовало. — Он не убивал ее, сеньора Мурильо. Что касается вас, то я не могу общаться с вами до тех пор, покуда вы поддерживаете отношения с человеком, который отнял жизнь моей матери.

Эстрелья кивнула, словно ждала такого поворота разговора.

— Той ночью Пако был с нами. Это правда.

Изабель покачала головой. Она была свидетельницей того гнева, который завладел им в тот злосчастный день.

298

Она до сих пор ощущала жар этого гнева. Алехандро предположил тогда, что Мурильо откупился от полиции. Изабель до сих пор верила в это.

Эстрелья восприняла реакцию Изабель по-своему и продолжила:

— Я хочу, чтобы ты поверила мне, что Пако также не виноват. Я способна на многое, Изабель, но покрывать убийцу своей дочери? Это уж слишком!

— Кто же, по-вашему, это сделал?

— Тот, кого Альтея знала, а мы нет. — Эстрелья потупила взор, плечи ее поникли, словно на них легла вся тяжесть мира. — Вряд ли мы когда-нибудь узнаем, кто это сделал. Хотя, если быть честной, я не уверена, что спустя столько лет это так уж важно.

Эстрелья, наверное, была права в том, что убийство так и не раскроют, но ввиду своего преклонного возраста кое в чем она ошибалась: для Изабель по-прежнему было важно выяснить истину. И теперь важнее, чем прежде.

После разговора с Эстрельей Изабель отправилась на поиски тети Флоры, но тут ее подхватила под руку София и, стремясь компенсировать доставленное неудобство, потащила знакомить со своими лучшими друзьями.

— Он один из самых знаменитых в мире коллекционеров, а она... одна из самых выдающихся транжирок, — смеясь, добавила она, представляя Изабель Нельсону и Пилар Медина.

Нельсон в восхищении приподнял брови, оглядывая гостью Софии.

— Я давно знаком с вашей тетей, — сказал он, расплываясь в мальчишеской улыбке, как Филипп.

— Жаль, что она плохо себя чувствовала и не смогла присутствовать на нашей свадьбе, — посетовала Пилар, беря Нельсона под руку.

— Она тоже сожалела об этом.

— Наша свадьба состоялась на Мальорке на вилле моего сына, где висит ваша картина. Я имею в виду «Закат в Барселоне».

Изабель кивнула, вспоминая эту свою работу, но без всякой связи с Филиппом.

— Вы чрезвычайно талантливы, сеньора де Луна.

— Спасибо. Мне льстит похвала из уст такого известного коллекционера. Скажите, вы покупаете картины, основываясь на внутреннем чутье или на знаниях особенностей периода и мастерства художника? — спросила Изабель, по опыту зная, что коллекционеры действуют по-разному.

— На знаниях, — ответил он и замялся на мгновение, чтобы доходчиво объяснить, что он имеет в виду. — Мне нравится энергичная цветовая гамма и экспрессия современной живописи, но собирательство полотен старых мастеров для меня — способ продолжить образование. Контекст! Вот ключ к пониманию искусства.

Изабель восхитило такое сходство отца с сыном: страстность, энергия, тяга к качественным вещам, разумный выбор картин.

— Мне бы хотелось, чтобы вы познакомились с Филиппом, — вдруг воодушевленно вымолвил Нельсон.

— Мы уже знакомы.

— Вот как? — удивилась Пилар. Она решила снова включиться в разговор. — И где же вы познакомились?

— В галерее Рихтера. Он был на нескольких моих выставках.

— Если он не пробовал ухаживать за вами, значит, он круглый идиот, — рассмеялся Нельсон несколько громче, чем следовало, и лукаво погрозил пальцем Изабель. — Будьте с ним настороже. Он такой же ловелас, как и его старый отец. Пожалуй, даже опаснее.

— Я не уверена, что Филипп в состоянии разглядеть настоящую женщину, даже если она уставится на него, — вдруг заявила Пилар.

— Моя жена не очень-то жалует сына, — пояснил Нельсон.

— Слишком уж большое значение в своей жизни он придает конкуренции, — ответила Пилар, обращаясь скорее к мужу.

— Нельзя не придавать значения конкуренции, особенно в бизнесе. Посмотри, каких успехов добился Филипп. Теперь он двигает вперед кабельную промышленность, скупая сети одну за другой. — Нельсон улыбнулся и тряхнул головой, явно гордясь достижениями сына. — Я капитан в этом деле, а Филипп — настоящий гигант!

Интересно, слышал ли Филипп когда-нибудь такие похвалы из уст отца? — подумала Изабель. Вряд ли, если верить Филиппу.

Через несколько минут, когда Нельсон отвлекся, чтобы взять себе еще выпивки, Пилар, как ребенок, который очень долго крепился и молчал в присутствии взрослых, выплеснула на Изабель целый поток безудержной враждебности.

— Если Филипп Медина когда-нибудь будет домогаться вашей любви, бегите от него прочь как можно дальше, — выпалила она, перейдя на испанский и захлебываясь от спешки и волнения. — Он холоден, эгоистичен и груб. Кроме того, он очень невысокого мнения о женщинах. Возможно, причина кроется в его отношениях с отцом и матерью. — Она затянулась и продолжила свою тираду: — Когда стало ясно, что у нас с Нельсоном складываются прочные, стабильные отношения, он пришел ко мне домой и устроил настоящий допрос. Я уверена, что Нельсон поспешил официально оформить наши отношения только потому, что сын не давал ему покоя.

Изабель вежливо выслушала и ничего не ответила. Тот Филипп, которого она знала, не был грубым, эгоистичным и холодным. И несмотря на предостережения Пилар, она хотела Филиппа.

301

Изабель валилась с ног от усталости и чувствовала себя не в своей тарелке, а потому решила уйти к себе в комнату. Она уже добралась до лестницы, когда ее остановил Пако.

— Изабель, почему мы наконец не можем цивилизованно выяснить наши отношения?

Ему уже было около шестидесяти. Изабель же поймала себя на том, что все еще видит в нем того отъявленного головореза с пляжа.

— Вы знаете почему, сеньор Барба. — В ее голосе не было и тени злости. Странно: либо ей надоело бесконечно повторять те же самые обвинения, либо она стала сомневаться в их истинности. — Если вы так уверены в собственной невиновности, какая вам разница, что думаю об этом я?

— Вы дочь Альтеи. Вы — единственное, что осталось на земле от женщины, которой я поклонялся.

— Чепуха! «Дрэгон текстайлз» принадлежала ей. Теперь она ваша, и это несправедливо.

— Почему?

— Во-первых, потому что вы купили ее только затем, чтобы досадить моему отцу и надавить на мать. Во-вторых, потому что вы из рук вон плохо управляете ею! И в-третьих, потому что она должна принадлежать семьям Пуйоль и де Луна, а не вам. — Она на мгновение задумалась. — Я намерена выкупить «Дрэгон текстайлз», сеньор Барба. И хочу, чтобы вы продали ее мне.

Едва он собрался ответить, как раздался душераздирающий вопль. Изабель обернулась на крик и увидела Пилар Медину, которая рухнула на колени перед безжизненным телом Нельсона.

К тому времени когда приехала «скорая», Нельсон уже был мертв.

Позже вечером Изабель и Флора обсуждали недавние трагические события.

— Пилар повезет его обратно на озеро Лугано, — сообщила Флора, массируя веки. — Он всегда говорил, что хочет обрести вечный покой именно там.

— Ты собираешься поехать туда? Неблизкий путь.

— Нельсон был моим хорошим другом.

— Тогда я поеду с тобой.

— Тебе будет трудно встречаться с Филиппом, особенно при таких обстоятельствах.

В глубине души Изабель посмеялась над тем, как в ее тетке уживается столько противоречий. На ее поникшем от горя лице светились полные надежды глаза.

— Все в порядке. Я как-нибудь справлюсь.

Изабель с трудом заснула в ту ночь. А когда сон овладел ею, она погрузилась в бесконечную вереницу плавающих в голубом тумане фантомов. Бубнящие голоса. Бессвязные образы. Казалось, кто-то завязал ей глаза и поместил в центрифугу, бесцельно закружил и оставил наедине с болезненными галлюцинациями. Изабель сопротивлялась им, но сил не хватало. Она все глубже и глубже погружалась в голубую бездну.

Проснулась она неожиданно — вздрогнула и села на кровати. Вся в холодном поту, мозг все еще во власти ужасного сновидения... Она не сразу поняла, что ее разбудила Флора, которая, услышав крики и стоны, подошла к ее кровати и крепко обняла ее.

— Я снова видела Пако Барбу, — пробормотала Изабель, ища ответы на нескончаемые вопросы в своем воспаленном сознании. — Эстрелья клянется, что он был с ними в тот вечер в ресторане.

— Алехандро подтвердил это, — сказала Флора. — Кроме того, его алиби готовы подтвердить и другие.

— Ты хочешь сказать, что мою мать убил не Пако?

— Я только хочу сказать, что не знаю, кто убил.

— Но не думаешь же ты, что ее убил отец?

— Нет. Никогда, — ответила Флора, замявшись всего на мгновение.

Но для Изабель это мгновение поколебало основу несгибаемой уверенности, которая составляла смысл ее жизни.

— Получается, я единственная, кто верит в полную невиновность отца?

— Пожалуй. Без свидетеля, без безусловного и доказанного подтверждения того, что произошло в комнате твоей матери в ту ночь, никого нельзя считать виновным или невинным.

— Эстрелья говорит, что никто из нас никогда не узнает правду.

— Может быть, оно и к лучшему, — ответила Флора.

Глава 22

Швейцария, озеро Лугано

Вилла «Фортуна» с трудом вмещала всех, кто приехал на похороны. Одна за другой к частной пристани Лугано причаливали моторные лодки. Они выстроились в очередь у причала и терпеливо ждали возможности высадить пассажиров, чтобы вернуться в город за остальными.

Для Изабель этот день стал настоящим испытанием. Она нашла похороны тяжелым делом даже для посторонних. Изабель заняла место возле Флоры и Алехандро и сквозь черную вуаль, прекрасно защищавшую от солнца, наблюдала, как Филипп вышел из дома и проследовал по узкому проходу между гостями и украшенным цветами постаментом. Он вел под руку Пилар, которая склонила голову ему на плечо, и что-то шептал ей на ухо, попутно отвечая на поклоны и соболезнования. Он усадил ее в кресло в первом ряду между ее матерью и сыном лицом к водной глади.

Прежде чем начать панегирик, Филипп посмотрел на Пилар и обвел взглядом толпу собравшихся. Он замешкался дважды: когда увидел Изабель и когда заметил элегантную женщину в прекрасно сшитом, дорогом костюме. Он впился в нее взглядом на несколько секунд и тревожно наморщил лоб, после чего снова взглянул на Изабель.

— Личность Нельсона Медины была многогранной. Он публиковал книги и журналы. Владел прекрасной конюшней и увлекался скачками. Коллекционировал старые автомобили и шедевры живописи. Он был талантливым бизнесменом и азартным игроком на бирже. Многие считали его своим другом, некоторые врагом, для остальных он был бессердечным, невоспитанным грубияном. В последние годы своей жизни он был очень счастлив, встретив женщину, которая находила в себе смелость иногда говорить ему «нет».

Филипп взглянул на ту, которая редко отзывалась о нем с теплотой и с которой он наконец помирился этим утром, произнеся без свидетелей те же слова, что повторил сейчас публично.

Пилар склонила голову и разрыдалась, уткнувшись лицом в ладони. Филипп тем временем продолжал:

— Нельсон Медина жил насыщенной жизнью, не щадя себя и дорожа каждым отпущенным ему мгновением. И сегодня, глядя на тех, кто пришел проводить его в последний путь, отдать дань уважения человеку, который многое брал и возвращал сторицей, щедро делясь своей радостью, я по-хорошему завидую ему. Он не боялся рисковать, он наслаждался плодами своих побед.

Нельсон Медина был моим отцом. К сожалению, мы не ощущали духовного родства, нас связывали отнюдь не идеальные отношения. Наше отчуждение длилось гораздо дольше, чем мы прожили вместе, и соперничали друг с другом больше, чем доверяли друг другу.

Вчера я получил записку от женщины, которая говорила с моим отцом тем роковым вечером. Она решила поведать о том, что отец гордился мной, моими успехами. И не ошиблась. Для меня это действительно важно.

Флора сжала руку Изабель.

— Я многому научился у отца и прежде всего научился жить с радостью. Он привил мне уважение к людям, творящим красоту, равно как и к тем, кто конкурирует со мной в бизнесе. Он требовал, чтобы я был сильным, когда мне казалось, что сил бороться больше нет. Он заставил меня использовать свой мозг там, где не хватает мускулов. И теперь мне стало ясно, что, не будь этих требований и ожиданий, я никогда не стал бы тем, кем являюсь сейчас, — человеком, которым гордился его отец.

Филипп замолчал, на мгновение потупился.

— По правде говоря, — добавил он тихо, — я скорблю не о потере того, что было, а о потере того, что могло бы быть.

В гробовой тишине Филипп спустился с возвышения и подошел к Пилар, которая разрыдалась, заключив его в объятия. Он постарался утешить ее, после чего взял под руку, и они направились к стоящему у пристани катеру. Нельсон завещал, чтобы его кремировали. Катер медленно двинулся вдоль берега, держа курс на его собственный «Эдемский сад». Достигнув того места, которое выбрала Пилар, катер замедлил ход. Пилар открыла урну, и ветер развеял по саду прах Нельсона Медины.

Филипп говорил о своем отце с такой горечью и болью, что его проникновенные слова затронули Изабель до глубины души. Ей захотелось побыть одной, справиться со своими эмоциями. Направляясь через лужайку во внутренний дворик, она столкнулась с высокой блондинкой в коротком черном платье. Огромные солнцезащитные очки не помешали ей сразу же узнать Нину.

— А ты-то что здесь делаешь? — спросила Изабель, едва сдерживая ярость.

— Если у тебя провал в памяти, то могу напомнить, — небрежно ответила Нина. — Кроме всего прочего — я имею в виду личные отношения, — Филипп был моим боссом.

306

До тех пор, пока ты не заставила его поставить крест на моей карьере.

— Удобно винить в том, что произошло, меня, да? Чтобы выглядеть в собственных глазах безответной жертвой. Ведь это твоя любимая роль, не так ли, Нина? Этакая невинная овечка, — красноречиво хмыкнула Изабель.

Нина нервно сжимала кулаки, пытаясь держать себя в руках.

— Моя профессиональная обязанность заключалась в том, чтобы сообщать новости вне зависимости от того, кого они касаются. Тем более если это правда.

Изабель тотчас приблизила свое лицо к лицу Нины. Ее голос прозвучал глухо и зловеще:

— В следующий раз, когда ты вякнешь хоть слово обо мне и моей семье, я позабочусь о том, чтобы пресса узнала правду о тебе. Всю правду и ничего кроме правды!

Нина ни за что не доставила бы Изабель удовольствия наблюдать свое поражение, но увы... У нее ушло несколько месяцев на унизительные интервью и объяснения и только после тщательной проверки всех деталей она получила выход на местное утреннее шоу. Нина работала как вол, но репутация ее была подмочена. Понятное дело, что только обвинения в жульничестве ей сейчас и не хватало!

Из противника, которого Нина хотела сокрушить, Изабель вдруг превратилась в серьезную помеху, которую приходилось учитывать.

Пробираясь через толпу, Изабель обратила внимание, что на похоронах Нельсона присутствуют все его бывшие жены. Впрочем, ее интересовала только Оливия. Худая, с изысканными манерами, в черном костюме от Шанель, с короткой стрижкой, подчеркивающей моложавые черты ее лица, она разительно отличалась от своих преемниц, которые словно соперничали друг с другом в роскоши. Ее спутник, которого Изабель сочла нынешним мужем, любезный седовласый мужчина, был окружен аурой непоколебимой самоуверенности. Его выдавали лишь глаза: он то и дело украдкой поглядывал по сторонам, словно чувствовал себя здесь неловко. Да это и понятно: этот дом, люди, все вокруг принадлежало Нельсону Медине — человеку, который в прошлом причинил Оливии боль.

Оливия и Филипп встретились в маленьком кабинете.

— Я удивлен, что ты пришла, — сказал сын, глядя в такие же темные, как у него глаза.

— Я, собственно, пришла из-за тебя.

Филипп переступил с ноги на ногу и насупился — мать заставила его смутиться.

— Тебе нужны были его деньги. Ты взяла их, а не меня. — Как смешно это теперь прозвучало! Филипп надеялся, что его слова заденут Оливию, но, казалось, они не были для нее неожиданностью.

— У меня не было выбора. К тому же я взяла их не для себя и готова вернуть их, когда они тебе понадобятся.

Филипп был потрясен. По окончании Уортона он пришел к отцу просить о работе. Единственный способ доказать, что ты самостоятельный человек и мужчина, — идти в жизни собственной дорогой, сказал ему тогда Нельсон. С тех пор он никогда ни о чем отца не просил.

Уехав из Сан-Франциско, Филипп устроился репортером в маленькую газету в Сент-Луисе. После нескольких лет усердной и плодотворной работы ему удалось провести несколько журналистских расследований, которые нашли отклик во всей стране. Однако он хотел не только писать для «Сент-Луис репортер», но и владеть этой газетой.

Еще в колледже Филипп понял, что благодаря карточным играм можно заработать кучу денег. Ко времени окончания колледжа он скопил сто пятьдесят тысяч долларов, с которыми и вышел на биржу.

С помощью этого капитала и благодаря отцовской фамилии Филипп купил «Сент-Луис репортер». Несколько лет спустя, когда он захотел получить дивиденды с вложенного капитала и приобрести сеть газет на среднем западе, оказалось, что его банковские счета находятся в плачевном состоянии. Вскоре после его встречи с банкирами семейный адвокат Джон Хармс предоставил ему сертифицированный чек на полмиллиона долларов. Филипп принял отцовскую помощь. Теперь финансовую поддержку ему предлагала мать.

— Я не знаю, что и сказать.

— Естественно, — ответила Оливия с улыбкой. — Я бы предпочла, чтобы ты вообще молчал. Говорить буду я, а ты слушай.

Оливия расположилась поудобнее, и Филипп испытующе посмотрел на нее. В его сознании существовал совсем другой образ матери, детский — обожаемый и не лишенный предвзятости. Теперь он смотрел на нее глазами взрослого мужчины, объективно и с явным восхищением. Она была невероятно привлекательна, и Филиппу это нравилось.

— Старая мудрость гласит: «Абсолютная власть разрушает абсолютно», — начала Оливия. — Мне кажется, это справедливо по отношению к твоему отцу. Когда мы поженились, он был молод и силен. Потом он стал копить деньги и стяжать власть. И чем больше он приобретал, тем сильнее портился его характер. — Она помолчала, взболтала остатки бренди в бокале и залпом выпила. — Я оставалась с ним только из-за тебя, — с трудом вымолвила она. — Когда тебе исполнилось семь лет, у меня завязался роман с Джеем Пирсаллом. Он был честен и благороден. И полюбил меня именно в тот момент, когда любовь была мне просто необходима.

Именно Джей успокаивал меня, когда я плакала от горя и усталости после того, как я часами делала тебе массаж в связи с твоим диагнозом — подозрение на полиомиелит. Джей дал мне силы и мужество пережить этот страшный период и не сдаться. Твой отец был слишком озабочен своей персоной, ему было все равно. Когда такая жизнь стала просто невыносимой, я попросила развода. — Ее губы скривились в задумчивой усмешке. — О, он был счастлив развестись со мной, но не собирался отдавать мне ничего, в том числе и сына.

Филипп разволновался так же как мать, но по другой причине. Он заново переживал болезненный период своего детства, когда ему так ее не хватало. Ему нужно было время, чтобы разобраться в собственных мыслях и чувствах. Он слишком долго жил представлениями, которые ныне объявлены ложными и несостоятельными.

— Как тебе известно, Джей биржевой брокер, — продолжила Оливия. — Но тебе неизвестно, что в начале своей карьеры он использовал служебную информацию для своих целей и выгоды своих клиентов. Нельсон был одним из них. Собрав досье на Джея, он угрожал ему передать его в службу безопасности. — Она деланно рассмеялась. — И так рассвирепел, узнав, что я ухожу к Джею, что поклялся подвергнуть наш с ним роман публичному осуждению. Адвокат посоветовал мне согласиться с условиями развода.

Оливия топила тяжелые воспоминания в бокале бренди. Филипп же тем временем старался удержать образы, которые проносились в его сознании. Но он не был готов немедленно и полностью принять сторону матери.

Оливия подняла на Филиппа полные слез глаза.

— Я взяла то, что смогла, и оставила то, что не сумела взять. После брака с Джеем и переезда в Нью-Йорк я официально оформила попечительство. Нельсон снова женился. Я думала, что со временем он займется новой семьей, но его желание во что бы то ни стало взять реванш оказалось сильнее. — Она отставила бокал на столик и прямо взглянула на Филиппа. — Но теперь все в прошлом. Нельсона уже нет. Мы остались вдвоем, и я хочу начать все сначала. Я все еще твоя мать и люблю тебя.

Филипп, потрясенный обилием противоречивых воспоминаний, только покачал головой:

— Посмотрим, я не знаю.

— Что ж, по крайней мере ты не отверг меня сразу же, — сказала Оливия и, поднявшись, погладила его по щеке. — Для начала это не так уж плохо.

Нина вновь и вновь задавалась вопросом, правильно ли она поступила, приехав сюда. Когда Гартвик сообщил ей о том, что собирается в Швейцарию на похороны Нельсона, она, не раздумывая, ответила, что тоже приедет.

В ее планы входило снова завоевать расположение Филиппа, но это оказалось не так-то просто. Затем она столкнулась с Изабель. А теперь Нина заметила в гостиной тетю Флору и Алехандро. Неужели ее неприятностям не будет конца?

Впрочем, она колебалась. Может, подойти к ним? Или притвориться, что она их не замечает? В конце концов ее восхищение старшими представителями семейства взяло верх.

— Флора Пуйоль! — Нина с приветливой улыбкой двинулась им навстречу. — Алехандро Фаргас! Какой сюрприз!

На лице Флоры не дрогнул ни один мускул, Алехандро удивленно приподнял брови.

— Тетя Флора, — произнесла Нина тихо, надеясь, что никто посторонний ее не услышит. — Это я, Нина. Вы меня не узнаете?

Флора взглянула ей прямо в глаза, спокойно и выдержанно, давая понять, что возраст не повлиял на ее способность узнавать людей, и отчетливо произнесла:

— Нет. Я вас не узнаю.

— Я однажды гостила у вас в Кастель летом. Это было много лет назад, я тогда была ребенком. Разумеется, с тех пор я сильно изменилась. — Нина неловко пожала плечами. — Я до сих пор помню эту сказочную вечеринку в вашем загородном доме. Как же было здорово!

— В прежние времена я знала Нину Дюран, — проговорила Флора, пристально глядя в лицо молодой женщины. — Она и моя внучатая племянница Изабель были закадычными подругами. Насколько я помню, Нина Дюран была милой и доброй девочкой. Она ценила семейную близость. Жаль, что ее больше нет.

Флора прекрасно владела собой, в ее тоне не чувствовалось ни раздражения, ни обиды, ни горечи, и Нина поняла, что ей не удастся вернуть прежнее расположение стариков.

— Вероятно, я ошиблась. — Ее голос прозвучал резко, хотя она старалась по возможности его смягчить. С этими словами она развернулась, но Флора ухватила ее за руку.

— Семья — это сильная связь, Нина. И она определяется не кровными отношениями, а тем, что есть в твоем сердце. Те, кто любит тебя, любят без всяких условий. И не важно, что вас разъединило, сколько времени прошло. Если тебе нужна любовь близких, она у тебя будет.

— У меня есть все, что нужно!

— Возможно, ты именно так и считаешь, — ответила Флора. — Но когда-нибудь тебе придется выбирать. Не делай ошибку, не жертвуй семьей ради гордости. Ты горько потом пожалеешь.

Нина едва не взорвалась от ярости: после разговора с Флорой и Алехандро она отправилась на поиски Энтони и нашла его на террасе обольщающим Изабель. Она не слышала ни слова, но то, как они флиртовали друг с другом, полностью лишило ее самообладания. Неужели Изабель кокетничает с Энтони, чтобы досадить ей? Или он действительно увлечен ею? До Нины доходили слухи относительно романов Энтони на стороне, пока она была в отъезде, но ей хотелось доверять ему. Нина внушила себе, что это происки критиков и недоброжелателей. И потом, ни одна скандальная история в прессе не обходилась без женщин.

Теперь же она обеспокоилась всерьез. Они все еще жили вместе, у них было много общего. Может быть, Энтони устал?

Нет уж, если он ее оставит, то никак не ради Изабель! — поклялась себе Нина при виде того, как муж целует руку ее заклятой сопернице.

Нина быстро придумала отходной маневр. Ясно ведь, что, несмотря на все ее усилия, Филипп любит Изабель. А Энтони готов состязаться с Филиппом по любому поводу. В общем, Нине нужно было, чтобы все трое оказались в одном месте. И тут она увидела их всех на лужайке перед домом. Изабель знакомила Энтони с Флорой и Алехандро. Филиппа атаковала компания из Голливуда во главе с новой звездой Беттиной Марлоу.

Шепнув Беттине, что в доме ее ждет Мартин Скорцезе, Нина спасла Филиппа и подошла к нему.

— Я знаю, что не вхожу в число твоих друзей, но, узнав о твоем горе, все-таки посчитала необходимым приехать сюда и выразить свое искреннее соболезнование. — Он, судя по всему, не поверил в ее искренность, но она не собиралась устанавливать отношения, ей было важно создать их иллюзию.

— Я потеряла обоих родителей и знаю, как тяжела и невосполнима эта неожиданная утрата, — сказала она, ухватив Филиппа за обе руки и проникновенно глядя ему в глаза. — Смерть близкого человека всегда трудно перенести, особенно когда она приходит внезапно... — Она сокрушенно покачала головой. — Меня потрясла твоя речь. Мне, к сожалению, не хватило красноречия и сил произнести на похоронах своих родителей такую же. Я тогда была еще слишком молода.

Ее голос дрогнул. Филипп — добрая душа — обнял ее и стал утешать. Нина едва сдержалась, чтобы не рассмеяться.

* * *

Изабель, наблюдая одноактную пьесу в исполнении Нины, пришла в ужас. Ей было больно видеть Филиппа с ней рядом, смотреть, как они разговаривают, касаются друг друга; ей вдруг показалось, что они любовники. Такое предположение вселило ревность, гнев и горечь в ее душу. Она решила удалиться, чтобы не видеть их больше.

Было уже поздно, когда толпа присутствующих стала редеть. Филипп говорил с кем-то из знакомых, когда она подошла, чтобы сказать ему несколько слов. Он не прервал разговора, но крепко взял ее за руку и удержал рядом с собой.

— Спасибо за записку, — произнес он, когда собеседник удалился, и вдруг пристально посмотрел ей в глаза. — Неужели ты никогда не простишь меня? Неужели нельзя оставить в прошлом все чужое и враждебное, что нам мешает? — Он приподнял ее лицо за подбородок. — Давай все забудем.

— Я не знаю, — ответила она. Разве можно забыть его роман с Ниной? Как? — Не так-то просто.

— Очень просто, — рассмеялся он. — Нужно только сказать: «Я прощаю тебя». И все.

Его тон показался ей слишком беззаботным и бесцеремонным. Изабель вдруг рассердилась.

— Я видела, что ты говорил сегодня с матерью. Это касалось ваших отношений? Она сказала: «Мне жаль, что я оставила тебя. Я надеялась, что ты поймешь». Ты сказал: «Да, конечно. Я простил тебя, и обида забыта». Вряд ли так оно и было.

— Это не одно и то же, Изабель.

— Обстоятельства, возможно, другие, но в принципе все то же самое. Ты не способен принять на веру чувства других, особенно тех, кто тебе доверяет. А люди, которые любят друг друга, обходятся без тайн.

— А мы любим друг друга?

— Наверное, однажды нам следовало бы признаться в этом друг другу, — тихо произнесла она. — А теперь я не уверена.

Повернувшись, она двинулась прочь, не дав ему возможности ответить. Он же позволил ей уйти, даже не попытавшись удержать.

Изабель хотела надежности. Филиппу недоставало уверенности. Пропасть, пролегшая между ними, стала еще глубже.

Глава 23

Санта-Фе
1988 год

Хейзел Штраус выросла в Кью-Гарденс, Куинс.

Мурэй и Перл Штраус были иммигрантами, которые, как большинство иммигрантов, приехали в Америку с языковой проблемой, традициями, которые плохо приживались на чужой почве, и надеждами на лучшую жизнь. Но было у Штраусов и то, что выделяло их среди беженцев, — татуировка из нескольких цифр на руках. За спиной у них был холокост.

В свои тридцать два Хейзел Штраус, или небезызвестная Скай, смертельно боялась поездов, собак и машин. Она летала на самолетах только в случае крайней необходимости — и то только с транквилизаторами. Она выросла без бабушки и дедушки, без братьев и сестер. Из близких родственников у нее были дядя и два кузена. В остальном ее окружали люди, которых сближало общее трагическое прошлое, а не кровные узы. Она не разделяла понятия случайного знакомства и дальнего родства. Все люди для нее делились на две категории — «знакомые» и «как семья». Она всех любила одинаково, для всех готова была на все и расставалась со всеми с равной легкостью. Впрочем, она либо защищала человека, рискуя собой, либо напрочь вычеркивала его из своей жизни. Середины для нее не существовало.

Скай отличалась явно невротическим складом характера и не один час провела в кабинете психиатра. Сама себя она частенько называла психованной. При этом ей удавалось оставаться привлекательной, самоуверенной и оригинальной женщиной, которая благодаря своим успехам в разных сферах жизни пользовалась уважением в кругу друзей и знакомых, не говоря уже о ее любовнике — красивом, преуспевающем хирурге-ортопеде. И все же Скай не покидала мысль о том, что ее родители не вполне довольны ею.

Радость родителей составляла краеугольный камень ее существования; ей хотелось оправдать их надежды на ее будущее, пусть даже они идут вразрез с ее собственными.

— Ты не понимаешь, как тебе повезло, — таков был всегдашний ответ родителей на ее попытки пооткровенничать. Это говорилось отнюдь не критически, а приглушенным тоном, каким обычно читались молитвы. Родители молили Бога о том, чтобы их дитя избежало тяжелой судьбы, которая выпала на их долю.

Когда бы Скай ни обращалась мыслями к родителям и родственникам, в ее сознании возникала череда печальных лиц. Они шумно веселились на свадьбах и религиозных праздниках, смеялись шуткам, смысл которых был понятен только им, танцевали до изнеможения. Скай многого не понимала, но чувствовала, что они скрывают какую-то тайну, которой не могут — или не хотят — с ней поделиться.

Это ощущение отдаляло Скай от семьи. Она каждый день видела номера на руках у родителей и подозревала, что именно здесь скрыта причина, по которой она не способна наслаждаться праздником жизни. Неотступное, неослабное, всепоглощающее чувство вины — мы выжили, когда другие погибли; мы едим, когда другие голодают; нам лучше, у нас есть больше, — не говоря уже о постоянно присутствующей ауре дурных предчувствий, мешало родителям и самой Скай жить, не опасаясь, что в любой момент может что-то произойти.

Скай понимала их. Понимала значение излюбленного выражения родителей: «Чем меньше знаешь, тем лучше», равно как и их нежелание обсуждать чьи-то проблемы или недомогание. Не дай Бог кто-нибудь подумает, что у них в семье что-то не так! Гитлер в первую очередь отнимал жизни у тех, кто ослаблен и болен. Гитлер поощрял тех, кто доносит на соседей. Гитлер собирался уничтожить целый народ только на том основании, что это евреи. Молчание — это единственный способ выживания.

И все же большую часть своей сознательной жизни Скай пыталась освободиться от цепей, которые привязывали ее родителей к прошлому. Вместо того чтобы стать тихой, незаметной учительницей в провинциальной школе, как хотелось супругам Штраус, Скай ворвалась в богемную среду Сохо и стала жить так, как в ней было принято. Она противилась жизненному укладу Штраусов своим ранним браком, долго выбирая между двумя противоположностями: Эзрой Эдвардом Кларком, человеком с Уолл-стрит, и итальянским скульптором, который полагал, что его сексуальные возможности с лихвой покроют недостаток таланта. Не стоит говорить о тех, кто составлял ряд претендентов в мужья, которые не выдерживали никакой критики.

Но вот тут-то она и встретила Сэма Хоффмана. Сказочного принца. Идеал ее родителей: еврей, преуспевающий врач, красив, умен, предан своей семье и влюблен в их дочь до беспамятства. Их союз казался правильным Сэму и утомительно скучным Скай. Неужели она влюбилась в него потому, что их брак может сделать счастливыми ее родителей? Или потому, что он может сделать счастливой ее? На протяжении пяти лет Скай то подпускала его ближе, то отталкивала; то радовалась тому, что все получается, то рушила все в одночасье. Она не забавлялась. Она испытывала судьбу.

Сэм оказался терпеливым, как святой, но даже его терпение было не бесконечным.

— Мисс Хейзел, — сказал он ей однажды у нее дома. — Я прошу вашей руки. Этот простой вопрос подразумевает столь же простой ответ. Варианта два: первый — «Да, я люблю вас и хочу остаток жизни провести рядом с вами»; второй — «Нет, я не люблю вас, но давайте останемся друзьями».

Приехав в Санта-Фе в июне восемьдесят восьмого года, Скай намеревалась задать Изабель два вопроса: согласится ли она быть свидетельницей на их с Сэмом свадьбе в декабре, и станет ли «гвоздем программы» на открытии ее галереи в октябре.

Изабель несказанно обрадовалась.

— Что касается свидетельницы, то можешь не сомневаться, — ответила она, посмеиваясь над подругой, которая в тридцать два года впервые решила примерить хомут семейного счастья. — А ты еще что-то говорила о галерее...

— Да, представь себе! Я открываю собственную галерею! Я! Толстая маленькая Хейзел Штраус из Куинса!

Скай откинулась на спинку дивана и расхохоталась. Затем посерьезнела и выжидательно посмотрела на подругу.

— Ты просто оскорбила бы меня, если бы попросила об этом кого-то другого, — отозвалась Изабель.

— Я очень-очень рада. — Скай вдруг замялась, засмотревшись на свое обручальное кольцо. — Послушай, а что ты скажешь, если я сообщу тебе, что мой проект финансирует Филипп Медина?

Изабель остолбенела. Скай была ее лучшей подругой, ей она безоговорочно доверяла. Но в Филиппе она уверена не была.

— Послушай, Из. Решать тебе. Если тебя это задевает, я откажусь. Мы обо всем забудем, не стоит нервничать понапрасну. А если ты не против, то я подпишу контракт и вышлю его тебе. Пусть твой адвокат просмотрит.

Изабель понимала, как важно это для Скай. По правде говоря, для нее это тоже было прекрасной стартовой площадкой. Она больше никак не связана с Джулианом: у него, конечно, оставались права на многие ее картины — в том числе на серию «Видения в голубом», — но не на те, что были у нее. Если она выставит свои работы и они будут проданы, он обязан предоставить ей пятьдесят процентов от сделки. Но самое главное, теперь она могла заключить контракт с кем угодно. Предложение Скай устраивало ее более всего.

— Мне необходимо выставляться, — задумчиво проговорила Изабель, притворяясь, что размышляет. — А твое имя известно в прессе и среди коллекционеров. Ты, возможно, принесешь мне настоящий успех. Я согласна. Я буду рада, если ты выставишь мои работы в своей галерее. Пусть твой адвокат позвонит мне завтра утром.

Неделю спустя Скай сообщила Изабель, что Филипп приезжает в Нью-Мексико на праздник, который устраивают Джонас и Сибил по поводу ее помолвки с Сэмом.

В то время как Изабель старалась забыть Филиппа, Миранда и Луис пришли в неописуемый восторг. Сначала Скай и Сэм объявили о своей помолвке — одного этого уже было достаточно, чтобы их пульс учащенно забился, — Джонас и Сибил устраивали грандиозную вечеринку в Ла-Каса в честь новобрачных, и в довершение всего в Санта-Фе приедет Филипп Медина!

Он остановился в их отеле. Сначала возникла некоторая неловкость. Изабель держалась подчеркнуто корректно, даже устроила Филиппу экскурсию по окрестностям, но все время сохраняла дистанцию. Медина принял ее правила игры и строго следовал им, не рискуя нарушить. Вечером Миранда устроила праздничный ужин в честь гостя, на котором присутствовали также Джонас и Сибил, Сэм и Скай и Ребекка с мужем Маком.

Филипп очаровал всех присутствующих с той же легкостью, с какой очаровал когда-то Флору. Он говорил о гольфе с Джонасом, обсуждал с Сибил и Мирандой проблему возросшей в последнее время популярности юго-западного искусства, политические новости с Маком и современные особенности туристического бизнеса — с Луисом.

Миранда, в свою очередь, поинтересовалась, как он намерен поступить с коллекцией Нельсона.

— Я нанял специалистов, которые взялись провести полную инвентаризацию и оценку. Огромная коллекция отца, к сожалению, не систематизирована. Основная часть ее останется на вилле «Фортуна», но кое-что я готов передать крупным музеям.

После обеда Сэм предложил съездить в «Эль Фароль», бар и ресторанчик на Каньон-роуд. Чета Дюран и старшие Хоффманы отказались, Ребекка с Маком, сославшись на необходимость присматривать за детьми, тоже не поехали.

Здание, олицетворяющее веху в истории Санта-Фе, представляло собой лабиринт маленьких залов, которые в тот вечер были переполнены.

Посетителей проводили за дальний столик в самом углу, и десятки любопытных глаз, щурясь от едкого сигарного дыма, проследили за ними из-под широких полей надвинутых на лбы ковбойских шляп. Впрочем, особого интереса никто из вошедших не вызвал.

Мужчины заказали текилу для себя и «маргаритки без соли» для дам. Когда им подали выпивку, Филипп произнес тост за здоровье жениха и невесты. Официант повторил заказ, и все четверо выпили за галерею Скай и ее дебют в новом качестве. Изабель одобрительно кивнула и отвернулась, поскольку мальчишеская улыбка Филиппа лишала ее самообладания.

— Завтра я собираюсь отправиться в одно весьма необычное место. Не хочешь поехать со мной?

Филипп склонился к ней совсем близко, так что она прекрасно слышала его, несмотря на громкую музыку. От него пахло сандаловым деревом, и этот запах тревожил ее, вызывая в памяти волнующие воспоминания.

— Конечно. Почему бы и нет?

Они уехали до завтрака, прихватив с собой корзину, в которой лежали горячие оладьи, термос с кофе и фрукты. Когда Филипп повернул к северо-западу от Санта-Фе, Изабель предположила, что они направляются к развалинам огромной фермы Анасази, которая теперь приобрела статус национального памятника. Что ж, ей нравилась перспектива побродить среди древних руин, вскарабкаться на утесы.

Стало прохладнее, Изабель зябко поежилась. Филипп тотчас протянул ей стаканчик горячего кофе, который она с благодарностью приняла.

— Где мы? — Они остановились высоко в горах посреди чащи леса.

— Неподалеку от Лос-Аламоса.

— Вот уж не думала, что тебя интересуют научные исследования, — сделала Изабель новое предположение.

В Лос-Аламосе некогда существовали секретные лаборатории, где разрабатывалась первая атомная бомба. В шестидесятые город был открыт, и военные лаборатории превратились в научно-исследовательские.

— Вовсе нет, — ответил Филипп и тронулся вверх по серпантину прочь от города, где смыкались гора Хемес и пик Крови Христовой.

Они медленно ехали по подъездной аллее вдоль грубых деревянных бараков, перемежающихся с футбольными и теннисными полями. Впереди маячило скопление дощатых построек и небольшой огород, засаженный овощами, который напоминал садик викторианской эпохи. Кроме того, Изабель заметила в стороне причал с лодками, которые колыхались на волнах рукотворного пруда. Филипп припарковал машину и провел Изабель в главное здание.

— Прекрасно, — сказала она. — Это лагерь. Он принадлежит тебе.

— Правильно.

Тут двери столовой распахнулись, и Изабель невольно замедлила шаг. Оказалось, это не обычный летний лагерь для мальчиков, где отдыхают загорелые, розовощекие и физически крепкие ребята. Изабель увидела немощных детей, больных и малокровных, с искривленными позвоночниками и ссохшимися конечностями, астматиков с ингаляционными приборами, разложенными здесь же на обеденных столах.

Удивительно, но она не заметила ни одной пары несчастных глаз. Напротив, дети радовались и счастливо улыбались, когда Медина приветствовал каждого из них по имени. Изабель была поражена, когда он пообещал своим воспитанникам принять участие в футбольном матче.

Затем они прогулялись по лагерю, и Изабель заметила, что территория убрана и обихожена. Только теперь она поняла, скольких усилий стоило мальчикам привести ее в такое состояние.

— Цель этого лагеря — приучить мальчиков к жестокости нашего мира. Им придется в нем жить. Пусть это чересчур сурово, но зато честно, — пояснил Филипп.

— Здесь холодно.

— Нет, просто прохладно, и они в состоянии справиться с этим. Точно так же, как они в состоянии вынести не всегда доброе отношение к ним окружающих.

Изабель подняла глаза на Филиппа. Им обоим пришел на память их разговор на пляже.

Они задержались возле теннисного корта, где играли девятилетние мальчики. Били они метко, но некоторые из них с трудом двигались. Ничего, главное, что все вместе играли в одну игру, подбадривая друг друга. Филипп подбросил им мяч и, уступив их настойчивым просьбам, включился в игру.

Изабель присела на деревянную скамью и стала с интересом наблюдать за игрой. Филипп, переживший в детстве полиомиелит, вдруг показался ей таким же больным мальчиком, как его партнеры. Он был одним из них, и они это знали. Более того, он вселял в их души надежду когда-нибудь поправиться и стать такими же сильными и ловкими.

— Мне было девять с половиной лет, когда меня выписали из больницы, и отец отправил меня в такой вот реабилитационный лагерь, — рассказывал Филипп, показывая ей конюшни и гимнастический центр. — Сначала я ненавидел всех, кто меня окружает. Спустя какое-то время появилось ощущение, что я становлюсь сильнее, независимее и могу заботиться о себе самостоятельно.

Мальчики здесь занимались также боксом, карате и другими боевыми искусствами. Они поднимали тяжести, осуществляли горные восхождения на велосипедах и плавали в холодном горном озере. Все, что они делали, требовало нечеловеческих усилий и зачастую приводило к болезненным ощущениям. Но с каждым днем им становилось легче.

Перед вторым завтраком Филипп посадил Изабель в машину и повез в гольф-клуб.

Она три раза не попадала по мячу и наконец, совершенно потеряв равновесие, сдалась.

— Смотрите на мяч, — посоветовал ей какой-то малыш.

— И согните ноги в коленях, — сказал другой.

— Голову вниз, — почти приказал третий.

Изабель сосредоточилась, размахнулась и послала мяч далеко вперед. Удивительно, но мяч описал плавную дугу и приземлился вблизи лунки. Аплодисменты зрителей она восприняла как должное.

— Неплохо, — усмехнулся Филипп.

— Что теперь? — спросила она, притворившись, что устала.

— Облегченный футбол.

Изабель притворно застонала, но когда они оказались на поле, с радостью надела перчатки и заняла место слева. Она всех поразила способностью отражать удары и подавать мяч. Еще бы, мяч, отлетавший от ее ноги, взлетев в воздух, падал именно туда, куда следовало. Ей удалось отразить тройную комбинацию. Филипп искренне восхитился, когда она приняла его удар головой.

— По-видимому, твои таланты неисчерпаемы. — Филипп ласково положил ей руку на плечи. Она невольно подалась к нему.

Они присутствовали на соревнованиях по плаванию, верховой езде и единоборью. Когда пришло время уезжать, стайка мальчишек решила проводить их до машины и высказаться насчет Изабель.

— Она нам понравилась.

— Мне она тоже нравится, — ответил Филипп и подмигнул Изабель, которая улыбнулась в ответ.

Скай делать было нечего. Сэм уехал осматривать американскую сборную по горным лыжам, Филипп занимался своим лагерем, Джонас работал, а Изабель и Сибил отправились в Таос. Скай ехать с ними отказалась, но неожиданно заскучав, решила навестить Миранду в «Очаровании».

— Привет! Я хотела бы обсудить с тобой некоторые вопросы относительно новой галереи.

— Не сегодня, Скай. Давай как-нибудь в другой раз. — Она явно торопилась и хотела поскорее отделаться от гостьи.

Скай кивнула и направилась к своей машине. Она уже готова была отъехать, как вдруг увидела, что Миранда села в машину Луиса и они поспешно отъехали. Впоследствии она не могла определить, что заставило ее следовать за ними: любопытство, каприз или желание придраться к Миранде.

Странно, Дюраны уже накануне вечером выглядели какими-то печальными. Скай поделилась своим впечатлением с Сэмом, и он сказал, что в июне умер их сын; они всегда становятся такими в это время.

Дюраны долго ехали вдоль невыразительных окрестностей и в конце концов подъехали к кладбищу, провели там около часа и поспешили обратно.

Только тогда Скай вышла из машины.

Дюраны были католиками, Скай это точно знала, хотя на этом кладбище редко хоронили христиан. Здесь не было больших крестов, ангелов, скульптур Богоматери и изображений сцен жизни Христовой и евангельского жития святых, зато на могильных плитах обнаружилось изображение Талмуда, инкрустированной свечи хавдала, которую зажигают на светлый праздник шаббата, цветка с шестью лепестками, подозрительно напоминающего шестиугольную звезду Давида, и лампы, символизирующей Вечный Свет. Надгробные камни были выполнены в форме арок, традиционно ведущих к Торе, а зачастую и к розе, которой Сефардим, родоначальник испанских иудеев, приветствовал Моисея, получавшего десять заповедей Господних.

Некоторые символы Скай распознала без труда. Она знала также содержание двадцать третьего псалма и, опираясь на него, худо-бедно разобрала все, что хотела.

Взглянув на один из камней, Скай заметила вверху изображение чупы, иудейского обрядового полога, под которым жених и невеста приносили клятвы верности. На другом она увидела два высеченных свитка: один свернутый — это Тора, другой раскрытый — книга королевы Эстер.

А вот надгробие в виде трехгранной призмы. На каждой из граней выбито имя Габриеля Абелино Дюрана, а сверху — таллит, молитвенный головной убор мужчин.

На глаза Скай навернулись слезы, когда она наткнулась на имя ребенка Миранды и Луиса, которого они потеряли много лет назад. Над именами она заметила цитату из Торы, которая гласила: «Пусть я бреду по долине, окутанной тенью Смерти, мне не страшно никакое зло».

И все же зла Дюраны боялись. Если бы дело обстояло иначе, они не скрывали бы эту часть своей жизни. Они не выдавали бы себя за католиков. Скай тряхнула головой и отерла слезы. Все понятно. Понятно и то, почему Дюраны с момента знакомства с ними вызвали в ней необъяснимое раздражение. Их истинные лица скрывала та же маска скорби, которую носили ее родители.

Вот оно — объяснение странному молчанию Миранды и Луиса, когда она завела разговор об акте вандализма в Эль-Пасо. И название экспозиции Миранды — «Восемнадцать» — теперь яснее ясного.

Скай, конечно, подозревала, что здесь что-то не так, а теперь получила фактическое подтверждение своим подозрениям. Несмотря на стойкое раздражение, ее всегда тянуло к Дюранам, это семейство было ей интересно. Отныне тайна раскрыта: Дюраны тоже дети тех, кто выжил. Родители Скай бежали из Европы после Второй мировой войны, а их предки покинули Испанию, будучи приговоренными к изгнанию.

Вся разница заключалась в том, что родители Скай перебрались в Америку, где можно было свободно исповедовать иудаизм, а предки Дюранов — в Новую Испанию, где притеснения на религиозной почве оказались такими же жестокими и тираническими, как в Испании при королеве Изабелле. Штраусы жили открыто, не скрывая свои еврейские корни. Предки Дюранов были обречены на двойную жизнь. Пятьсот лет под покровом тайны они передавали иудейские заветы из поколения в поколение.

Еще раз коснувшись могильного камня, Скай прочитала каддиш в память о Габриеле и всех тех, кто стал жертвой своего вероисповедания.

На обратном пути в Санта-Фе Скай размышляла, не поговорить ли ей с Мирандой и Луисом о том, чему она невольно стала свидетелем. Впрочем, надо сначала посоветоваться с Сэмом; если он сочтет недопустимым раскрывать чужую тайну, то она так и сделает.

Хейзел Штраус умела хранить тайны.

Глава 24

Нью-Йорк

Сидя за рабочим столом и взбадривая себя третьей чашкой кофе, Нина читала статью о предстоящих выборах. Надо же, сколько грязного белья вытащили на всеобщее обозрение!

Просматривая остальные новости, Нина обратила внимание на крошечную заметку об открытии галереи Скай и задохнулась от возмущения, прочитав о том, что на первой выставке будут представлены работы Изабель де Луна.

— Надо же, какая неожиданность!

Однако настоящей неожиданностью для нее стало сообщение секретаря о том, что с ней хочет поговорить ее мать. Нина похолодела. Она не общалась с Мирандой много лет. Что ей понадобилось?

— Скай и Сэм Хоффман! — воскликнула она вслух. — Вот, наверное, в чем дело. — Нина вспомнила, что месяц назад прочла сообщение об их помолвке в «Нью-Йорк таймс».

Любопытство оказалось сильнее ее, и, затаив дыхание, она сняла трубку. Голос на противоположном конце провода принадлежал не Миранде, а некой Бринне Джонс. Нина тотчас вспомнила, что эта женщина отозвалась на ее объявление о поиске матери.

Так же как и другим отозвавшимся, Нина послала ей письмо с просьбой выслать подробности о брошенном ребенке и документы, подтверждающие родство.

Связываясь с людьми, Нина задавала им соответствующие вопросы. Вот и сейчас она спросила: когда родился ребенок? «22 февраля 1954 года». Где он был оставлен? «В мусорном ящике возле церкви Святого Франциска». В каком виде был оставлен ребенок? «Чистым и вымытым, завернутым в розовый свитер, с пуповиной, перевязанной шнурком от ботинка». У Нины задрожали руки. Только та женщина, которая дала ей жизнь, могла знать цвет свитера и то, что пуповина была перевязана шнурком.

Со смешанным чувством восхищения и трепета Нина заказала билеты на самолет, чтобы на следующий же день вылететь в Сан-Диего на встречу с Бринной Джонс.

В самолете Нина то воспаряла в надежде обрести реальную мать такой, какой она ее представляла, или даже лучше, то погружалась в пучину страха обмануться в своих ожиданиях. Не могла же она обзавестись матерью, которую не принял бы свет. Особенно сейчас.

Нина устала быть любовницей Энтони и решила стать четвертой и последней миссис Гартвик. Помешать этому могла лишь тень ее прошлого.

Бринне Джонс было уже пятьдесят три года, и чуть ли не каждый Божий день она занималась тем, что пыталась свести концы с концами. Она работала официанткой, барменшей, мойщицей посуды, горничной, заправщицей на бензоколонке — повсюду, где не требовались рекомендации или диплом об образовании. Она никогда не стремилась осесть где-либо, чтобы пустить корни, и не имела рядом близкого человека. Впрочем, пару раз в жизни она жила с мужчиной так долго, что сочла эти отношения романом. В большинстве своем она спала бог знает с кем в полупьяном бреду, так что наутро не помнила, что было ночью.

Она приехала в Сан-Диего два года назад, устав от суровых зим в Портленде. Прошло несколько месяцев, прежде чем она нашла работу и стала уборщицей на телестудии.

В перерывах между уборкой она заглядывала в зеленую комнату, посмотреть телевизор, перекусить датским хот-догом и выпить чашечку кофе. Удобно устроившись в кресле, Бринна не спеша перелистывала свежие газеты. Сначала просматривала заголовки, затем объявления о найме на работу, а уж затем переходила к рубрике частных объявлений.

Наткнувшись в газете на объявление Нины, она на мгновение опешила, затем вырвала его, спрятала в бюстгальтер и побежала в дамскую комнату, где украдкой достала и перечитала вновь. Может быть, это ловушка?

Позже, после нескольких рюмок текилы, которые привели в порядок ее расшатанные нервы, она пришла к выводу, что это не западня, а восхитительный, романтический поворот судьбы. Ребенок, которому она когда-то дала жизнь, теперь разыскивает ее.

Слезящиеся глаза Бринны заблестели от радости: для того чтобы давать объявления в газеты, нужно много денег!

Джонс сразу же узнала Нину Дэвис; на студии телевизоры стояли в каждом помещении. Дэвис вела ток-шоу «За кулисами», посвященное внутренним проблемам шоу-бизнеса. С тех пор как Бринна впервые посмотрела его, она не пропустила ни одной передачи. И всякий раз счастливо смеялась, когда видела ведущую.

— Мать может гордиться такой дочерью, — приговаривала она.

Нина посмотрела в зеркало, придирчиво себя оглядела: черный костюм от Армани, выгодно подчеркивающий ее фигуру, прическа, чулки, макияж и даже маникюр.

Поразительно, отчего она так взволнованна? Все утро крутится перед зеркалом... Скорее всего эта женщина мошенница и авантюристка. В любом случае подкидывать младенца в мусорный ящик даме, занимающей положение в обществе, не к лицу. Хотя... Всякое может быть. И знатные люди иногда совершают ошибки.

* * *

Нина приехала пораньше, заняла место поудобнее. По договоренности она оставила у портье записку с номером столика. Предупредив метрдотеля о том, чтобы тот проводил ее гостью к заказанному столику, она устроилась за стойкой бара лицом к двери.

Из машины вышла высокая изящная блондинка в дорогом красном костюме и уверенно направилась к метрдотелю. Сердце в груди Нины екнуло. Но увы, эта женщина подсела к представительному седовласому господину. Две другие блондинки, вскоре показавшиеся в дверях, также растворились в зале.

Нина не обратила бы никакого внимания на женщину в простом ситцевом платье и без всякого макияжа, если бы кельнер не провел ее к столику с видом на гавань. У Нины потемнело в глазах.

Нет, надо успокоиться. Пусть ее мать не выглядит как Джеки Онассис, но нельзя же судить по внешности!

— Какая неожиданность! — воскликнула женщина, когда Нина села за столик. — Ух ты! Как здорово выглядишь! — Она изумленно разглядывала Нину со всех сторон, склоняя голову набок, чтобы изучить ее как следует.

Нина также подвергла ее осмотру. Волосы Бринны были тронуты сединой; лицо ее оказалось безжизненным, а в невыразительных чертах лица Нина не заметила никакого сходства со своими. Впрочем, ее глаза, красные либо от чрезмерного употребления алкоголя, либо от бессонницы, оказались такими же бездонно-серыми.

Нина не знала, с чего и начать, и Бринна заговорила о телешоу «За кулисами», о том, как оно ей нравится, о том, как она обрадовалась, узнав, что его ведет ее дочь. Нина стиснула зубы, чтобы не разрыдаться от отчаяния.

Когда принесли выпивку, она решила повернуть разговор в нужное ей русло.

— По телефону вы сказали, что у вас есть доказательства тому, что вы были в Санта-Фе в пятьдесят четвертом году.

— К чему такая спешка? — отозвалась Бринна, сделав знак официанту повторить заказ. — Сначала расскажи мне о себе, о тех, кто вывел тебя в люди.

Нина вдруг ощутила прилив любви, нежности и благодарности к Миранде и Луису, которые спасли ее от гибели и, более того, спасли от жизни с такой матерью.

— Я лучше послушаю вас, — уклонилась от ответа Нина. — Вы давно живете в Сан-Диего? Замужем? У вас есть семья?

Бринна подождала, пока официант поставит перед ней второй бокал и начнет перечислять блюда, выставленные в меню на сегодня.

— Кроме того, подайте к мясу ваше лучшее красное вино, — распорядилась она заплетающимся языком.

Люди за соседними столиками стали обращать на них внимание. Нине стало не по себе.

Бринна проглотила несколько креветок и запила их мартини, после чего намазала на хлеб толстый слой масла и, усердно жуя, принялась рассказывать:

— Я родилась в захолустном городке в Техасе, в Богом забытом месте, где жили люди, свято чтившие законы. В возрасте шести лет я лучше всех знала Библию, каждое воскресенье ходила в церковь и молилась ежедневно перед обедом и перед сном. — Она навалилась на стол и подалась к Нине. — Знаешь, о чем я молилась? — Нина отрицательно покачала головой. — О том, чтобы мой отец перестал трахать меня в дровяном сарае.

Нине стало дурно. Она не могла дольше находиться рядом с этой женщиной. Взглянув на часы, она сказала:

— Жаль, что уже так много времени. Рада была повидаться с вами, но у меня назначена встреча... — Она поднялась.

— Сядь, моя радость. — Бринна схватила ее за руку. — Мы еще не закончили.

С этими словами она достала фотографию, с которой смотрела веснушчатая беременная девушка в таком же ситцевом платье, что было на Бринне теперь.

Возле Бринны на фотографии стоял юноша в байковой рубашке и джинсах и с сигаретой во рту.

— Это мой отец?

— Откуда мне знать, черт побери?! — смеясь воскликнула Бринна, привлекая внимание окружающих.

— То есть как это откуда знать? — Нина была возмущена и смущена одновременно. — Вы что же, готовы вменить отцовство кому угодно?

— Хорошо бы, если бы так! — ответила она. — Будь у меня зацепка за каждого парня, с кем я спала, я бы выбрала кого-нибудь получше.

Подавляя в себе отвращение и разочарование, Нина взяла счет. Бринна не спеша отложила нож и вилку.

— Ты намерена куда-то отправиться?

— Да, именно. У меня дела.

— А ты не хочешь прежде обсудить условия договора? О том, во сколько тебе обойдется мое молчание.

— Обойдется мне? — вскипела Нина. — Обед и такси до дома за мой счет, миледи. И довольно.

Бринна угрожающе усмехнулась:

— Послушай, девочка, ты сама меня разыскала. И коль скоро ты жива и преуспеваешь, я считаю, что мне полагается награда.

— За что?

— За то, что я девять месяцев таскала тебя в своей утробе. За то, что родила тебя. За то, что оставила в том месте, где тебя нашли другие люди, которые дали тебе приличное воспитание. Ты ведь преуспеваешь. Значит, придется поделиться со мной.

— Можешь поцеловать меня в задницу! — свистящим шепотом ответила Нина. — Я не дам тебе ни цента!

— Дашь, моя хорошая. А если станешь капризничать, я всем открою тайну рождения ведущей ток-шоу «За кулисами». — Бринна откинулась на спинку стула и пьяно подмигнула. — Средства массовой информации с удовольствием ухватятся за такой сюжетец: нищая восемнадцатилетняя девочка забеременела и выбросила ребенка потому, что у нее не было средств содержать его. Дитя выросло и стало ведущей популярного ток-шоу на телевидении, которая всю жизнь разыскивает мать. Но когда выяснилось, что мать не вполне соответствует представлениям дочери, она отшвыривает ее как ненужную вещь. Здорово, правда? — Бринна усмехнулась.

Самое ужасное заключалось в том, что так оно и было. Нина снова села за столик, и Бринна подозвала официанта.

Глава 25

Галерея Скай открылась в октябре экспозицией работ де Луна, в числе которых была картина «Эмоциональная радуга». Просмотрев каталог Джулиана Рихтера, Скай решила устроить выставку не в четверг, а в субботу и не распространять билеты заранее, а отдать их в свободную продажу. Она научилась у него завоевывать популярность от противного. И судя по тому, какое количество людей ломанулось в двери галереи, когда ее открыли, Джулиан ее не обманул.

Изабель беспокоило, что долгое отсутствие отразится на ее популярности. Оказалось все наоборот — внезапное бегство только подогрело интерес к ее творчеству, создало мистическую ауру вокруг ее персоны и побудило раскошелиться ценителей ее искусства. К счастью, ее новые работы их не разочаровали. Цвета, заключенные в подвижную форму, весьма заинтересовали ее почитателей.

Своим успехом шоу было обязано не только талантливым работам Изабель, но и гостям, присутствовавшим на открытии галереи. Приглашение Скай приняли крупнейшие коллекционеры современной живописи.

К своему ужасу, Изабель заметила в толпе гостей Пако Барбу и его жену Анну. Несмотря на усилия избежать общения с ними, она проводила их взглядом и увидела, что Пако застыл напротив ее картины «Синее»: волнующая композиция в темных тонах, где изображен ребенок с искаженным от ужаса личиком, маленьким тельцем и с поднятой вверх ручкой в отчаянной попытке защититься от невидимой угрозы. Картина символически передавала идею Смерти.

Энтони Гартвик, который пришел на открытие галереи один, остановил выбор на олицетворении Одиночества человека, которое ощущается даже в толпе. Центром композиции были глаза, плавающие в сиренево-фиолетовом мареве, печальные и ищущие кого-то или что-то, что могло бы осветить черную бездну пустоты.

Филипп, который видел работы Изабель еще до открытия выставки, был потрясен «Красным» — полотном, представляющим Страсть. В вихре резких, сильных мазков, меняющих цвет от густо-красного до алого бургундского и нежного кораллово-розового, лежала женщина с развевающимися волосами и чуть приоткрытыми губами, на которых застыла до боли знакомая ему чувственная улыбка. Это была сама Изабель. Филипп, не раздумывая, купил картину.

Остальные работы, представляющие Ненависть, Зависть, Сожаление, Гнев, Удовольствие, Апатию, Возбуждение, Безмятежность и Изысканность, были распроданы в течение одного часа. Какой-то журналист поинтересовался у Изабель, почему среди ее полотен не нашлось места сильнейшему и важнейшему из человеческих чувств — Любви. Ее ответ потряс его своей искренностью:

— Я плохо себе его представляю.

На этой же неделе в галерее Рихтера открылась выставка современных художников. Там же были выставлены и работы Изабель из серии «Видения в голубом». Джулиан надеялся затмить успех Скай, но только лишь раздул пламя, которое вскоре получило название «лихорадки де Луна». Изабель в мгновение ока поднялась на пик популярности и славы! Ее полотна продавались за баснословные суммы с шестью нулями, имя не сходило со страниц газет и журналов. «Вог» предложил ей контракт; на обложке «Ярмарки тщеславия» появилась ее фотография; «Нью-Йорк мэгэзин» опубликовал о ней огромную статью, после чего ее имя попало в списки приглашенных на все крупнейшие светские мероприятия.

Миранда и Луис прибыли в Нью-Йорк за неделю до свадьбы Скай и Сэма. В четверг вечером накануне торжества Изабель пригласила Скай, Сэма, Джонаса и Сибил к себе на обед, дабы справить новоселье. Хотя не в ее характере было пускать пыль в глаза, она использовала некоторые недавно обретенные связи, чтобы приобрести квартиру в одном из старых престижных домов на Сентрал-Парк-Уэст. Благодаря «черному понедельнику» — обвалу на рынке недвижимости — квартира продавалась за смехотворную цену.

Позже, после кофе и десерта, когда гости расселись на мягких диванах в белой гостиной Изабель, Скай пригласила Дюранов присоединиться к ним с Сэмом на вечерней службе в храме. Просьба прозвучала вполне невинно, но дрожащий голос и излишняя нервозность Скай заставили Луиса заподозрить неладное.

— Я совершила ужасный поступок, — ответила на его расспросы Скай. — Я нарушила неприкосновенность вашей частной жизни. — Дюраны недоуменно переглянулись. — В Санта-Фе я последовала за вами, когда вы ездили на могилу сына.

Миранда испуганно вскрикнула, Луис взял ее за руку и в упор посмотрел на Скай.

— Побывав на этом кладбище и увидев могильный камень вашего сына с Торой и звездой Давида, я с почтением и гордостью прочла каддиш и положила свой камень на его могилу рядом с вашим, чтобы он знал, что все мы помним и любим его.

В комнате воцарилось тягостное молчание.

— Это случилось в тот день, когда вы внезапно пропали? — спросила Изабель Миранду. — Вы были на могиле Габриеля?

Миранда кивнула, и глаза ее наполнились слезами.

Луис тревожно и вопросительно взглянул на Изабель.

— Я не перестала бы любить вас, даже если бы вы поклонялись морской звезде, — сказала та, целуя его в щеку. — Но должна признать, что я ничего не понимаю.

После долгой мучительной паузы Луис все объяснил:

— Евреи жили в Испании с незапамятных времен, но в печально известном 1492 году на изгнание были осуждены двести пятьдесят тысяч человек. Полагаю, таков был итог восьмивекового крестового похода, имевшего целью очищение Испании от неверных.

Раньше считалось, что переезд в Новый Свет решает все проблемы. Традиции похожи, язык тот же, и поскольку правительству Новой Испании требовались торговцы и банкиры для создания процветающего общества, оно приветствовало иммигрантов. Конечно, открыто никаких требований не выдвигалось, но предполагалось, что нужно публично исповедовать христианство для того, чтобы стать полноправными членами сообщества. Иммигранты так и поступали, не переставая при этом у себя дома исповедовать иудаизм.

Луис повернулся к Миранде, которая вздрагивала от волнения, и ласково взял ее руку в свою.

— Это женщины сохранили нашу веру. Мужчины работали вместе с христианами и должны были жить как христиане — по крайней мере создавать такую видимость. Они ели не кошерную пищу, соблюдали христианские обычаи и вслух одобряли то, что в глубине души порицали. Они шли на все, чтобы уберечь семьи от опасности разоблачения.

Но дома их жены и матери чтили священные заветы, находили возможность тайно отмечать религиозные праздники и даже готовить ритуальные блюда. Именно женщины были хранительницами кровных связей.

— А как выяснилось, что ваши предки были иудеями?

— О, существовала масса фактов. Во-первых, в доме моего деда не было икон и распятий, что, как известно, совершенно невозможно для католической семьи. Моя бабка каждую пятницу запиралась в ванной комнате и зажигала свечи. Я часто наблюдал, как дед покрывал голову и молился. Кроме того, всем мужчинам в нашей семье было сделано обрезание. — Луис бросил взгляд на Скай. — И потом... существовало кладбище. Правда, мне долгое время не приходило в голову совместить эти разрозненные фрагменты в одну картину.

Луис замолчал, погрузившись в воспоминания, а потом продолжил:

— Когда мне исполнилось шестнадцать лет, отец сообщил, что мы евреи. Тогда же он рассказал мне историю об изгнании и обращении в новую веру. Показал мне документы, свидетельствующие о том, что наши предки стояли у истоков основания Санта-Фе. — Он улыбнулся, взглянув на изумленные лица собравшихся. — Отец также объяснил: чтобы избавиться от религиозных преследований, многие семьи отдавали сына или дочь в лоно христианской церкви. Если один из членов семьи становился монахом или священником, лучшего доказательства верности католической религии и не сыскать. Кстати, один мой дядя носит сан архиепископа.

Лицо Джонаса вытянулось от удивления: он этого не знал.

— Я понимаю, почему было необходимо таиться, когда эта земля находилась под властью испанцев, — сказал Сэм. — Но после того как она перешла под юрисдикцию Соединенных Штатов, какой был в этом смысл?

— Сразу и не объяснить. После нескольких столетий непоколебимой веры в то, что разоблачение ведет к страданиям и смерти, тайна стала неотъемлемой частью религии. Кстати, такое положение вещей подкреплялось историческим ходом событий: мы постоянно чувствовали проявления воинствующего антисемитизма. Достаточно вспомнить пожар в Ла-Каса и погром в «Очаровании».

Луис опустил голову, сплел пальцы и вновь погрузился в тягостные раздумья.

— И все же почему никто из вас не осмелился на откровенный разговор с родителями? — спросила Изабель. Она не могла понять, почему Дюраны, семейные узы для которых были очень важны, оказались оторванными от своих родственников.

Взглянув на Изабель, Миранда ответила:

— Это я во всем виновата. — Луис попытался возразить, но она жестом попросила его помолчать. — Когда стало понятно, что Габриель не выживет, наши с Луисом родители чуть с ума не сошли от горя при мысли, что скоро потеряют внука. Они настаивали на том, чтобы мы отвезли Габриеля в Сантарио-де-Чимайо.

— Земля, на которой построена часовня, — подхватил Сэм, — считается святой и обладающей чудодейственной силой. Многие смертельно больные совершают паломничества, чтобы натереться тамошними грязями.

— И вы отвезли туда Габриеля? — спросила Изабель Миранду.

— Я всю жизнь исповедовала католицизм, — ответила она тихо, и ее глаза наполнились слезами. — Я подумала, может быть... — Миранда сокрушенно покачала головой. — Собрались абсолютно все: моя семья, семья Луиса, их дальние родственники, соседи, патеры. Они смотрели, как я понесла Габриеля к алтарю, а потом зажгли свечи и стали молиться. Я же скрылась с ним в ризнице, зачерпнула полную пригоршню священной грязи и стала втирать ее в истощенное тельце сына. Затем мы с ним вместе помолились и стали ждать, когда Господь пошлет ему чудесное исцеление.

Миранда закрыла лицо руками.

— Наверное, чудес достойны только истинно верующие, — произнесла наконец она. — Я не была таковой, поэтому священная грязь Сантарио не спасла моего мальчика. — Миранда смахнула с глаз слезы. — Никто ничего не понял. Все собрались, чтобы стать свидетелями чуда, а чуда не произошло. А когда Габриель умер, никто из них не пришел на заупокойную мессу, никто не проводил его в последний путь. Никто не разделил нашу скорбь.

— С нами был Джонас. — Луис с благодарностью посмотрел на друга.

— А что же ваши родители? — спросила Изабель.

Миранда только пожала плечами.

— Они были смущены и раздосадованы смертью Габриеля. Их друзья и соседи оказались свидетелями того, что Господь отверг нашу с сыном молитву. Кое-кто использовал этот факт для осуждения и постарался вытащить на свет некоторые подробности.

— Какие подробности? — спросила Скай.

— Например, то, что мою бабушку звали Ребекка, а деда Абелино. Что мои родители ходили к мессе по субботам, а не по воскресеньям. Что наша фамилия, Реал, хотя и достаточно распространенная в Нью-Мехико, на самом деле означает «потомок Израиля». Они сожгли лавку моего отца и расписали антисемитскими лозунгами стены дома родителей Луиса. Они открыто издевались над ними, когда встречали на улице, и публично предали анафеме в церкви. Короче говоря, они буквально изгнали их из города. Мои родители просили меня беречь тайну, а получалось, будто я ее раскрыла.

Сестра Луиса была так озлоблена из-за необходимости начинать жизнь сначала, что вынудила родителей порвать с нами. Мы не виделись и не разговаривали с ними около тридцати лет. Мы даже не знаем, живы ли они.

Слезы катились по щекам Изабель, когда она заключила Миранду в объятия в порыве нежности и сострадания.

— Я не хотела бередить старые раны. — Скай приблизилась к Дюранам. На ее лице отразилась скорбь. — Я только хотела предоставить вам возможность быть самими собой. Прошу вас, пойдемте в синагогу вместе с нами.

— Вы будете там среди друзей, — сказал Джонас.

— И в кругу семьи, — добавила Скай.

Для Миранды и Луиса приглашение Скай явилось неожиданностью и в некотором роде потрясением. Они иногда ходили в храм вместе с Джонасом, но всегда как зрители. Теперь же, несмотря на то что они принадлежали роду Сефардимов, испанских евреев, а семья Скай — Ашкенази, европейских евреев, их приняли как полноправных членов общины.

Дюраны принимали участие в мессе, читая молитвы по-английски, в то время как все остальные вслед за раввином читали на иврите. Луис с удивлением обнаружил, что многие молитвы он когда-то слышал от своего деда. Миранда, беспокоясь о том, как бы происходящее не отразилось на их дальнейшей жизни, старалась не думать о будущем и полностью погрузилась в исполнение обряда. Ее восхитила набожность родственников Скай: у них, безусловно, были все основания рассчитывать на милость Божью, поскольку молитвы их шли из глубины сердца.

Церемония бракосочетания была великолепна. Струнный квартет играл Торжественную фугу Баха; Миранда плакала, когда Джонас вел к алтарю своего сына. Она помнила его еще мальчишкой, таскающим сладкие булочки с остывающего противня, ведущим ее приемную дочь к первому причастию.

Скай с прозрачным покрывалом на голове сопровождали к чупе родители: они даже не пытались скрыть слез радости. Любовь в глазах Сэма, обожание и преклонение перед женщиной, которую он собирался взять в жены, были настолько сильными, что невольно вызывали восхищение.

В конце церемонии раввин поставил на пол пустой стакан и Сэм разбил его каблуком. Дюраны видели такое же на свадьбе Ребекки, но в тот раз они молчали, когда все гости аплодировали и кричали «Мазел тов!». Теперь же их голоса слились с хором ритуальных поздравлений и пожеланий счастья и любви.

Идя под руку с Сэмом к выходу из синагоги, Скай глазами поискала Дюранов. Встретившись взглядом с Мирандой, она тут же успокоилась, ибо та послала ей воздушный поцелуй и беззвучно шепнула: «Спасибо».

Благодарность Дюранов стала для Скай и Сэма лучшим свадебным подарком.

У Изабель не было причин жаловаться на жизнь. Ее закадычная подруга вышла замуж за старинного друга. Круг людей, с которыми она общалась в Санта-Фе, смыкался с тем, который сложился вокруг нее в Нью-Йорке. Церемония бракосочетания тронула ее до глубины души. Она видела, что Миранда и Луис чувствовали себя прекрасно, и порадовалась за них. Кроме того, ей удалось воспользоваться ситуацией и переговорить с крупными торговцами, а заодно и повидаться со своими старыми приятелями.

— Надеюсь, когда вы сядете за мемуары, то не забудете упомянуть о том, что я был вашим первым наставником, — сказал ей Эзра Эдвард Кларк с присущей ему помпезностью.

Изабель не без колебания знакомила Эзру с Мирандой и Луисом. Они несколько растерялись, когда Эзра пригласил их на одну из своих нашумевших лекций о роли художников Нью-Мексико в развитии современной живописи. Только потому что Эзра держался подчеркнуто галантно с Дюранами, Изабель готова была смириться с его спутницей Гретой Рид.

— Ваши новые работы восхитительны, — заявила она Изабель, стараясь подчеркнуть их отличие от прежних. —

Я с радостью обнаружила, что ваш талант, который я всегда считала выдающимся, — полностью раскрылся.

Они с трудом поддерживали разговор и с облегчением вздохнули, когда гостей пригласили в бальный зал. Появление новобрачных было встречено бурными овациями, над караваем хлеба прозвучали слова ритуальной молитвы, и оркестр заиграл хору.

Изабель невольно сравнила хору с сарданой: то же всеобъемлющее чувство гордости, ощущение кровного родства, тот же замкнутый круг, символизирующий единство общины.

А вот и Филипп. Он танцевал напротив Изабель, точно так же, как когда-то на Мальорке. Его глаза неотступно следили за ней, и сердце ее сжалось от тоски.

Но тут Скай подхватила Луиса под руку и увлекла его в центр круга, где лихо закружила в танце, подавая пример остальным.

Когда Филипп пригласил Изабель танцевать, у нее мелькнула мысль ответить отказом: не дай Бог, в его объятиях на нее нахлынут прежние эмоции. И все же она согласилась. Медленно двигаясь под музыку, она вновь ощутила радость от его прикосновения.

— Как хорошо, что мы снова вместе, — сказал он, ничуть не смущаясь тем, что вокруг танцевали еще триста пятьдесят человек. — Я хочу сказать тебе что-то очень важное.

Изабель слегка отстранилась. В глазах Филиппа застыла мольба благосклонно отнестись к его словам.

— С самой Мальорки я не нахожу себе покоя, моя жизнь стала безрадостной. Ни одна женщина не производила на меня такого впечатления, как ты, Изабель. Ни одна так глубоко не проникала мне в сердце. — Он крепче прижал ее к своей груди. — Я никогда не говорил этих слов, но сейчас скажу: я люблю тебя. И хочу, чтобы ты позволила себе меня полюбить.

— Я не знаю, как тебе объяснить, — ответила наконец она. — Но дело в том, что моей любви к тебе, Филипп, недостаточно.

— Что же тебе нужно? Чем помочь?

— Никто не в силах помочь мне. Мне надо справиться самой. Иначе я не буду чувствовать себя в безопасности. А до тех пор я не позволю себе связать свою жизнь с кем бы то ни было, даже с тобой.

Взгляд Филиппа потух, в глазах его мелькнуло отчаяние и разочарование, но он еще крепче привлек ее к себе.

— Я хочу помочь тебе. И буду ждать, сколько понадобится.

Глава 26

1989 год

По прошествии года, в течение которого требования денег не прекращались, Нина ощутила себя прочно зажатой в тисках шантажистки. И дело не только в том, что Бринна опустошала ее банковский счет — Нина заплатила ей уже несколько тысяч долларов, — она лишала ее ощущения стабильности и мешала жить спокойно, что было едва ли не самым главным. Пока Бринна припеваючи жила в Сан-Диего, в уютной, роскошно обставленной квартире с видом на море, с новой машиной и солидным ежемесячным содержанием, но где гарантия, что в один прекрасный день ей не придет в голову отправиться в Лос-Анджелес? Или в Париж? Или в Нью-Йорк?

К тому же Бринна позволяла себе пару раз в неделю звонить в офис Нины. К счастью, имидж телеведущей позволял ей иногда снисходить до телефонного разговора с «безобидной дурочкой».

Звонки Бринны составляли лишь часть проблемы. Их договор основывался на ее обещании хранить полное молчание, но алкоголик не может отвечать за свои слова. Если Бринна как следует наберется, она бог знает что и кому может порассказать. К тому же в прессе стало часто мелькать имя Изабель.

Раньше на Нину нахлынула бы черная зависть, которая, возможно, побудила бы ее измыслить способ мщения; теперь она не могла позволить себе быть втянутой в какую-либо скандальную историю, которая бросала бы на нее тень подозрения. При том, что целая армия нью-йоркских репортеров готова была любой ценой раскопать пикантные подробности из жизни де Луна, а на западном побережье тикала бомба замедленного действия в лице Бринны, Нине вовсе не хотелось привлекать внимание к своей персоне. Она смертельно боялась разоблачения, которое поставило бы точку в ее карьере.

Энтони исполнялось сорок шесть лет, и Нина заказала частный кабинет в «Ле Сирк», чтобы сделать ему сюрприз и отпраздновать это событие. Сначала ее подвела погода: небо затянуло облаками и зарядил нудный ноябрьский дождь, который испортил ей настроение, шикарную прическу и новое приталенное платье от де ла Ренты. Ну а потом пошло-поехало: гости весь вечер только и говорили, что об интервью Барбары Уолтер с Изабель де Луна. Энтони опоздал на час и явился какой-то подавленный.

После нескольких рюмок он вроде бы пришел в себя, но Нина не понимала, развеселился ли он на самом деле или алкоголь просто помог ему скрыть дурное настроение. Душевное состояние Энтони, равно как и физическая форма, были жизненно важны для того, чтобы вторая половина вечера прошла удачно.

В ту ночь Нина намеревалась завершить кампанию, целью которой было бракосочетание с Гартвиком. Ее финансовое положение было вполне прочным, поэтому выйти за него замуж она стремилась отнюдь не из-за денег — хотя два состояния, несомненно, лучше одного. Нина хотела получить протекцию и защиту, которые вывели бы ее на качественно иной уровень респектабельности. Обвинение Нины Дэвис в мошенничестве могло вызвать шумный и недолговременный скандал в прессе, который сыграл бы на руку ее популярности, но повредил бы карьере; то же самое обвинение, выдвинутое против Нины Гартвик, лопнуло бы как мыльный пузырь, натолкнувшись на барьер именитых адвокатов. Итак, лучший способ спасти свою репутацию — спрятаться за репутацией Энтони; а этого можно было достичь только с помощью брака.

Пока они были на вечеринке, команда декораторов успела превратить ее спальню в сераль, достойный турецкого паши. Ловкие ребята вынесли всю мебель, затянули стенные панели тончайшим белым газом, дрожащими волнами расходившимся от позолоченных, увитых лентами столбов, создающих прозрачный тент. Под этим экзотическим балдахином в беспорядке валялись диванные подушки и шелковые накидки, стояли корзинки с виноградом и фигами, а также медные подносы, заваленные павлиньими перьями, кушаками и флаконами с восточными благовониями, одно из которых угрожающе пузырилось в нагретой докрасна плошке. Повсюду горели свечи и курильницы, распространяя в воздухе тягучий аромат мускуса, который напоминал о страстных восточных красавицах, искушенных в любовных ласках. Приглушенная музыка действовала возбуждающе. Пока Энтони наливал себе виски, изумляясь безудержной фантазии Нины, она переоделась и явилась ему уже в прозрачной хламиде из замысловато переплетенных накидок.

Изучив его пристрастия, она стала молча раздевать его, глядя ему прямо в глаза сквозь прозрачную вуаль и предоставляя гадать, какие мысли проносятся в ее голове. Нина настолько его возбудила, что он готов был завершить программу праздничного вечера немедленно. Однако она заставила его лечь на подушки, чтобы иметь возможность продолжить любовную прелюдию. Играя с завязками своего одеяния, Нина как бы невзначай касалась его возбужденной плоти краями прохладной легкой ткани.

Затем она стала плавно двигаться, чувственно изгибаясь всем телом, соблазнительно поводя бедрами и поднимая вверх руки, чтобы колыхание груди привело в волнение складки одежды. Нина снимала с себя накидки одну за другой и наконец осталась в закрывающей лицо вуали. Подобно одалиске, покорной воле господина, она растерла его тело благовониями, затем на глазах у него растерла себя. Почувствовав, что дольше выносить это зрелище он не в состоянии, Энтони сорвал вуаль с лица Нины и вошел в нее с такой неистовостью, которая испугала и восхитила обоих.

Но Нина не собиралась на этом заканчивать. В эту ночь она намеревалась поразить его ураганом сексуальных наслаждений, довести до изнеможения и пресыщения. Теперь они поменялись ролями, и если в первой части спектакля он был господином, а она — покорной рабыней, то теперь Нина заставила его подчиниться своей воле. И Энтони не возражал. Нина искренне надеялась, что он будет таким же восприимчивым и уступчивым, когда она заведет решающий разговор.

Наконец они приняли душ, накинули халаты и уселись в гостиной на диванах, чтобы выпить кофе. Настроение у обоих было умиротворенным и благодушным. Нина выбрала наиболее подходящий момент.

— Энтони, я хочу, чтобы ты женился на мне.

В ответ на ее предложение он лишь удивленно улыбнулся.

— Я уже несколько раз ходил к алтарю, Нина. Уверяю тебя, этот путь вовсе не устлан розами, как тебе, вероятно, кажется.

— Так было с твоими предыдущими женами, — ответила она и откинулась на спинку дивана, скрестив ноги так, что полы ее халата разошлись в стороны. — Мы с тобой живем дольше, чем ты прожил со всеми ими, вместе взятыми.

Он рассмеялся и кивнул, признавая ее правоту. Его взгляд задержался там, где расходились полы ее халата.

— Так оно и есть. Так зачем же разрушать это?

— Затем, что мне уже тридцать пять, и я устала быть твоей любовницей. Я хочу быть миссис Энтони Гартвик.

— Неужели Нина Дэвис настолько провинциальна? — рассмеялся он снова. — Кто бы мог подумать!

— Но ты ведь любишь меня, во всяком случае, насколько вообще способен любить. И если ты не помнишь, что было каких-нибудь четверть часа назад, то я могу со всей ответственностью заявить, что в сексуальном отношении мы на редкость гармоничная пара. Так в чем же, черт побери, проблема?

— У нас с тобой нет проблемы, — ответил он, но когда лицо ее радостно просветлело, предостерегающе поднял руку. — Но у меня есть серьезные проблемы в бизнесе. «Гартвик-хаус» так основательно погряз в долговой трясине, что я не уверен, смогу ли его вытянуть.

— И что же для этого нужно?

— Сногсшибательный, суперпопулярный бестселлер, — ответил он преувеличенно помпезно. — У тебя, случайно, нет такого на примете?

— Как насчет «Золушки из Сохо»? — пошутила Нина.

Энтони нахмурился и как-то странно на нее посмотрел.

— Ты, наверное, хотела бы устроить большой прием по случаю свадьбы?

Нина нервно хихикнула. Хотя Энтони снова вернулся в русло предложенного ею разговора, что-то в его тоне внушало ей беспокойство.

— К чему нам большой прием? Ни у тебя, ни у меня нет семьи.

— Я мог бы пригласить племянников. И кое-кого из друзей и школьных приятелей. А как насчет твоих родственников из Шотландии? И подруг из школы?

347

Он не сводил с нее глаз. Нина вдруг почувствовала себя совершенно голой, несмотря на то что была в халате.

— Не хочешь ли ты пригласить тех, с кем вместе училась в колледже Уэллесли?

— Я была бы счастлива, если бы на церемонии, кроме нас, присутствовали только священник и пара свидетелей, — ответила Нина, стараясь ничем себя не выдать. — И потом, почему тебе так хочется рассылать приглашения всем подряд по списку из наших с тобой ежегодников?

— Потому что у тебя нет никаких ежегодников, Нина. Как нет и родственников в Шотландии!

— Что?! — Нина выпрямилась и сжала кулаки, чтобы не дрожать. — О чем ты говоришь?

— О тебе. И о твоей так называемой семейной истории. Это чушь, Нина. Чистейшее вранье от первого до последнего слова!

Энтони поднялся и медленно направился к камину.

— Хейл и Лесли Уолкер Дэвис, — торжественно вымолвил он, кивая на портрет красивой молодой пары, который стоял на каминной полке. — Я навел кое-какие справки. Они ведь никогда не существовали, правда? — Он бросил на Нину насмешливый взгляд. — А если и существовали, то не имели никакого отношения к винокуренному заводу в Шотландии и никогда не погибали в авиакатастрофе. Школа в Эдинбурге, которую ты, как утверждаешь, заканчивала, слыхом о тебе не слыхивала. Равно как никто о тебе ничего не знает и в колледже Уэллесли.

Гартвик подошел к Нине и взглянул на нее в упор. Сунув руки ей под халат и обхватив ее за ягодицы, он вызывающе продемонстрировал право собственника.

— Прежде чем жениться на тебе, Нина, я хочу знать, кто ты есть на самом деле, черт побери!

Нина и не предполагала, что Энтони станет ворошить ее прошлое, но он покопался в нем, и достаточно основательно! Итак, у нее два выхода из ситуации: она может с ним спорить, но поскольку они оба знают, что он прав, она потеряет все; или она может рассказать всю правду, и тогда победа по большому счету останется за ней.

— Итак, я предложила тебе брак. К сожалению, ты в нем не слишком заинтересован. — Ее лицо постепенно превратилось в маску равнодушия. — Мое второе предложение понравится тебе больше, потому что ты получишь не только признание, но и извлечешь немалую выгоду.

Энтони сел на диван напротив нее, сделал глоток виски и кивнул.

— Я расскажу тебе свою историю только в том случае, если ты купишь на нее права, — хмыкнула Нина.

— С чего бы это?

— С того, что моя история входит в жизнеописание некоей знаменитости, которым я уже давно занимаюсь. Называется оно: «Истинные цвета: правдивая история Изабель де Луна». — При этих словах в глазах Энтони промелькнул испуг, как она и предполагала. — Это повествование о родителях Изабель, их скандальном браке, не менее скандальной смерти, а также о таких подробностях ее личной жизни, о которых может знать только очень близкий человек.

— И насколько близко ты знаешь Изабель де Луна?

— Я выросла вместе с ней, нас воспитывали как сестер, — торжествующе повысила голос Нина. — Тебе достаточна такая степень близости?

— Пожалуй, да. Продолжай.

— Изабель — непростая штучка. Ее биография может стать именно таким сногсшибательным бестселлером, который позволит тебе возродить «Гартвик-хаус». И я готова тебе ее предоставить.

— За плату.

— А ты как думал? С этой минуты, дорогой, все, что происходит между нами, будет иметь свою цену. Включая это! — Она на мгновение распахнула халат.

— Ну что ж, хорошо. А из нас с тобой получаются неплохие негоцианты, а? — Он сделал глоток, глядя на Нину поверх края стакана. — Скажи, с чего ты взяла, что кто-нибудь станет покупать биографию художницы? Мир не вертится вокруг интриг нью-йоркского бомонда.

— Но именно сейчас мир хочет побольше узнать об Изабель де Луна, — самодовольно отозвалась Нина. — В этой книге будет секс, насилие, тайна и знаменитая личность — все вместе. — Ее губы скривила презрительная усмешка. — Не могу представить себе ни единого, даже самого тупого издателя, который упустил бы такой шанс.

Энтони тотчас оглоушил ее следующим заявлением:

— Убийство произошло много лет назад в Барселоне. А после смерти Мартина де Луна дело было закрыто.

— Как раз наоборот, после смерти Мартина все запуталось окончательно. Теперь никто не знает наверняка, убивал он жену или нет. Кроме разве что Изабель.

— Интересно, почему ты так думаешь?

— Говорят, она была свидетельницей преступления и либо испугалась рассказать в суде правду, либо заставила себя вычеркнуть это событие из памяти.

— Если она испугалась признаться тогда, то не станет делать этого и теперь. Тем более она не станет говорить с тобой.

— Ну и что! Я изложу факты, которые мне удалось раздобыть, и предложу читателю самому сделать вывод. Изабель знаменита и популярна. Речь идет об убийстве, а она, как ни крути, была в самой гуще событий. Ты сам научил меня тому, что люди охотно платят за то, что их возбуждает.

Энтони поставил бокал на столик, поднялся в полный рост и рассмеялся:

— Ты льстишь себе, Нина, сверх всякой меры. И потом, зачем мне платить за то, с чем ты так охотно расстаешься? И что за безумие полагать, будто бы твои «Истинные цвета», основанные на слухах и догадках, опубликуют где-нибудь, кроме колонки светских сплетен? Издание такой книги — рискованное дело, — добавил он. — Особенно если она написана бульварной писакой с поддельными документами.

Через четыре часа после его ухода Нина буквально кипела от злости. Надежды на поддержку Гартвика растаяли без следа, его оскорбления и уличение в мошенничестве ранили ее в самое сердце. Но все это бледнело в сравнении с растущим ощущением собственной никчемности.

«Истинные цвета» вдруг стали чем-то бо́льшим, чем просто подстраховка. В них теперь заключалась единственная надежда Нины на светлое будущее.

— С днем рождения, тетя Флора! — Последний раз они виделись полгода назад. — Не могу поверить, что тебе исполнилось восемьдесят девять.

— Я чувствую себя ничуть не лучше и не хуже, чем вчера, когда мне было всего восемьдесят восемь, — весело ответила Флора. — Как прошло открытие выставки?

Удивительно, что Флора помнит об этом! Ведь и впрямь накануне в ставшей вдруг престижной галерее Скай состоялось открытие ее выставки «Движение разума».

— Мы распродали все еще до открытия. Я выслала тебе каталог.

— А какие были отзывы в прессе?

— Им по-прежнему не нравится то, что я даю своим сериям литературные названия.

— Скажи им, что это влияние тети Вины, — хмыкнула Флора. — Но что же все-таки говорят о самих картинах?

— Те, кто разбирается, хвалят и говорят, что... — она сделала паузу, перебирая и читая вырезки из газет, — что моя живопись приняла новый, необычный оборот... о, а вот это мне нравится! Томпкинс считает: «четкость проступающих теней свидетельствует о том, что картины для художника являются формой медитации».

— Интересно, — отозвалась Флора. — А Филипп на выставке был?

Изабель улыбнулась. Флора никогда не сдается.

— Да, был. Мы поговорили, и не более того.

— Плохо. Он — то, что нужно. И я сказала ему об этом, когда он месяц назад заезжал ко мне в гости. По пути в Лугано. — Она сделала паузу, чтобы Изабель успела осмыслить информацию. — Но это был не единственный раз, когда он навещал старую леди. Если честно, Изабель, общаться с ним для меня в радость. Он очень тонко чувствующий человек. Он мне нравится.

— Вы оба на редкость общительны, — язвительно заметила Изабель, по-видимому, испытывая нечто вроде ревности по отношению к Филиппу и восьмидесятидевятилетней женщине.

— Да уж, — отозвалась Флора на другой стороне Атлантики. — Кстати, Алехандро сказал, что «Дрэгон текстайлз» выставлена на продажу.

— Правда? И за сколько?

— Подробностей я не знаю. Но если хочешь, попрошу Алехандро все разузнать.

— Спасибо, не нужно. Наверное, Пако лучше оставаться в неведении относительно моего интереса.

Пообещав держать Флору в курсе дела и еще немного поболтав с ней, Изабель повесила трубку и сразу же перезвонила своему адвокату. Оказалось, что «Дрэгон текстайлз» на протяжении долгого времени считается убыточным производством, потери теперь настолько велики, что руководство компании вынуждено привлекать уставный капитал. Сейчас подходящий момент для выкупа компании. Изабель попросила его заняться этим и подать заявку на участие в торгах.

Через три недели адвокат сообщил, что «Дрэгон текстайлз» снята с торгов.

— Я полагаю, что здесь не обошлось без серьезного вливания капитала извне, потому что «Дрэгон» снова набирает обороты. Так сообщают наши источники в Барселоне.

352

— Что это значит?

— Компания участвует в Международной текстильной ярмарке во Франкфурте, которая проводится раз в два года. Не говоря о престижности участия в этой акции, первый приз дает возможность получения заказов, которые гарантируют колоссальные прибыли в течение последующих нескольких лет.

— Они считают, что у них есть шанс на победу?

— Судя по моим сведениям, они уверены в победе!

Изабель все это казалось полной бессмыслицей. После долгих лет прозябания Пако вдруг решил бороться за самую престижную награду в текстильном бизнесе?

Что стряслось? Изабель впала в необъяснимую тревогу.

Оливия буквально отнеслась к предложению горничной чувствовать себя как дома и спокойно расхаживала по квартире сына.

Квартира, которую Филипп занимал в высотном доме на Парк-авеню, была настоящим логовом молодого щеголя. Черный мрамор пола в прихожей прекрасно сочетался с панелями тикового дерева цвета кофе с молоком. Создавая ощущение новизны и индивидуальности, свойственное постэкспрессионистам середины века, стены украшали работы абстракционистов нью-йоркской школы.

Гостиная с камином восемнадцатого века, облицованным сосной и с матовой чугунной решеткой, была меблирована по принципу контраста, построенного на причудливом сочетании кожи и шелка, дерева и металла, стекла и мрамора.

Хотя в квартире было много редких и дорогих полотен, те, что висели в спальне Филиппа, привлекли особое внимание Оливии. Напротив кровати она увидела необычайно эротичное полотно в красных тонах. А над кроватью висел рисунок углем — своеобразная реминисценция красного видения. В обеих работах Оливия узнала искусную руку Изабель де Луна. А вот и фотография — Филипп держит за руку молодую женщину в бейсболке, оба улыбаются. Судя по всему, сын боготворит ее.

Оливия вспомнила похороны Нельсона. Тогда Филипп о чем-то долго говорил с обворожительной незнакомкой. Спросив о ней у сына, она узнала, что это внучатая племянница Флоры Пуйоль, художница Изабель де Луна. Во взгляде Филиппа отразилась тогда боль разбитого сердца — реакция на отверженную любовь.

Оливия попивала вино в библиотеке, когда наконец появился Филипп.

— Прости, что я опоздал. С тех пор как умер Нельсон, мне кажется, я тяну бизнес за двоих.

Налив сыну каберне, Оливия посмотрела на него и вдруг увидела, как красив ее мальчик. Впрочем, в свои сорок четыре года он казался бы моложе, если бы не сеть морщинок в уголках глаз. И отнюдь не беззаботная улыбка. Волосы его по-прежнему были темными и густыми, хотя кое-где уже проглядывала седина. Оливия подумала, что с ее состоянием и капиталом, который Филипп унаследовал от Нельсона, он наверняка может считаться одним из самых завидных женихов в мире.

— Твоя коллекция потрясла меня, Филипп, — сказала она. Поскольку Оливия сама была страстным и знающим коллекционером, Филипп высоко оценил ее комплимент. — К тому же она невероятно обширная.

— Имея таких родителей, я был бы полным идиотом, если бы собирал негодные вещи.

Он улыбнулся, невольно признавая, что чувствует себя спокойно и комфортно рядом с ней. Их отношения постепенно становились ближе и прочнее.

— Как обстоят дела с твоим новым предприятием? — спросила Оливия.

— Отлично! Скай просто потрясающа! — воскликнул он с восхищением. — Разумеется, она многое взяла и от Рихтера, и от Глинчера, с которыми работала, но лишь единицы вправе похвастаться таким умением вести дела. — Он

354

задумался, затем продолжил: — Помимо деловой хватки, она обладает тонким пониманием отношений в мире художников, что большая редкость: продавец должен понимать не только покупателей-богачей, но и тех, кто зависит от него материально, кто предоставляет товар. Скай именно такова. Она никогда не позволит себе уронить достоинство в погоне за прибылью. Она уважает себя и тех, кто у нее выставляется, потому ее галерея пользуется популярностью.

— Тебе повезло. Я слышала, что галереи закрываются одна за другой.

Филипп пригубил вино и задумчиво проговорил:

— Да, начался настоящий бум, и в то же время многие коллекционеры покинули рынок.

— Например, такие как я, — печально отозвалась Оливия. — Мы с Джеем привыкли ходить по галереям и покупать то, что нам нравится, но нынешние цены нам не по зубам. Мы, так сказать, принадлежим к низам коллекционеров.

— К сожалению, — покачал головой Филипп, — рынок вынуждены покинуть те, кто давно занимается собирательством. Именно поэтому я опираюсь на Скай. Она открывала галерею в трудное время, но риск не испугал ее. Благодаря своей причастности к богеме ей удалось собрать вокруг себя людей — художников и покупателей, — которые теперь находят друг друга под крышей ее галереи.

— Судя по всему, ты действительно ей доверяешь.

Филипп молча кивнул.

— Я наблюдал за ней еще в галерее Рихтера. Прежде чем вложить деньги в это предприятие, я выяснил у Скай, как она предполагает вести дела, — продолжал Филипп невозмутимо. — Она ответила: «Чтобы преуспеть, нужно любить искусство, а не деньги», а потом процитировала Андрэ Эммериха: «Хороший посредник произведения искусства не продает; он позволяет публике приобретать их». Мне это понравилось.

Оливия порадовалась, что Филипп не огрубел, приобретая жизненный опыт, и в то же время не возгордился. У него по-прежнему душа романтика.

— Похоже, Скай особенно благоволит Изабель де Луна, — лукаво улыбнулась Оливия. — Впрочем, ты, судя по всему, тоже.

— Для женщины, которая давным-давно оставила материнские заботы, ты невероятно проницательна, — рассмеялся Филипп.

— Спасибо, дорогой. А теперь перестань ерничать и расскажи, что у тебя с этой потрясающей женщиной.

— Абсолютно ничего, — грустно улыбнулся Филипп.

— Ты ее любишь?

— Да.

— А она тебя?

— Думаю, тоже.

— Так в чем же дело?

— Я допустил ошибку. Потом принес извинения и с тех пор делаю все, чтобы исправиться. Но тут дело в другом. — Он поморщился, коснувшись в разговоре загадки, которую был не в силах разрешить. Оливия вопросительно взглянула на сына. — Она говорит, что любви недостаточно, что ей необходимо чувствовать себя в безопасности. — Тень отчаяния легла на его лицо. — Но если я не понимаю, чего она боится, то как же мне защитить ее?

Оливия поднялась с кушетки и стала прохаживаться по комнате взад и вперед. Филипп в полном недоумении застыл на месте. Вдруг Оливия остановилась и бросила на сына печальный взгляд.

— Я оставила тебя когда-то потому, что мне нужно было почувствовать себя в безопасности. Меня слишком часто били, обижали, унижали. Я любила тебя с рождения и до сего дня. Но этого было недостаточно. Мне хотелось ощутить себя защищенной. Не понимаешь?

Филипп молча смотрел на расстроенную женщину, которая пыталась раскрыть ему тайну своей души. Он сделал шаг навстречу Оливии и заключил ее в объятия.

356

— Ребенок, который продолжает жить во мне, никогда не поймет, почему мать его бросила, — сказал он, усаживая ее на кушетку. — Но взрослый мужчина, которым я стал, не может этого не понять.

— Спасибо, — сквозь слезы улыбнулась Оливия и крепко сжала руку сына. — Жаль Изабель, но ей самой надо справиться с той опасностью, что ей угрожает.

— По-моему, она не знает, в чем она заключается, — ответил Филипп. Они с Флорой говорили о тех демонах, которые терзают душу Изабель, во время его последнего визита. Флора тоже просила его потерпеть и дать Изабель время во всем разобраться.

— А ты не спрашивай ее ни о чем, — отозвалась Оливия. — Просто по возможности будь рядом. И в один прекрасный день сквозь пелену страха она увидит и примет твою любовь, а затем и поверит тебе.

Нина покинула офис Филиппа Медины с радостной улыбкой на лице. Он предложил ей за «Истинные цвета» громадную сумму — пятьсот тысяч долларов, как она и ожидала. Нина ответила, что обдумает его предложение. При мысли о том, как небрежно эти слова слетели с ее уст, она приходила в неописуемый восторг. Ей ведь никогда не забыть того, как грубо Филипп отказал ей от места!

Их встреча прошла в атмосфере холодной, деловой учтивости и взаимной подозрительности. Нина поняла, что Филипп потрясен ее близкими отношениями с Изабель, но постарался ничем себя не выдать. Он повел себя как настоящий джентльмен и не заставил ее замолчать, хотя именно это она и предполагала.

Впрочем, не важно. Филипп, стоящий во главе «Медина паблишинг», дал Нине прекрасный козырь. Энтони не отреагировал бы на любой другой издательский дом, но Медину он не проигнорирует. Что бы ни лежало в основе их напряженных отношений, это на руку Нине, и она готова воспользоваться ситуацией. Единственная проблема состоит в том, чтобы завершить сделку как можно скорее. Бринна становилась слишком навязчивой. Пару недель назад эта стерва снова потребовала денег. Когда Нина отказалась, та пригрозила связаться с Филом Донахью и Опрой Уинфри.

— Звони кому хочешь, мне наплевать, — ответила Нина, чтобы спровоцировать Бринну. — Скажешь хоть слово — и окажешься под колесами товарного поезда. Понятно?

Очевидно, Бринна поняла ее, потому что Нине она больше не надоедала, и та не натыкалась на газетные заголовки типа «Давно потерянная мать Нины Дэвис». Бездонное брюхо насытилось. На какое-то время.

Разгадав замысловатую шараду Нины, Энтони добился следующего: из друга превратился во врага и попал в фокус очередной изыскательской экспедиции Дэвис в Бостон. Копаясь в ее прошлом, он вызвал у нее интерес к своему, поднял множество вопросов, которые до сих пор оставались без ответа. Используя личное обаяние и старые удостоверения, Нина получила доступ к отделу хранения справочного материла «Бостон геральд» и провела много часов в кабине для индивидуальной работы, изучая микрофильмы с записью отчетов социологов о ситуации конца тридцатых — начала сороковых годов.

Она обнаружила там десятки фотографий деда Энтони, который разрезал ленты, провозглашал тосты на благотворитьльных обедах, принимал сановников, занимающих высокие посты, получал бесчисленные награды и медали от благодарных сограждан. Отец Энтони, Альберт, тоже оставил след в истории, но фотографировался либо один, либо в компании «неизвестных спутниц».

В 1942 году Альберт Гартвик женился на Жаклин Кеннелон. Ему было сорок семь, ей — двадцать. Он был потомком одной из самых известных семей в Бостоне. Она выросла в многодетной семье ирландского бизнесмена средней руки, который занимался изданием книг по садоводству, декорированию и кулинарии.

— А она и впрямь была красива, — задумчиво вымолвила Нина, рассматривая свадебную фотографию привлекательной брюнетки. — Слишком красива, чтобы выйти замуж за того, кто настолько старше.

Нина изучила все, что касается Альберта Гартвика. В действительности он не имел серьезных и длительных деловых отношений ни с кем. Его роман с Жаклин Кеннелон также освещался довольно слабо. Строго говоря, никакого упоминания о них, — кроме сообщения о помолвке, которая потрясла весь Бостон, и свадьбе, Нине обнаружить не удалось.

Она была заинтригована и с воодушевлением крутила микрофильм, на сей раз сосредоточившись на сфере бизнеса. Как она и предполагала, на одной из последних страниц оказалась маленькая заметка о предприятиях на грани банкротства, в которой упоминалась «Кеннелон паблишинг». Спустя месяц после свадьбы компания была продана «Гартвик-хаус» за «неразглашаемую, но значительную сумму». Через два года в газетах появилось крохотное сообщение о рождении Энтони Гартвика.

Рассчитывая на видное социальное положение этой семьи, Нина ожидала большего, но Жаклин и Альберт Гартвик предпочитали блистать своим отсутствием на страницах светской хроники. Жаклин же и вовсе с того дня, когда вышла замуж за Альберта, и до того, когда его похоронила, словно бы не существовала для окружающих.

Но чем она занималась все эти годы? Судя по тому, как она выглядела на похоронах Альберта, жизнь ее была не из легких. Энтони говорил, что потерял родителей в юном возрасте. Ему было десять, когда умер его отец. Жаклин скорее всего ненамного пережила мужа.

Чтобы убедиться в этом, Нина направилась в архив, но так и не нашла некролога Жаклин Гартвик. Более того, не нашла сведений о том, что эта женщина вторично вышла замуж или ушла в монастырь. Фактически Жаклин Кеннелон Гартвик исчезла без следа.

На всякий случай Нина просмотрела все телефонные книги Бостона и окрестностей и наткнулась на Шона Кеннелона, проживающего в Лонгмедоу, штат Массачусетс. На следующее утро она нанесла неожиданный визит деду Энтони по материнской линии.

О том, что «Гартвик-хаус» собирается опубликовать биографию Изабель, написанную Ниной Дэвис, Филипп сообщил ей сам — негоже, если она узнает об этом от кого-либо еще. Изабель восприняла эту новость с завидным самообладанием.

— Тут уж ничего не поделаешь. Странно только, что Нина заявляет о том, что нас вырастили как сестер. Став взрослой, она стремилась скрыть этот факт.

— Люди раскрывают тайны только в том случае, когда понимают, что хранить их опаснее. Что-то вынудило ее на такой поступок.

— Вряд ли. Думаю, ей просто хочется реванша.

— Не исключено. Но мне кажется, дело здесь скорее в Энтони Гартвике, чем в тебе. У него сейчас серьезные финансовые затруднения. Если он опубликует эту книгу, ему не придется пускать в дело уставный капитал, чтобы снова встать на ноги. Нина отводит себе роль спасительницы в этом сценарии.

— Для меня дело обстоит иначе. Нинин опус перевернет мою жизнь с ног на голову! — Изабель тяжело вздохнула.

— Я пытался ее остановить.

Они закончили разговор дружески, но на душе Филиппа было неспокойно. Он уже прочитал рукопись, чтобы не только узнать, что пришлось пережить Изабель, но и найти ключ к разгадке. Изабель испытывала некий необъяснимый страх, теперь он в этом не сомневался.

Флора считала, что это неискупленная вина Изабель за то, что она не помогла отцу. Филипп полагал, что здесь скрываются вещи посерьезнее. Что — пока неясно, но он обязательно все выяснит.

— Как ты посмел совать нос в мои дела и относиться ко мне как к куску дерьма, если сам лгал все время с момента нашей первой встречи?!

Нина ворвалась в его кабинет, сметая с пути всех, кто пробовал преградить ей путь. Хладнокровие Энтони в очередной раз поразило ее, но теперь еще и разозлило.

— Ты говорил, что ты круглый сирота. А вот и нет! Твоя мать жива и здорова. Она живет на юге Франции с каким-то испанским писателем.

— Ну и что с того?

— Она вышла за твоего отца только потому, что твой дед заплатил кучу денег за эту свадьбу. Бизнес ее отца процветал. Дедушка Элстон хотел наследника и сделал Шону Кеннелону предложение, от которого он не смог отказаться. Разумеется, твоя мать была не в восторге от этого брака. Алкоголь стал для нее заменой семейному счастью с мистером Альбертом Гартвиком. Когда твой отец умер, дедушка, не теряя времени, тут же отправил ее в Европу, чтобы она там протрезвела. Поскольку она так и не вернулась, я думаю, что он выделил ей небольшое содержание, с тем чтобы она и носа не показывала на этом побережье Атлантики, — победоносно заключила Нина. — Ну, как я поработала?

— Отлично. — Энтони тотчас выпрямился.

Нина обошла журнальный столик, села на диван и приблизила свое лицо к лицу Энтони.

— Жаклин сослали потому, что она могла разболтать страшную семейную тайну о том, что Альберт был голубым и не мог спать с женщинами. До того, как отец продал ее замуж, они встречались с парнем, с которым вместе выросли. В тот день, когда ее потащили к алтарю, несчастный Ромео с разбитым сердцем записался в военно-воздушные силы и отбыл в Англию. К счастью для Жаклин, он иногда приезжал на побывку домой. После одного из таких приездов она забеременела, а через девять месяцев родился ты. Что стало с тем парнем потом, я не знаю.

— Как же так? Наверное, ты недостаточно глубоко копала или приложила мало усилий? — презрительно усмехнулся Энтони. — Он разбился на самолете в Германии.

— Очень жаль, — ответила Нина, откидываясь на спинку дивана.

— Сомневаюсь.

— Слушай, — сказала она, меняя позу. — Ты воротишь от меня нос, словно я не вышла происхождением. Теперь выяснилось, что ты вообще не Гартвик. Ты сын Конана Доннели, и вся твоя жизнь — сплошное вранье. Так же как и моя.

— И что из этого следует?

— То, что я была права, — улыбнулась она. — Мы прекрасно подходим друг другу. И в доказательство тому я готова дать тебе еще один шанс и купить книгу об Изабель де Луна. Поверь, Энтони, получилось неплохо. Настолько неплохо, что Медина предложил за нее восемьсот тысяч долларов.

Нина знала, что Энтони никогда не позвонит Филиппу, чтобы перепроверить названную сумму.

— Я перекуплю твою книгу у Медины, — произнес Гартвик и жестом велел ей замолчать, едва она попыталась возразить. — И еще, я согласен жениться на тебе.

— Что?! — Такого Нина уж никак не ожидала.

— Сейчас конец июля. Если твоя книга готова, я немедленно запущу ее к производству. В ноябре она появится на прилавках, как раз к Рождеству, а к Новому году мы сыграем свадьбу. — Энтони откупорил бутылку шампанского и наполнил бокалы. Протянув один Нине, он произнес тост: — За «Истинные цвета» и истинную любовь. Надеюсь, мы не обманем взаимные ожидания друг друга.

Глава 27

Барселона
1990 год

Весь долгий путь до Барселоны Изабель провела без сна. Она все еще не оправилась от потрясения, которое пережила в свой день рождения: посреди веселой вечеринки в Ла-Каса ей вдруг пригрезилось чье-то враждебное присутствие.

Изабель не понимала, в чем дело, но вот уже несколько месяцев чувствовала себя в каких-то тисках. Часто на вечеринках, приемах или выставках ей казалось, что кто-то слишком долго на нее смотрит; на улице она иногда слышала за спиной чьи-то шаги, которые точь-в-точь повторяли ее собственные; в последнее время слишком часто прерывалась телефонная связь. Изабель решила бежать из Нью-Йорка и отправилась в Санта-Фе, но мистическое ощущение угрозы не покидало ее и в горах.

Взяв напрокат машину, Изабель на большой скорости мчалась в Кампинас.

Когда она вошла в комнату тети Флоры, сердце ее на мгновение замерло при виде смертельно бледной, угасающей женщины. Убитый горем и подавленный тяжким грузом прожитых лет, Алехандро сидел рядом с Флорой и держал ее за руку. Изабель печально улыбнулась ему, приблизившись к ложу бабушки с другой стороны.

— Я рада, что ты дождалась меня, — сказала Изабель, садясь на стул.

Губы Флоры дрогнули, а глаза увлажнились. Только Изабель ей и хотелось видеть перед смертью.

— Нам нужно кое-что обсудить, — прошептала Флора еле слышно, но глаза ее при этом радостно заблестели.

— Береги силы. — Изабель погладила тетушку по щеке.

— Мне не для чего их беречь. — Губы Флоры дрогнули, когда она рассмеялась собственной шутке, но она тотчас закрыла глаза и глубоко вздохнула; ей не хватало воздуха.

Сиделка поспешно поднесла к ее лицу кислородную маску. Изабель только теперь заметила аппарат искусственного дыхания у кровати. Когда дыхание Флоры нормализовалось, маску сняли, и она медленно повернула голову к Алехандро. Ужасно, что скоро она покинет его навсегда.

Ладно, теперь надо сосредоточиться и переключить внимание на Изабель.

— Я так много хотела бы тебе дать... чтобы тебе было легче... чтобы ты смогла побороть... — Флора смежила веки. Изабель тотчас склонилась над ней, щупая пульс. К огромному облегчению племянницы, она снова открыла глаза. — Мне следовало бы подумать об Эстрелье и Хавьере.

Изабель прижала палец к губам Флоры, умоляя не тратить последние силы. В дверь кто-то постучал, и сиделка впустила в комнату Филиппа. Изабель остолбенела от неожиданности и молча перевела взгляд с него на бабушку.

— Я не хочу, чтобы ты осталась одна, — просто ответила та.

Филипп подошел к умирающей, поцеловал в лоб и молча занял место за спиной Изабель. Флора с облегчением вздохнула и провалилась в глубокий сон.

— Ты послал за священником? — шепотом спросила Изабель Алехандро.

Он кивнул и всмотрелся в лицо жены.

— Но прежде чем начать отпевание, она просила прочитать над ней мантру. Она сказала, что ты знаешь.

Изабель поднялась и быстро потерла ладони, затем поднесла их к закрытым глазам тетушки, чтобы та ощутила ее тепло, и тихо запела на хинди. Свет и звук, цветные образы — они стали проводниками Флоры в мир вечного покоя.

Изабель и не заметила, как в комнату вошел священник, как он совершал обряд, освобождая Флору от земных грехов и готовя к вступлению в Царствие Небесное.

Когда Изабель открыла глаза, священник уже покинул дом. Так же как и Флора юдоль земную.

В церкви Изабель сидела на скамье между Алехандро и Филиппом. Инес Фаргас сопровождал ее сын Ксавьер. Остальные представители клана разместились на передних трех скамьях.

Почетные места в церкви занимали представители испанской аристократии, европейского высшего общества и крупнейшие политические деятели Каталонии. Семья Пуйоль — виднейшие коммерсанты — была вовлечена в исторический процесс развития региона, а потому король Хуан Карлос прислал сюда своего сына в качестве представителя испанской короны. Здесь же присутствовал и мэр Барселоны. Фермеры и виноторговцы стояли рядом с банкирами и фабрикантами. Оперные певцы, музыканты симфонических оркестров, писатели, философы и журналисты сидели на церковных скамьях вместе с танцорами фламенко, рок-гитаристами и непризнанными поэтами.

Просто Флора любила всех-всех, не выделяя особо обладателей регалий. Она поддерживала скульпторов и живописцев, ссужала их деньгами, предоставляла крышу над головой, а иногда и просто подкармливала, давая возможность творить прекрасное в мрачные годы режима Франко. Она помогала им, и они помнили это.

Изабель, одетая в белое, как желала того тетя Флора, не сводила глаз с цветочного покрывала на гробе красного дерева: желтые и красные розы располагались на нем полосами, как на флаге Каталонии. Тетя Флора всегда гордилась своей фамилией и хотела, чтобы ее похоронили как истинного патриота своей страны.

В соответствии с последней волей Флоры траурная процессия направилась в Готический квартал Кампинаса тем же самым путем, которым давным-давно несли гроб Мартина де Луна: к северу через весь город, минуя собор Святого Семейства, похожий на замок из песка, — одно из величайших творений Гауди. Когда процессия приостановилась у еще не оконченного фронтона собора, Изабель вспомнила, как приходила сюда в детстве.

Занимаясь образованием внучатой племянницы, Флора показала ей все постройки Гауди в округе и поведала о гении, который изменил архитектурный облик Барселоны, придав городу современный вид, а также создал собственный стиль, получивший в английском языке отнюдь не благозвучное название «гауди».

— Это его мечты, застывшие в камне, — объяснила Флора.

«Надеюсь, что все твои мечты успели претвориться в жизнь, моя дорогая тетя», — подумала Изабель, когда кортеж тронулся к северному холму, где Флора должна была найти последнее пристанище.

Рядом с Филиппом, опираясь на его сильную руку, преклоняя голову к его груди, Изабель легче было перенести эту утрату.

Выйдя из машины, она поразилась тому, сколько народа приехало на кладбище. Ее покоробило при виде Эстрельи и Хавьера Мурильо среди тех, кто шел за гробом.

— Они здесь ради тебя, — тихо шепнул Алехандро, который опирался на ее руку и вдруг почувствовал, как она напряглась. — Мурильо хотят показать, что скорбят вместе с тобой. Их дни тоже сочтены. Постарайся найти в своем сердце хоть каплю жалости и прости их.

Поднимаясь по склону холма, Изабель, размышляя над словами Алехандро, пришла к выводу, что не сможет простить Мурильо до тех пор, пока они не простят Мартина.

Филипп и Ксавьер, поддерживая Алехандро с двух сторон, подвели его к свежевырытой могиле. Изабель же, опустившись на колени, положила букет роз на могилу Альтеи.

Отцу она принесла одну белую розу.

— Еще не все кончено, папа, — пробормотала Изабель в задумчивости и тут же спохватилась: неужели это сказала она?

Странно, почему такая мысль пришла ей в голову. Может быть, потому, что она впервые увидела его надгробие? Побывала на могиле матери? Увидела на похоронах чету Мурильо?

— Изабель, — услышала она за спиной голос Филиппа. — Пойдем, пора проститься с тетей Флорой.

Она молча кивнула, и Филипп помог ей подняться. Обняв ее за талию, он поддерживал ее всю дорогу до могилы.

Изабель снова погрузилась в воспоминания о той необычайной женщине, чья душа теперь перенеслась в мир иной. Тяжелее всего было наблюдать за тем, как Алехандро с трудом опустился на колени, сжал в кулаке комок пахучей глины, поцеловал его и бросил на крышку гроба жены. Рыдания сотрясли его немощное тело.

Ксавьер и Инес заверили Изабель, что отвезут Алехандро домой и присмотрят за ним. Впрочем, что уж теперь — присматривать...

С Мурильо Изабель старалась держаться по возможности любезно, внушая себе, что это ее дедушка с бабушкой, что им уже очень много лет.

Наконец простился последний гость, и Изабель осталась вдвоем с Филиппом.

— Я здесь не останусь, — вдруг с ужасом проговорила она, испугавшись, что ей придется ночевать в замке в одиночестве.

— Я снял номер в отеле «Ритц» в Барселоне. Если хочешь, поедем со мной.

Она безвольно кивнула.

— Сегодня был очень долгий и трудный день, — сказал он, поднимая бокал красного вина за ужином.

Изабель осторожно пригубила вино и рассеянно посмотрела сквозь стеклянные двери во внутренний дворик с садом, освещенный огнями отеля. Захваченный врасплох обрушившейся внезапно грозой мирный зеленый оазис словно по волшебству превратился в дикие джунгли.

Безжалостный ветер трепал кроны деревьев с такой силой, что с них облетала листва, цветы прибило к земле крупными дождевыми каплями. Изабель наблюдала, как противостоят стихии эти пленники. Их беспомощность привела Изабель в жуткое отчаяние.

Заметив, что она расстроена, Филипп проводил ее в номер.

Апартаменты оказались роскошными: гобелены восемнадцатого века, хрустальные люстры, позолоченные зеркала и консоли, обитая шелком старинная мебель. Рядом с кроватью стояла напольная ваза с великолепными розами. Видимо, так распорядился Филипп.

— Спасибо, — сказала она. — Очень мило.

Раздался стук в дверь, и Филипп, извинившись, пошел открывать. Изабель решила задернуть гардины, подошла к окну, и вдруг темное небо прорезал ослепительный зигзаг молнии. Изабель вздрогнула от неожиданности, и в следующий момент ее оглушил раскат грома. Когда Филипп вернулся, Изабель была ни жива ни мертва от страха; ее колотила крупная дрожь.

— Пожалуй, это как раз кстати, — произнес он, протягивая ей бренди и недоумевая, почему Изабель всю трясет.

Задернув гардины, Филипп включил свет и предложил ей немедленно лечь спать, оставив бренди и несколько журналов на столике. Потягивая ароматный напиток, она немного полистала страницы с модными фотографиями и незаметно для себя задремала под глухой шум ливня за окном. И вдруг посреди ночной тиши снова раздался страшный грохот, и полыхнула молния. Изабель вздрогнула и проснулась. Свет в спальне мигнул и погас. И тут ее обуял панический страх, оставаться в постели дольше было невозможно.

Вытянув руки вперед, она стала медленно, на ощупь, пробираться к двери. Стоило ей коснуться дверной ручки, как за окном снова громыхнуло. Сердце у нее оборвалось, она судорожно вцепилась в ручку. Странное покалывание в онемевших пальцах распространилось по всему телу, вызывая ощущение наркотического опьянения. Изабель тряхнула головой, чтобы сбросить с себя оцепенение, и в этот момент услышала звон бьющегося стекла, а затем глухой звук падающего тела. Не колеблясь дольше ни секунды, Изабель потянула ручку двери на себя.

Сверкнула молния. На какой-то миг небо взорвалось и разлетелось в клочья, окрасив все вокруг в синий цвет. До боли знакомый, внушающий страх и трепет синий цвет! На полу лежал человек, он взглянул на нее и протянул руку. Она услышала свое имя. У нее захватило дух, ибо она узнала этот голос. Но лицо... Это было его лицо! Она видела его так же отчетливо, как в ту ужасную ночь много лет назад. Остекленевшие от неожиданности при виде ее глаза, перекошенный рот, сдавленное рычание. Разве такое забудешь!

Изабель без чувств рухнула на пол.

Проснулась она в постели Филиппа, в его нежных объятиях. Голова у нее кружилась, но в сознании постепенно возник искомый образ. Сев на кровати, Изабель внимательно посмотрела на Филиппа.

— Я видела его, — тихо вымолвила она. — Я видела человека, который убил мою мать.

— Когда погас свет, я бросился в твою комнату, — ответил Филипп, чувствуя себя неловко под ее пытливым взглядом. — Я налетел на столик, уронил лампу и упал. Ты открыла дверь и, замерев на пороге, стала смотреть на меня.

— А видела его, — уточнила Изабель. — Все эти годы мне казалось, что я в ту ночь спала. Но я не спала, я все видела. — Она навзрыд заплакала. — То, что случилось той ночью... Это вернулось.

Филипп обнял ее, стараясь унять охватившую ее дрожь.

— Тебе не следует предаваться этим воспоминаниям в одиночестве.

— Да, я знаю. — Изабель утерла слезы краем простыни и удобно устроилась в его объятиях, размышляя о прошлом и о будущем в одно и то же время. Филипп молча ждал. — Завтра утром я позвоню племяннику Алехандро, Ксавьеру, — сказала она по прошествии нескольких минут. — Он психиатр, и, судя по отзывам Алехандро, неплохой. Кроме того, мы знакомы и...

— И с ним ты будешь чувствовать себя в безопасности.

— Я чувствую себя в безопасности с тобой, — выразила она внезапно поразившее ее ощущение.

— И когда ты пришла к такому выводу? — с улыбкой спросил Филипп, которого удивили и обрадовали ее слова.

Изабель потерла виски, словно стараясь прояснить мысли.

— Видимо, подсознательно я доверяю тебе, потому что ты можешь помочь мне избавиться от моих кошмаров.

— Конечно, ибо подсознательно ты чувствуешь, как сильно я тебя люблю, — ласково отозвался он.

— Вот здесь, — она приложила руку к своей груди, — здесь давно уже живет вера в твою любовь. Нужно было, чтобы разум пришел в согласие с сердцем... — От избытка эмоций голос у нее сорвался. — Я должна попытаться все вспомнить.

— Но не пытайся делать это в одиночку. — С этими словами Филипп привлек ее к своей груди.

Изабель была благодарна ему за любовь, терпение, силу и в особенности за поддержку, но когда он заснул, она долго еще лежала, глядя в темноту. Завтра она собиралась предпринять путешествие в закоулки своей памяти. Путешествие явно будет мучительным; но она не отступит. К сожалению, этот путь ей придется проделать одной, отказавшись от помощи Филиппа.

Ксавьер практиковал в Педральбес, фешенебельном районе Барселоны. Его офис выходил окнами в парк королев-

370

ского дворца Педраль, и каждый раз, войдя в кабинет, Изабель сокрушалась, что из окна открывается весьма мрачный вид.

Заглянуть в собственное подсознание оказалось делом нелегким. Ксавьер не был сторонником применения гипноза и наркотических средств, по его методе мозгу задавался естественный ритм. Во-первых, этот подход не оказывал отрицательного воздействия на здоровье, во-вторых, полученный таким образом результат не вызывал сомнений.

— Вы художник, Изабель, — этими словами Ксавьер начал их вторую встречу (первая была полностью посвящена подготовке к сеансам). — Используйте свое умение мыслить зрительными образами, чтобы проникнуть в прошлое и увидеть то, что нас интересует.

Они быстро преодолели временно́е расстояние между ее счастливой, беззаботной жизнью в доме на Пассейг-де-Грасия с частыми визитами в «Эль кастель де лес брюшотс» и ее последними каникулами на Мальорке. С этого момента воспоминания Изабель окутала тень тревоги. Разум побуждал ее хранить спокойствие, но подсознание предвещало близость ужасных событий. И это пугало Изабель.

Их продвижение в прошлое застопорилось. Медленно, осторожно Ксавьер старался расшевелить ее мозг, передвигая временны́е рамки то в одну, то в другую сторону, заставляя тем самым поверить в то, что она находится на месте трагедии, но в окружении всегда готовых прийти на помощь доброжелателей.

Изабель вспомнила, с каким радостным нетерпением она всегда ждала летних каникул на Мальорке.

— Вы там встретились с Пасквой Барбой? — спросил Ксавьер.

Изабель кивнула, живо вспомнив, какое впечатление произвел тогда на нее этот человек.

Она вспомнила серьезный разговор между Пако и Мартином и пересказала его Ксавьеру, хотя ей, естественно, не хотелось выставлять отца в столь неприглядном виде.

371

— Ваш отец был расстроен поведением жены? — Изабель отвернулась, чтобы не встречаться глазами с Ксавьером. В невиновности отца она не сомневалась, поэтому ей была неприятна сама тень подозрения, которую кто-либо бросал в его адрес. — Вы не ответили.

— Он был в ярости.

На следующий день она рассказала Ксавьеру о своем пятом дне рождения, который праздновали в ресторане «Ритц». Она вспомнила все до мелочей: колоннаду, стулья с высокими спинками вокруг дубовых столов, голубые фарфоровые вазы с огромными растениями, даже мелодию, которую исполнял оркестр. Постепенно она настроилась на то, чтобы воскресить в памяти тот судьбоносный день. И снова ей пришлось признать, что гнев Мартина одинаково распространялся и на Барбу, и на Альтею.

Когда они приблизились к самой ночи убийства, Ксавьер предупредил Изабель, что поскольку именно здесь кроется ее душевная травма, она вряд ли сможет вспомнить события в их логической последовательности, а возможно, ей вообще не удастся воспроизвести всю картину полностью.

Ксавьер оказался прав. Каждый сеанс высвечивал новую сцену, которая не обнаруживала никакой связи с предыдущей. Альтея лежит на полу обнаженная, ее тело едва прикрыто полотенцем. Опрокинутая лампа, отбрасывающая на стену причудливую тень. Волосы Альтеи мокрые, перепутанные, пряди разметались по полу. Перевернутый столик. Мужской пиджак с золотыми пуговицами. Лицо Альтеи — ее профиль, глаза закрыты, губы чуть приоткрыты, кровь на правой щеке. Его лицо частично такое, каким Изабель его уже видела, — злобный взгляд, перекошенный в усмешке рот; но в его облике появились и новые детали — порез на щеке, золотое кольцо на левой руке, как раз на той, которую он протянул к Альтее.

Последний сеанс длился три часа. Ксавьер неотступно следовал за Изабель по бесконечно длинной ночи, до той самой минуты, когда маленькая Изабель спряталась в шкафу, затаившись от страха.

— Приходя в себя после тех синих ночных кошмаров, вы вспоминали детали? — спросил Ксавьер.

— Я делала наброски.

— Они сохранились?

— Так, кое-какие, — ответила Изабель нехотя. Она всегда стеснялась того, что занимается такой ерундой. Правда, теперь они пригодились. — У Миранды тоже что-то есть.

Ксавьер удовлетворенно кивнул: нельзя же выказывать свою радость по такому «пустяку».

Миранда тотчас выслала Изабель рисунки. Распечатав конверт, Изабель разложила наброски на полу в своей комнате в Кастель. Она долго бродила вокруг них, сторонясь белых листов, словно неведомого вируса. Наконец она не выдержала и бросилась вон из комнаты, почувствовав, что задыхается от страха и приступа клаустрофобии, как в ту ночь, когда спряталась в шкафу. Как тогда, так и теперь она не могла побороть страха перед убийцей.

Изабель вошла в кабинет Флоры и набрала номер Филиппа.

После той ночи в «Ритце» она уговорила его немедленно вернуться в Нью-Йорк и теперь звонила ему в офис, домой, даже в самолет, но Филиппа нигде не было. Она встревожилась не на шутку и стала бездумно бродить по дому. Когда же поняла, что не выдержит дольше этой муки, заставила себя вернуться к рисункам.

Много часов просидела она на полу среди кучи набросков, часть которых она сделала еще в семилетнем возрасте. Она бесконечно перекладывала их с места на место, сортировала, раскладывала то так, то этак и не заметила, как наступила ночь. Прикладывая нос к подбородку и левому глазу, она затем меняла глаза местами. Потом прибавляла рот и искала подходящие подбородок, шею, волосы и овал лица. К утру у нее получилось несколько портретов совершенно разных мужчин. В тот же день она показала рисунки Ксавьеру, сообщив, что пришла в полное отчаяние.

Ксавьер разложил рисунки на столе и стал внимательно изучать их. Вскоре он обнаружил несомненное сходство: сходящиеся к переносице густые брови, полные губы, расширяющийся к кончику нос.

— У Пако на подбородке ямочка, — заметила Изабель, разочарованная тем, что ее предварительный портрет однозначно не похож на Пако. — А на рисунке ее нет.

— Не исключено, что человек этот вам незнаком, а убийство — беспричинный акт жестокости.

Отчаяние и осознание собственного бессилия тяжкой ношей обрушились на плечи Изабель. Она заплакала.

— Вы преодолели первый и самый трудный барьер, — сказал Ксавьер. — Вы открыли дверь в свой мозг. Теперь, когда он освобожден от бремени мучительных воспоминаний, нам будет легче установить истину. А со временем, возможно, вы сумеете назвать имя убийцы.

Изабель была слишком занята своими проблемами, чтобы заметить появление на прилавках книги Нины Дэвис «Истинные цвета», которая сразу же заняла ведущие позиции в списках самых популярных бестселлеров. Никогда еще Нина не достигала такого взлета.

Любопытство публики не могла насытить скудная информация, просачивающаяся сквозь закрытые двери нью-йоркских галерей на Мэдисон-авеню и в Сохо, зато каждому по карману была дешевая книжка, содержащая в себе довольно грязи вперемешку с громкими именами, ставшими легендой свихнувшихся на искусстве восьмидесятых.

Нина превратилась в королеву многочисленных ток-шоу. Она нашла ту самую грань, когда ее личные отношения с Изабель вызывали у публики симпатию к ней самой безоговорочно, без всяких лишних расспросов. Даже тот факт, что ее приемная мать владела художественной галереей, стал косвенным свидетельством признания таланта Изабель и ее друзей-живописцев.

Впрочем, Бринна по-прежнему оставалась неразрешимой проблемой. Не найдя ни единого упоминания о себе в книге Нины, она просто рассвирепела и пригрозила лично связаться с Опрой.

Нина ответила ей кратко, решительно и по существу:

— Если ты попробуешь упомянуть свое имя рядом с моим, я упеку тебя за решетку за вымогательство. Ты придумала забавную игру, Бринна, но теперь все окончено. Счастливо оставаться.

Появление в печати неавторизованной биографии Изабель всколыхнуло общественность Барселоны, в результате чего возобновились толки о нераскрытом убийстве Альтеи де Луна. В барах и кафе на Рамблас люди судачили о тех главах книги, где Нина Дэвис высказывала свое предположение о том, что убийца — Мартин де Луна.

Однако существовал свидетель, который знал, что Нина ошибается. Он, вернее она — уборщица гостиницы не только видела другого мужчину, выходившего из комнаты убитой, но и подобрала предмет, который тот обронил в коридоре. Собираясь заявить об этом в полицию, женщина быстро поняла, что власти хотят обвинить во всем сеньора де Луна. Подружка подтвердила ее предположение, и она побоялась публично заявить, что полиция идет по ложному следу.

Все эти годы бедняжка сгибалась под тяжестью вины, презирая себя за трусость. Из-за нее осудили невиновного, его доброе имя смешали с грязью. И вот теперь, спустя много лет, опять все повторяется. Она могла бы смыть пятно позора с праха Мартина де Луна, но слишком хорошо понимала, что теперь ее обвинят за сокрытие улик.

Возможно, есть какой-нибудь способ обнародовать правду, оставшись при этом в тени. Надо как следует подумать.

* * *

Мало того что погружение в собственное прошлое стоило Изабель немыслимых душевных сил, судьба приготовила ей еще один сюрприз. Адвокат сообщил ей, что «Дрэгон текстайлз» снова выставлена на торги, хотя этот факт огласки пока не получил. Кстати сказать, компания все же получила первый приз на международной ярмарке во Франкфурте.

Как-то вечером, включив телевизор, Изабель наткнулась на интервью с владельцем компании сеньором Барбой и его американским партнером Джулианом Рихтером.

— При всем нашем уважении к вам, сеньор Барба, надо заметить, что последние несколько лет ваша компания была на грани разорения. Неужели вы действительно рассчитывали получить первую премию во Франкфурте?

— Без сомнения, — улыбался в камеру Барба.

— Но каким образом?

— За основу дизайна наших новых тканей взята серия полотен известной художницы, уроженки Барселоны, Изабель де Луна. Как же мы могли проиграть!

Побледнев от злости и сжав кулаки, так что побелели костяшки пальцев, Изабель увидела на экране образцы тканей, рисунок которых полностью повторял «Видения в голубом».

— Как вы познакомились с мистером Рихтером?

— Джулиан Рихтер владеет одной из престижных нью-йоркских художественных галерей. Как вы знаете, я коллекционирую живопись. Мы с Джулианом знакомы уже много лет.

Камера переместилась в гостиную Джулиана, Изабель сразу же ее узнала. Кровь застучала у нее в висках, она прищурилась, но увы, ошибки не было. В центре голубого экрана самодовольно улыбался Джулиан Рихтер, а на заднем плане отчетливо виднелось ее полотно «Синее», символизирующее Смерть.

— Каким образом установились ваши деловые отношения с «Дрэгон»? Благодаря сеньору Барбе? — спрашивал журналист.

— Нет, — ответил Джулиан. — Я знал о проблемах «Дрэгон», поскольку давно следил за деятельностью этой компании. Однажды я имел удовольствие посетить предприятие с тогдашней владелицей и главным дизайнером компании Альтеей де Луна.

Изабель остолбенела. Журналист же продолжил свои расспросы:

— И когда это было?

— Во время моего приезда в Барселону летом шестьдесят третьего года.

Глава 28

«Вы приглашены на прием по случаю учреждения сеньоритой Изабель де Луна художественного фонда де Луна. Прием состоится 10 декабря 1990 года в половине восьмого вечера в «Эль кастель де лес брюшотс», Кампинас, Испания».

Приглашения предназначались для узкого круга лиц, их передавали лично в руки. К нескольким прилагались предложения войти в совет директоров-учредителей фонда. Посланец в таких случаях дожидался ответа.

При виде человека с непроницаемым лицом, одетого в роскошную ливрею, который вдруг вырос у нее перед столом, Нина насторожилась. Ей не хотелось читать приглашение и письмо Изабель в чьем-либо присутствии. Она предпочла бы вчитаться в каждую строчку не торопясь, чтобы понять, насколько Изабель искренна.

«Для автора популярной книги, которая возбудила живой интерес к семье де Луна, это приглашение всего лишь само собой разумеющаяся формальность. Как моя сестра, ты имеешь полное право занять место в совете директоров фонда, учреждаемого в память о моих родителях и твоих лучших друзьях, Мартине и Альтее».

Нине пришлось признать, что Изабель попала прямо в цель: Нина сама публично заявила о своем уважении и любви к семейству де Луна, а особенно к Изабель. Но как расценить отзыв Изабель о книге? Вряд ли она рада тому, что в результате публикации возобновились пересуды о виновности Мартина. И все же реакция Изабель на «Истинные цвета», вернее, отсутствие всякой реакции, вызвало у Нины восхищение, насторожило ее и одновременно раздосадовало. Изабель вполне могла бы привлечь ее к суду за искажение некоторых фактов. Или по крайней мере восполнить пробелы в биографии самой Нины, сознательно ею допущенные. Она не сделала ни того ни другого. Напротив, она протягивала Нине оливковую ветвь мира и предлагала престижное место в совете директоров фонда. Неужели ловушка?

— Так что мне передать сеньорите де Луна? — поинтересовался посыльный.

— Скажите сеньорите де Луна, что мисс Дэвис рада будет присутствовать на приеме.

Джулиан всегда был недоверчив. С особенным подозрением он относился к проявлениям доброжелательности со стороны тех, у кого были причины его ненавидеть. Изабель, без сомнения, знает новости о «Дрэгон текстайлз» и должна быть вне себя от злости на него за то, что он использовал ее полотна в коммерческих целях. Это обесценивало произведение искусства.

Кроме того, он сомневался, что Изабель простила ему грубые отзывы о «Видениях в синих тонах», то, что он подарил Грете Рид «Синюю луну», долгие, отвратительные переговоры о контракте, а также его мелкую месть в связи с тем, что она отказалась стать его любовницей. Конечно, он всегда обходился с Изабель по-свински, и все же ей не следовало оставлять его. Именно он сделал из нее художницу с мировым именем.

Но вместо благодарности Изабель переметнулась к Скай Хоффман и объединилась с этой предательницей против него. И что хуже всего, успех выставки Изабель принес галерее Скай популярность, вынудив его из кожи вон лезть, чтобы не утратить собственный престиж.

Дела шли из рук вон плохо. Грета начала бракоразводный процесс и, как обещала, вместо своих денег потребовала предоставить ей контроль над его галереей, коллекцией и будущими сделками. Если бы не спасительное предложение Пако Барбы, он точно бы не выкрутился. В последнее время «Дрэгон текстайлз» была его единственным источником дохода.

Бум восьмидесятых заложил основу всеобщего банкротства девяностых. Джулиану пришлось понизить цены на работы многих выставляющихся у него художников. Выставки мало кто посещал.

При мысли о делах Джулиан недовольно поморщился.

Он думал, что его размах, громкое имя и стаж в этом бизнесе позволят более или менее спокойно пережить сложившуюся ситуацию, но не тут-то было. В «Нью-Йорк таймс мэгэзин» сразу же появилась разгромная статья. Рихтер, оказывается, служил «ярким примером того, в каком упадочном состоянии находится сейчас рынок». Более того, следующие несколько абзацев были посвящены исключительным достоинствам Скай и непреходящей популярности Изабель де Луна, которую называли единственным художником современности, чьи работы, несмотря на кризис, не падали в цене. Джулиан пришел в ярость, прочитав эти строки.

И вот теперь Изабель прислала ему приглашение в Испанию на прием и пухлый конверт с письмом на многих страницах, в котором просила его войти в совет директоров-учредителей фонда.

Посланец, который ждал ответа, сообщил, что мистер Медина предлагает ему воспользоваться своим личным самолетом. Такая щедрость только усилила подозрительность

Джулиана. Дружеское расположение, которое так стремился выказать Медина, никак не вязалось с тем фактом, что он уже давно перестал покупать у него картины, и более того, продал несколько полотен из своей коллекции галерее Скай, нарушив тем самым негласное правило, предписывающее возвращать картины прежнему владельцу.

Наверняка за этим приглашением что-то кроется. Изабель де Луна в Рихтере не нуждалась, а Филипп Медина вряд ли приглашал его прокатиться на своем водном велосипеде. Джулиана одолевали тревожные мысли, но после долгих колебаний он все же согласился, решив, что уж лучше прямо взглянуть в лицо опасности, чем дожидаться удара в спину.

И потом, ведь платить за билет на самолет не надо.

— Почему она прислала мне приглашение? Ведь она меня ненавидит, — заявил Пако в тревоге.

— Может быть, таким образом она хочет помириться.

— Полагаешь, спустя столько лет она все же убедилась, что это не я убил ее мать? — с недоверием переспросил он.

— Надеюсь, — тихо отозвался Хавьер. — Мы с Эстрельей использовали любую возможность, чтобы убедить Изабель в том, что в тот вечер ты был с нами.

— Но она никогда не верила вам! Что же случилось?

— А почему бы тебе самому не задать ей этот вопрос?

Пако рассчитывал заручиться поддержкой Хавьера, а потому спросил:

— А вы с Эстрельей там будете?

— Да. Изабель нас пригласила, и мы готовы заключить мир, который она предлагает.

Пако надолго замолчал. Мурильо не торопил его с ответом, предоставляя возможность тщательно все взвесить.

— Я поеду, но Анну с собой не возьму.

— Напрасно, — отозвался Хавьер, которому нравилась жена Пако. Она была привлекательна и остроумна, прекрасная собеседница за столом. — А почему?

— Потому что я не знаю, чем все это обернется, — ответил Барба. — А тебе лучше, чем кому бы то ни было, известно, что кое-что ей лучше вовсе не знать.

День у Энтони сложился на редкость удачно. Персонажи «Истинных цветов» обрели плоть и кровь. «Гартвик-хаус» выпутался из долговой сети. Он лично подписал три контракта с авторами, произведения которых поспособствуют начавшемуся подъему издательства. Кроме того, этим вечером ему предстояло свидание с соблазнительной юной дамой. Он улыбнулся в предвкушении приятного вечера, но тут в его кабинет ворвалась Нина с приглашением от Изабель.

Она болтала о том, что надо заказать билеты на самолет и номер в отеле, о том, что неплохо бы заехать на Ривьеру, познакомиться с его родителями. Внезапно встав из-за стола, Энтони жестом попросил ее замолчать.

— Я с тобой не поеду, — заявил он и опустил голову, призывая на помощь всю свою выдержку. Когда он снова взглянул на Нину, ее глаза словно остекленели. — И я не могу жениться на тебе, — выдохнул он.

Нина едва не лишилась чувств.

— Почему?

— Для меня этот брак стал бы непростительной ошибкой.

— Нет. Это моя ошибка, а не твоя, — ответила она. — Мне следовало догадаться раньше. Просто я хотела быть счастливой, а тебе нужно было поправить дела. Я отдала тебе «Истинные цвета», а ты отплатил мне дерьмом.

— Это не так, — попытался оправдаться Энтони, но слова звучали неубедительно.

Потрясенная его жестоким отказом, Нина в ужасе замерла на руинах своего прекрасного романа. Энтони, раздосадованный этим неприятным разговором, притворился, что смущен, но вдруг задумчиво произнес:

— И вот еще что... Контракт по найму на твою квартиру истекает в этом месяце. Я не стану его продлевать.

— Не знаю как, но я обязательно тебе отомщу. Запомни.

Нина покинула его кабинет с гордо поднятой головой, хотя держалась из последних сил.

Плутая по сети узких улочек Готического квартала, Изабель вдруг испугалась: а не ловушка ли это? По телефону женщина сообщила только о том, что у нее есть информация, которая, возможно, заинтересует сеньориту де Луна. Речь шла об улике, найденной возле комнаты Альтеи в ночь убийства.

Изабель не нужно было искать дорогу или справляться о номерах домов. Кафе «Четыре кота» ей хорошо известно. Она часто заходила туда с тетей Флорой во время прогулок по городу. Здесь собиралась творческая молодежь города, чтобы выпить, поспорить, обрести вдохновение. Именно здесь Пикассо впервые выставил свои картины. Но сегодня кафе почему-то пустовало. Официант проводил Изабель за столик, где ей предстояло встретиться с незнакомкой, готовой пролить свет на событие далекого прошлого.

Свидетельница опаздывала. Неужели этот звонок всего лишь чей-то глупый розыгрыш? Теряя терпение, Изабель стала рассматривать картины и фотографии на стенах.

Она не заметила, когда к ней подошла женщина. Наверное, вошла в кафе через черный ход и села напротив. Невысокая, худая, в очках и красном свитере, надетом поверх цветастого платья, она ничуть не походила на злодейку.

Женщина волновалась, но ее облик скорее успокаивал, чем внушал подозрения. Оглядевшись, она сунула руку в свою сумку и вытащила оттуда что-то завернутое в носовой платок. Развернув платок, Изабель увидела массивный золотой перстень с инкрустацией.

— Где вы его нашли? — спросила она, внимательно его разглядывая. Кольцо казалось ей до боли знакомым.

Собеседница впервые осмелилась поднять на Изабель карие, круглые от страха глаза.

— Я работала горничной в «Ритце», — робко вымолвила она, словно каялась в грехах на исповеди. — В ту ночь

382

произошло электрическое замыкание, и нам велели разнести свечи по комнатам. Я везла по коридору тележку со свечами, когда услышала, как всего в нескольких футах от меня скрипнула дверь. Подняв фонарь повыше, я увидела перекошенное от злости лицо мужчины. Он тотчас резко заслонился рукой от света. Я почему-то испугалась, отчего он разозлился еще больше, и тут же, подскочив ко мне, потребовал, чтобы я отдала ему фонарь. Я возразила, тогда он схватил меня за руку и крепко стиснул ее. Помню, у него была мокрая ладонь, наверное, вспотела. Я вырвала руку, и с его пальца соскочило кольцо. Тут открылась еще одна дверь, на пороге появился какой-то мужчина и спросил, что здесь происходит. Я вздрогнула от неожиданности, выпустила фонарь из рук, и он разбился. Нападавший бросился бежать, а я стала искать спички, чтобы зажечь свечу. Когда свеча загорелась, его уже и след простыл.

— А кольцо осталось у вас.

Женщина кивнула.

— Вам, конечно, трудно в это поверить, сеньорита де Луна, но я действительно хотела отнести его в полицию. — Испарина выступила у нее на лбу от стыда и осознания вины.

— Так почему же не отнесли?

— За стойкой администрации отеля работал мой приятель. Оказывается, полиция его допрашивала, и он рассказал, что какой-то мужчина — не ваш отец — искал номер, где остановилась ваша мать. Приятеля вызвали в участок, долго там держали и запутали так, что в конце концов он понял: полиция намерена обвинить во всем сеньора де Луна. Я была тогда совсем еще девчонкой. Я испугалась. К тому же у меня только-только появилась семья. Извините. — Женщина тихонько заплакала.

Изабель тотчас стала ее успокаивать:

— В смерти отца виновен только один человек: тот, который убил мою мать и ушел от ответственности. — С этими словами она сжала в кулаке потерянное кем-то кольцо. — Прошло много времени, но мы найдем его, сеньора. Этот человек заплатит за свое злодеяние!

— Я получил кольцо и намерен все выяснить.
— Ты не успеешь за неделю?
— Успею, — отозвался Филипп, — не волнуйся. — Как идут дела с Ксавьером?
— Он говорит, что мы уже у цели. Думаю, так оно и есть.
— Одно твое слово, и я завтра же буду в Барселоне, — отозвался Филипп.
— Нет. — Она с трудом преодолела искушение. — Пусть все идет своим чередом. Ты займешься нашими делами в Нью-Йорке, а я здесь.

Когда Изабель попросила Алехандро прислать ей его показания по делу Мартина, она не предполагала, что их доставят в пяти объемистых ящиках, которые теперь стояли у письменного стола. В промежутках между сеансами у Ксавьера Изабель копалась в них, пытаясь связать воедино основные факты.

Изабель приняла во внимание также рассказ Франсуа Леверра и ту поразительную новость, которая не шла у нее из головы — оказывается, Джулиан Рихтер в 1963 году был в Барселоне и познакомился с Альтеей. По мере того как к ней возвращалась память, она исключала возможность случайного нападения. Она слышала, как ее мать тогда говорила с мужчиной. И потом, Альтея никогда не открыла бы дверь незнакомцу.

Ксавьер продолжал исследовать ее подсознание, помогая восстановить, насколько возможно, события того трагического дня. Во время каждого сеанса она держала перед собой лист бумаги, чтобы сразу же зарисовывать черты, всплывшие в ее памяти. Когда декорации ужасной сцены были восстановлены полностью, Ксавьер сделал перерыв, чтобы Изабель набралась сил перед тем, как ей придется снова встретиться лицом к лицу с убийцей матери.

Итак, наступил момент, когда Изабель открыла дверь гостиной.

— Я боюсь, — сказала она. — Здесь очень темно, и я хочу снова увидеть маму, но она в соседней комнате с кем-то говорит. — Изабель на миг перестала рисовать и затаила дыхание. — Что-то разбилось. Что-то стеклянное. Теперь я слышу звук падающего тела. А вдруг это упала мама? Может быть, ей нужна помощь. — Дыхание Изабель участилось, на лбу выступила испарина. — Я не могу нащупать дверную ручку в темноте. Господи, помоги мне! — прошептала она, всхлипывая. — Помоги мне найти дверную ручку!

Изабель вдруг закусила губу. Ее карандаш все быстрее метался по листу бумаги. Теперь она заговорила шепотом:

— Тс-с! Мне нужно сидеть тихо, как мышка. Невежливо вмешиваться в разговор взрослых. Постой, ведь кто-то упал... Ему нужна помощь. Я должна... О! Что это? Кто-то стонет. Нет. Это удар. Что происходит?

Голова Изабель моталась из стороны в сторону. На лбу ее появились морщины, словно она всматривалась вдаль, силясь что-то разглядеть, и вдруг вся словно окоченела.

— Свет. Синий свет заполнил комнату, как чернильная клякса. Все вокруг синее. Все! — Ужас исказил ее черты, но рука продолжала рисовать. Наконец карандаш замер и повис в сведенных судорогой пальцах, потерявших чувствительность от физического и эмоционального изнеможения.

Ксавьер удобнее уложил ее на кушетке. Изабель долго плакала, а когда успокоилась, оба взглянули на ее рисунок. С листа бумаги на них смотрел человек, убивший ее мать.

Изабель испытала бы не меньшее потрясение, если бы увидела в своей ладони тарантула. Она остолбенела от неожиданности, страха и удивления одновременно.

— Ксавьер, это лицо похоже на лицо отца.

— Да, это правда. Но прежде чем делать какие-либо выводы, рисунок следует отнести в полицию. Пусть на компьютере исследуют, как станет меняться выражение этого лица в зависимости от обстоятельств. А самое главное, с помощью компьютера можно внести возрастные изменения. — Ксавьер ласково пожал ей руку. — Нужно запастись терпением. Через день-другой все будет кончено.

Кастель выглядел потрясающе. Фасад дома освещали факелы, над парадным входом сиял герб семьи Пуйоль. Внутри горело великое множество свечей, отбрасывающих причудливые блики на гобелены. В напольных вазонах благоухали роскошные цветы, начиная от роз и кончая лилиями и французскими тюльпанами. Официанты с подносами, уставленными бокалами с шампанским, только ждали сигнала. Из гостиной доносились звуки музыки — здесь играл камерный струнный оркестр.

Миранда и Луис прибыли на личном самолете Филиппа за день до приема вместе со Скай, Джонасом, Сибил и Джулианом Рихтером. Все они пребывали в полном недоумении, не в состоянии оценить ситуацию, в которой оказались. Наконец мужчины решили поприветствовать Алехандро в малой гостиной, а женщины прогуляться по замку. В главном зале Изабель и Филиппу удалось на минуту остаться наедине.

— Ты сводишь меня с ума, сеньорита де Луна, — произнес он.

В красном платье незатейливого покроя, с волосами, стянутыми в пучок на затылке, с изумительной кожей, она казалась Филиппу чудесным видением. На шее у нее сверкало рубиновое ожерелье с бриллиантами, а в ушах были такие же серьги — подарок Мартина Альтее в день свадьбы.

В то утро Ксавьер принес ей результаты работы полицейского компьютера, хотя Изабель уже не нуждалась в подтверждении своей догадки. Синий кошмар рассеялся, и она уже знала убийцу Альтеи, знала, кого искала всю жизнь.

В этот момент в дверь позвонили. Филипп прижал Изабель к своей груди и почувствовал, как учащенно бьется ее сердце. Поцеловав, он пожелал ей удачи.

Слуга открыл дверь, и Изабель увидела, как через холл к ним приближается Рихтер.

— Очень хорошо, что он приехал, — прошептала Изабель.

В течение получаса собрались все гости: Оливия и Джей Пирсал, Эстрелья и Хавьер Мурильо, Пако Барба, Ксавьер Фаргас, Рафаэль Авда, Франсуа и Эунис Леверр, а также Нина.

Она не один день потратила на беготню по магазинам, чтобы купить платье, в котором она выглядела бы преуспевающей леди, помолвленной с представителем блистательного бостонского семейства. Впрочем, в последний момент она остановила свой выбор на бархатном темном костюме с глубоким декольте. Такой наряд должен был свидетельствовать о том, что его обладательница готова к откровенному разговору. Так оно и было до тех пор, пока Нина не переступила порог замка. Один взгляд на Изабель заставил ее почувствовать себя неловко. Так чувствует себя претендент на корону, который не имеет на нее никаких прав.

В гостиной, окинув собравшихся взглядом, Нина и вовсе погрустнела. Она не увидела тех, чье присутствие придало бы приему ранг престижного светского раута: собрались лишь близкие знакомые и друзья Изабель. Да еще Дюраны, которых она не видела с семьдесят первого года, когда сбежала из их дома. Встреча с ними ее отнюдь не радовала.

Сейчас при виде Миранды и Луиса Нина снова пожалела о том, что ее родители не богаты, не принадлежат к высшему обществу, не настолько этнически нейтральны.

И потому не их портрет висит у нее в гостиной и является предметом ее гордости: на нем изображены люди, которых она никогда не видела и к которым не имеет никакого отношения. Внешне они невероятно респектабельны, и она всю жизнь публично отдает им долг памяти. Нине вдруг стало нестерпимо стыдно.

— А где Гартвик? — Она вздрогнула, услышав голос Филиппа, и взглянула на него, словно не понимала, о ком речь. — Энтони Гартвик. Мой старинный школьный приятель. Твой жених.

— А, Гартвик!.. — отмахнулась она. — Он не смог.

— Какой стыд! — отозвался Филипп. — Ты могла бы сделать лучшую партию.

— Я пыталась. — Медленная улыбка коснулась ее губ. Он рассмеялся. Она даже не улыбнулась. — А что, собственно, тебе не нравится в Энтони? Мне многое о нем известно. — Нина решила полностью открыть карты. — Я провела расследование в архивах «Бостон геральд».

— И что же тебе удалось узнать?

— Достаточно, чтобы нанести визит его матери, прежде чем приехать сюда.

Филипп озадаченно сдвинул брови.

— Она рассказала мне, как Альберт Гартвик пытался унизить Энтони, — сказала Нина, и взгляд ее помрачнел. Несмотря на свою ненависть к нему, она очень ему посочувствовала, узнав, что он вынес. — Жаклин рассказала, что отец остановился только потому, что она пригрозила обратиться за помощью в полицию, поскольку Альберт домогался не родного сына. Мне удалось выяснить, что Гартвик-старший погиб от удара ножом сзади. Мальчик, пытаясь защититься от его приставаний, неожиданно напал на него. Старший Гартвик постарался спасти семью от скандала, а мальчика от тюрьмы и щедро заплатил властям, чтобы замять это дело.

Филипп не выказал никаких эмоций.

— Все, что я узнала, не объясняет, почему вы с Энтони стали соперниками, — продолжила Нина. — Казалось бы, вы должны быть друзьями. Так в чем же дело?

— В истине, — спокойно отозвался Филипп. — Когда мы с ним учились в одном колледже, он как-то раз заявился пьяным и поведал мне некоторые свои тайны. И хотя я никогда никому ничего не рассказывал, он, видимо, сожалея о том, что слишком разоткровенничался со мной тогда, всегда пытался доказать мне, что он лучше, чем есть на самом деле. — Филипп сделал паузу и пристально посмотрел в глаза Нине. — В этом вы похожи друг на друга.

— Не стоит судить обо всех одинаково, — вспыхнула она.

— Он никогда не изменится, а значит, ему ничего не стоит причинить тебе боль. На твоем месте я бы как можно скорее оставил его.

— И куда бы устремился?

Филипп взял ее под руку и развернул лицом к Миранде и Луису.

— Туда, — сказал он.

Джулиан подошел к Изабель с манильским конвертом в руках. В нем оказалась черно-белая фотография восемь на десять: он сам рядом с ее матерью. Поразительно, что Альтея была запечатлена с распущенными волосами и в приталенном платье с открытой грудью. Она смеялась, запрокинув голову. Смех ее был очень искренним и заразительным. Изабель не помнила ни одной фотографии матери, где она смеялась бы так же открыто и непринужденно. Изабель потряс не сам снимок, а облик матери, тональность фотографии. В глазах матери она прочла любовь, а это противоречило словам Джулиана и его уверениям, что их с Альтеей знакомство было шапочным.

— Я забыла, что ты сказал в интервью. Почему ты оказался в Барселоне?

— Просто путешествовал.

— Должно быть, это было необычное для тебя путешествие. Я имею в виду, что во время обычного путешествия вряд ли кому-нибудь придет в голову посещать текстильную фабрику.

— Ты забываешь, моя дорогая, что я человек искусства. — В голосе Джулиана теперь ощутимо чувствовалось раздражение. — На фабрике твоей матери производилась известная в Европе продукция, я хотел познакомиться с дизайнером предприятия. Что ж тут удивительного? — Его губы скривились в презрительной усмешке.

— Здорово! Рафаэль Авда говорит, что вы с ней встречались на выставке твоих фотографий в «Гаспар гэлери», — отозвалась она, зная, что Гаспар является самым мощным конкурентом Джулиана.

Он вмиг посерьезнел.

— Выставка оказалась на редкость заурядной и неинтересной, поэтому я быстро закрыл ее.

— Вот как? А Грета говорит, что для тебя эта выставка имела огромное значение. Она считает, что ты намеревался использовать ее как приманку для европейских инвесторов. — Изабель постаралась скрыть улыбку, ибо почувствовала, что он взволнован ее заявлением. — Готова поклясться, что это так.

— Прошу прощения?! — Джулиан почесал бороду, шныряя глазами по сторонам, словно в поисках убежища.

— С тех пор как ты промотал собственное состояние, тебе оставалось рассчитывать только на щедрость Греты. — Он закусил губу, а Изабель улыбнулась. — Судя по всему, ты женился на ней только из-за денег, а ведь она-то любила тебя, бедная девочка. — Тон голоса Изабель резко изменился. — Правда, в шестьдесят третьем году любовь кончилась. Ты тогда пережил трагическую историю. Обезумев от смерти своей сестры и понимая, что ты сыграл в этой истории не последнюю роль, Грета выгнала тебя. Тогда ты двинулся на поиски других жертв. И моя мать стала одной из них.

Изабель внимательно наблюдала за реакцией Джулиана. Судя по всему, он был поражен ее информированностью.

— Я действительно припоминаю, что предложил Альтее вложить деньги в мою галерею.

— И каков же был ее ответ?

— Она сказала, что ее это совсем не интересует! Я показал ей свои работы, посвятил ее в свои планы, рассказал о своем прошлом. Но она все же отвергла меня. — По всей видимости, Джулиану хотелось сострадания и участия. — Так нельзя! — воскликнул он. — Это была ее ошибка.

Изабель хотела было разоблачить его, но сдержалась: время еще не пришло.

Пако Барба держался так, словно был хранителем огня. Если верить часам Филиппа, он на протяжении сорока минут не отошел от камина ни на шаг, предпочитая смотреть на пламя в камине.

— По-моему, вам одиноко у огня. Может быть, скотч или бренди? — участливо поинтересовался у него Филипп.

— Нет. Лучше объясните, почему мы здесь собрались?

— Изабель учреждает фонд...

— Прекратите, Медина! Изабель всегда считала, что именно я изнасиловал и убил ее мать. Я же отрицал и буду отрицать это до конца своих дней.

— Может быть, она пригласила вас, чтобы примириться, — отозвался Филипп. — Наверное, лучше набраться терпения и подождать, чем все это закончится.

— Ты знаешь, почему не приехал Гартвик? Ты ему что-то наговорила?

— Нет, дорогая. Я ничего ему не говорила, а просто написала письмо. — Скай наконец открылась полностью, как того и хотела Нина. — Я написала, что разоблачить тебя — для меня дело чести, а для него — всего лишь досадное недоразумение.

Прежде чем Нина успела ответить, в их разговор вмешалась Изабель и пригласила бывшую подругу в дом.

— Я невероятно признательна тебе за то, что ты приехала.

— Не сомневалась, что ты оценишь.

В тот же момент через плечо Изабель Нина украдкой бросила взгляд на Сэма, своего первого любовника. Он беседовал с матерью и отчимом Филиппа, обняв Скай за талию. Даже издалека Нина ощущала, что с женщиной, носящей теперь его фамилию, его связывает настоящая любовь. Она едва не задохнулась от зависти.

Впрочем, уже через минуту Нина заметила, что Скай оживленно болтает с привлекательным загорелым мужчиной, который показался ей знакомым.

— Кто это? — спросила Нина Изабель, кивнув в его сторону.

— Внук Алехандро, Ксавьер Фаргас. Ты что, не помнишь?

Нина вдруг вспомнила не только его самого, но и те каникулы на Коста-Брава, когда она целый уик-энд провела в компании невероятно сексапильного наследника состояния семьи Фаргас.

— А где его жена?

— Он разведен, — ответила Изабель, подавляя улыбку. Непонятно, как это женщину, которая вот-вот должна выйти замуж за одного, может интересовать семейное положение другого.

— И чем же он сейчас занимается? Собирает виноград? — уже равнодушнее продолжила расспросы Нина, поскольку поняла, что ни к чему демонстрировать свой внезапно проявившийся интерес к Ксавьеру.

— Если ты таким образом хочешь выяснить, унаследовал ли Ксавьер винодельни Фаргаса, то я отвечу «нет». Ксавьер — психиатр. Возможно, он будет тебе небезынтересен.

— Возможно, — прошептала Нина, поймав взгляд Ксавьера.

Гостей пригласили в столовую. Лакеи отодвинули стулья, помогая дамам занять места. Изабель села во главе стола с Луисом и Алехандро, на противоположном его конце расположились Филипп, Эстрелья и Оливия.

Изабель терпеливо ждала, пока официанты наполнят бокалы, наслаждаясь обществом собравшихся. Привычная обстановка придавала Изабель сил и уверенности. Убедившись, что гостям удобно, она встала.

Оглядев приглашенных, Изабель вдруг поняла, что начинает спектакль, который нельзя будет прервать до тех пор, пока она не произнесет заключительной реплики и занавес не опустится. Глубоко вздохнув, Изабель выступила на авансцену.

— Леди и джентльмены, я рада приветствовать вас в «Эль кастель де лес брюшотс». Для меня сегодня особенный вечер. Мы собрались здесь по поводу учреждения Фонда искусств де Луна, организации, названной в честь моих родителей.

Пользуясь случаем, я хочу поблагодарить присутствующего здесь Филиппа Медину. — Она приподняла бокал и улыбнулась любимому. — Я благодарна ему не только за финансовую помощь, которая стала основой капитала фонда, но и за готовность предложить поддержку даже тогда, когда его об этом не просят. — Она опустила глаза и смущенно покраснела. — Ему удалось изменить мои представления о жизни.

Мне хотелось бы также оказать сегодня соответствующие почести тете Флоре, самой замечательной и удивительной женщине на свете, память о которой вечно будет жить в наших сердцах.

С этими словами Изабель подняла бокал и кивнула Алехандро, который, прослезившись, благодарно улыбнулся в ответ.

— Но главное, давайте вспомним сегодня моих родителей, Мартина и Альтею де Луна. Я потеряла их в раннем детстве, но, несмотря на это, они по-прежнему живут в моем сердце и в моих картинах. — К горлу ее подкатил комок, но Изабель взяла себя в руки. — В память о них мы и собрались, в память о них я предлагаю первый тост.

Изабель задумчиво поднесла бокал ко рту, наблюдая, как гости последовали ее примеру.

— Второй тост я предлагаю за успех «Истинных цветов» — неправомочной, фактически недостоверной, но, безусловно, невероятно популярной истории моей жизни. Автор ее, как вы знаете, Нина Дюран, которая после долгих лет отмежевания от нашей семьи вдруг вспомнила о том, что у нее есть сестра Изабель и родители, Миранда и Луис.

Изабель многозначительно посмотрела на Нину, но та решила проигнорировать сарказм и откровенно злобный выпад Изабель.

— Надеюсь, у этой истории будет счастливый конец. — Она подняла бокал и кивнула Нине. — А теперь, прошу вас, угощайтесь. Приятного аппетита.

После вступительной речи Изабель атмосфера за столом еще долго оставалась напряженной. Второй ее тост заставил Миранду, Луиса и Нину обменяться красноречивыми взглядами. Они, казалось, пришли к молчаливому соглашению поговорить. Скай тем временем развлекала разговорами Ксавьера, испытывая по отношению к нему искреннюю признательность за то, что он действенно помог Изабель.

В любое другое время, в любом другом месте Нина без колебаний вмешалась бы в разговор и переключила бы внимание Ксавьера на себя. Но здесь она чувствовала себя чужой. На этот прием все приехали с мужьями или поклонниками, и лишь она была в одиночестве. Хуже всего, что она играла сегодня не на своем и даже не на нейтральном поле. Соперница пригласила ее в свое родовое гнездо и была окружена здесь семьей, друзьями и теми, кто ее по-настоящему любит. Смириться с такими условиями игры Нина не могла, ее коробило от злости и зависти к Изабель.

Пако тоже чувствовал себя не в своей тарелке, и это бросалось в глаза. Он то принимался за еду, то вдруг подключался к чьему-нибудь разговору, но больше всего ему хотелось, чтобы его оставили в покое. В действительности именно страх одиночества являлся причиной его дурного настроения.

Они с Анной состояли в браке пять лет — он в первый раз, она во второй — и большую часть совместной жизни были счастливы. Вплоть до появления «Истинных цветов». Волна слухов снова настигла Пако. Он устал оправдываться, а теперь еще его стали осаждать давно забытые ощущения. Ему стало иногда казаться, что в постели с ним лежит Альтея. Почувствовав это, Анна заявила, что не потерпит такого «вмешательства».

А ведь он действительно любил Анну. Помимо того, что она была невероятно красивой, его подкупали ее верность, ум и способность принимать его таким, каков он есть. Пако женился на ней пятидесятипятилетним холостяком с грузом собственных привычек и сложившимся отношением к жизни. Она не делала попыток изменить его и все же на этот раз она сказала: «Я поклялась любить и уважать тебя. Я не обещала утешать тебя от несчастной любви к женщине, которая умерла тридцать лет назад!»

Пако медленно оглядел собравшихся и взглянул на дочь Альтеи, снова задавшись вопросом, почему Изабель пригласила его. За ее учтивой улыбкой и светской обходительностью, выработанной годами, Барба увидел бомбу с часовым механизмом, который уже отсчитывал время.

Ко второй перемене блюд Джулиан расслабился. Нацепив маску щедрого дарителя, он встал, поднял бокал и заговорил:

— Я не сомневаюсь, что все вы знаете, какого успеха добилась «Дрэгон текстайлз» на Международной выставке во Франкфурте. — Он с улыбкой повернулся к Изабель: — В честь такого события и в знак дружеского расположения я хотел бы вернуть вам «Видения в голубом».

Он сделал паузу, ожидая взрыва аплодисментов, но увы... Изабель лишь натянуто улыбнулась.

— В конце концов, это величайшее проявление вашего творческого гения вдохнуло новую жизнь в старую фабрику, — продолжил он, злобно сверкнув голубыми глазами. — Я оценил перспективы предприятия, и благодаря вам уже через полгода «Дрэгон» снова займет утраченные позиции. — Он кивнул ей по-отечески: — Дочь — достойная наследница матери!

Изабель медлила с ответом так долго, что Джулиан почувствовал себя неловко.

— Спасибо, Джулиан, — вымолвила она наконец. — Хотя мои полотна потеряли всякую рыночную цену благодаря вашему грубому нарушению моих авторских прав, картины принадлежат мне, и я с благодарностью приму их. — Как бы ей хотелось выколоть ему глаза вилкой! — Что же касается «Дрэгон»... — Она поднялась. — Как вам известно, Пуйоль и де Луна сделали свое состояние на хлопке. Они были крупнейшими торговцами хлопком, которые внесли свой вклад в историю Каталонии и стояли у истоков основания Барселоны. Долгое время источник их славы находился в чужих руках. А сегодня я рада сообщить вам, что «Дрэгон текстайлз» возвращена своему исконному владельцу — семье де Луна.

Заявление Изабель вызвало продолжительные аплодисменты. Джулиан раскрыл рот от удивления. Пако Барба выглядел смущенным.

— Что вы имеете в виду? — спросил он.

— Мне бы тоже хотелось знать это, — подхватил Джулиан, переводя недоуменный взгляд с нее на Барбу.

Изабель обратилась к Пако, полностью игнорируя Джулиана:

— Я мечтала выкупить «Дрэгон» с самого детства. Для меня эта компания значит гораздо больше, чем для вас: это искусство, фамильная честь, гордость Каталонии. Я долго копила деньги, но мечта все время ускользала. Наконец, когда мой адвокат сделал запрос на покупку, ему было отказано. «Дрэгон» тут же сняли с продажи.

Я долго ломала себе голову: как же так, находясь на грани разорения, компания вдруг стала участвовать в международной выставке? Мой адвокат предположил, что вы хотите таким образом поднять цену. Так оно и оказалось, потому что вскоре после победы вы снова стали искать покупателя. — Изабель быстро взглянула на Филиппа и тут же снова обратилась к Пако: — К счастью, мой поверенный убедил меня участвовать в торгах до победного конца. Несколько дней назад вы заключили сделку с «Крескент индастриз». Так вот, «Крескент индастриз» — это я.

Лицо Джулиана побагровело, Пако же словно окаменел. В столовой повисло тягостное молчание.

— Что за ерунду ты здесь устраиваешь? — Джулиан вскочил с места и набросился на Пако вне себя от ярости. — Мы ведь партнеры! Почему я ничего не знал об этой сделке?

Пако посмотрел на Джулиана, как на букашку в микроскоп.

— Ты не самый крупный партнер, Джулиан. Когда мы подписали договор, я оставил за собой право заключать сделки. — Он повернулся к Изабель: — Мне не хотелось продавать «Дрэгон», и ты знаешь почему. Но компания измельчала, и потом... ей пора сменить владельца. Поверь, я рад, что она перешла в твои руки.

— А что же я теперь буду делать? — заорал Рихтер. Неожиданное развитие событий потрясло его. У него отнимали дойную корову, которая приносила ему хорошую прибыль! Деньги из уставного фонда явно не спасут положения. В голове его вдруг зазвучал презрительный смех Греты.

— У тебя останется твоя галерея, — снисходительно ответила Изабель.

Глаза у Джулиана налились кровью, а губы побелели. Встретившись взглядом с Изабель, он сжал кулаки. На другом конце стола угрожающе поднялся Филипп.

— Мы еще не закончили, Изабель. Не думай, что тебе это пройдет даром! — выкрикнул Рихтер.

Он бросился вон из столовой, а Филипп кивнул человеку из охраны, чтобы тот последовал за ним. В комнате повисла напряженная тишина.

К счастью, Изабель предложила всем перейти в соседнюю комнату и послушать оркестр.

— Затем в малую гостиную подадут кофе и десерт.

Избегая встречи с Мирандой, Луисом и Сэмом, Нина направилась к двери, но ее остановил Ксавьер Фаргас.

— Мы давно не встречались, — сказал он все тем же приятным баритоном и улыбнулся. — Вы теперь гораздо привлекательнее, чем в юности.

Она улыбнулась и на какой-то момент снова почувствовала себя маленькой девочкой, не обремененной грузом ошибок и неудач.

— Рада видеть вас, Ксавьер. Честное слово, — ответила она, затем со смущенной улыбкой спросила, каковы его планы.

— Я должен ненадолго встретиться с Алехандро. Он сейчас не в состоянии быстро передвигаться. Может быть, присоединитесь?

— Чуть позже, — ответила она, подумав. — Прежде я должна припудрить нос. — С этими словами Нина удалилась.

— Не хотелось бы беспокоить вас, сеньорита, — вдруг шепотом обратился к Изабель официант, — но один из гостей почувствовал себя плохо и просит желудочное лекарство. Где мне его найти?

— Сейчас принесу, — ответила Изабель и направилась к запасной лестнице.

У двери ее остановил Даллас Кроуфорд, один из телохранителей, которых нанял Филипп.

— Куда вы, мисс де Луна? — спросил он напрямик.

— Мне нужно кое-что взять в ванной. Я сейчас вернусь.

— Верхний этаж охраняет Томпсон. Я сообщу ему, что вы поднимаетесь.

Он прошептал что-то в рацию, спрятанную на груди, чем вызвал улыбку Изабель. Дело в том, что она без восторга отнеслась к идее Филиппа нанять охрану для дома и сада, но он хотел быть уверенным в ее безопасности. А когда внизу и наверху ее покой охраняют два здоровых телохранителя, ему в общем-то не о чем беспокоиться...

Глава 29

Джулиан был зол и страдал от несварения желудка. Ему нездоровилось, и он спросил у лакея, где находится ванная комната. Странно, но, двинувшись в указанном направлении, он оказался в небольшом холле.

— Ох уж эти мне старинные замки, — пробормотал он раздраженно. — Чтобы попасть в туалет, нужно иметь карту!

К счастью, Джулиан вспомнил, что в сечении замка лежит прямоугольник, а значит, если он пойдет прямо, то в конце концов попадет в главный холл. Это займет много времени, но он вовсе не спешил вернуться к гостям.

Судя по сводчатому потолку, изящным аркам с каменной инкрустацией, эта часть замка относилась к основной. На стенах помещения висели портреты предков Изабель с табличками, содержащими краткие сведения о них: имя, дата рождения и смерти. Холл был разделен на несколько порталов, в глубоких нишах стояли мраморные бюсты представителей рода Пуйоль, частично инкрустированные малахитом.

Рихтер ступил на узкую лестницу. Удивительно, но он оказался словно зажатым в угол. Ничего, из любопытства стоит преодолеть несколько маршей вверх по направлению к башне.

Над головой у него неясно вырисовывался прозрачный купол.

Луна, круглая и яркая в эту ночь, проникая в тайны старинного замка, украшала затейливыми узорами каменные полы и стены. На какой-то момент Джулиану показалось, что он попал в центр удивительного калейдоскопа. Облако, должно быть, уплыло в сторону, потому что полумрак в помещении вдруг рассеялся. Очертания прояснились, тени стали резче. Джулиана охватил ужас.

По мере того как свет мерк, сгущались сумерки и синева превращалась в черноту. Джулиан двинулся вперед, вытянув одну руку перед собой, а другой вцепившись в перила. Снизу донесся стук каблуков по каменным ступеням. Вздрогнув от неожиданности, Джулиан ступил мимо первой ступени, споткнулся и вывихнул себе локоть.

— Кто здесь? — крикнул он, морщась от боли.

Покинув гостиную, Нина отправилась в ностальгическое путешествие по Кастель. Считая, что беспрепятственно может бродить по дому, она смело двинулась к парадной лестнице. Из полумрака тотчас выступил громила Томпсон.

— Мэм, прошу меня извинить, но мистер Медина приказал туда никого не пропускать.

— Распоряжение мистера Медины вряд ли относится ко мне. Я сестра мисс де Луна, и мне нужно кое-что взять из своей спальни. Я живу в красной комнате в конце западного коридора.

Убедившись, что Нина правильно указала расположение комнаты, тем более что Филипп предупреждал охрану о присутствии на приеме членов семьи, Томпсон капитулировал. Оказавшись вне поля зрения охранника, Нина прошмыгнула в боковую дверь, чтобы побывать в тех уголках дома, которые были связаны с канувшими в прошлое счастливыми временами.

Вид спальни Флоры расстроил ее. Нина открыла дверь, ожидая, что в глаза ей ударит яркий свет, отраженный в витражах и рассыпавшийся по комнате сотнями светлячков. Однако здесь царил скорбный полумрак. Остановившись в дверях, как перед алтарем, опустив голову и сцепив руки, Нина прочла молитву.

Оказавшись в соседней комнате, Нина в благоговейном восторге вышла на середину. Прикрыв глаза, Нина вспомнила то благословенное время, когда ночевала здесь: кофе на серебряном подносе, горячая ванна... Теперь, судя по пеньюару, брошенному на кровати, здесь остановилась Скай. Они с Сэмом — наиболее почитаемые гости в этом доме, а вот она — на вторых ролях, если не в массовке.

Вконец расстроившись, Нина вышла из комнаты и плотно притворила за собой дверь. Чтобы не встречаться с Томпсоном, она спустилась по одной из боковых лестниц. Оказавшись на задней половине дома, Нина удивилась тому, насколько здесь тихо и пустынно. Странно, а ведь в северном крыле дома шумное веселье!

Изабель буквально наткнулась на Джулиана, растянувшегося на верхней площадке лестницы.

— Что ты здесь делаешь?

— Ты не поверишь, но я искал ванную. Следует поблагодарить твоего идиота лакея за то, что он отправил меня блуждать по этим джунглям.

— Если хочешь, я покажу тебе дорогу.

Она развернулась, но Джулиан только бросил ей вдогонку:

— Ты умеешь привнести живительную струю в тухлую вечеринку, Изабель. Твое сообщение о покупке «Дрэгон текстайлз» за обедом было очень эффектным.

— Я рада, что тебе понравилось.

— Судя по всему, сюрпризы на этом не закончены, — усмехнулся Джулиан. — Ты сердишься потому, что я не рассказал тебе о своем знакомстве с твоей матерью?

— Это большая оплошность с твоей стороны, не находишь?

— Я не придал большого значения нашей с ней встрече.

— Нет, Джулиан, все было совсем не так, — с усмешкой отозвалась Изабель, еле сдерживая клокотавшую в ее груди ярость.

401

Разговор с ним наедине вовсе не входил в ее планы. Она собиралась бросить ему вызов публично, чувствуя себя в полной безопасности, но эмоции возобладали и подчинили себе ее разум.

— Увидев твое интервью по телевизору, я позвонила Диего Кадису и Рафаэлю Авде. Мы обсудили твой визит в Барселону. Оказалось, они плохо тебя помнят, потому что ты ни на кого толком не произвел впечатления. Однако после того как мы переговорили, они пришли к единому мнению, что им следовало бы отнестись к тебе тогда повнимательнее.

— Я не понимаю, на что ты намекаешь.

— Оказывается, ты влюбился в мою мать и преследовал ее, как сексуальный маньяк. Используя свое знакомство с Рафаэлем и семьей Гаспар, ты добивался ее расположения. Уговорил отвести тебя на фабрику и сфотографировался с ней. А затем стал нападать на отца, неправильно истолковав ее великодушие. Ты пригласил ее на обед. Она отказалась. Ты настаивал. Когда она попросила тебя оставить ее в покое, ты оскорбился. Не стоит и говорить о том, что за этим последовало. — Она пристально посмотрела ему в глаза. — Каждый, кто тебя знает, может подтвердить, что ты не переносишь отказов от женщин.

Он рассмеялся, но как-то растерянно.

— Когда я отказалась спать с тобой, ты это так не оставил. Я думала, что твоя гордость не позволяет тебе спокойно сносить слово «нет» в ответ на предложение любви или секса. К сожалению, все совсем не так. Ты был движим извращенной потребностью, Джулиан. Не сумев заполучить мать, ты должен был взять реванш над дочерью! — В ее глазах сверкнула ненависть. — Напрасно я подпустила тебя к себе! Воспоминание об одном только твоем прикосновении внушает мне ужас!

— Когда мы спали, тебе вовсе не было страшно, — ответил Джулиан. — Напротив, тебе это нравилось.

— Ошибаешься! — В мозгу Изабель вспыхнуло воспоминание о той ночи отвратительной животной любви. — Я все-

402

гда чувствовала, что с тобой что-то не то. Не пойму отчего, но я всегда это знала. — Она понизила голос до шепота: — Я всегда знала правду, Джулиан.

— Я всегда считал тебя талантливым художником. Оказалось, ты не менее талантливая рассказчица, — отозвался он, глядя на нее как на душевнобольную. — Но если честно, твоя сказка начинает меня раздражать.

Его реплика не остановила Изабель. Слова хлынули из самого ее сердца. Этого разговора она ждала много лет.

— Грета говорила, что после возвращения из Европы в то лето тебя словно подменили. — Даже в кромешной тьме Изабель ощущала пламя его ненависти к себе. — С тех пор ты уже никогда не был собой, прежним. Полагаю, что именно таким образом убийство влияет на человека.

Джулиан тяжело дышал, ноздри его с шумом раздувались, как у рассвирепевшего быка.

— С Греты станется сказать такую чушь. С тех пор как ее сестра повесилась, она всегда видела во мне кровожадного убийцу. — Его голубые глаза потемнели, на лицо упала мрачная тень. — Я действительно находил твою мать привлекательной. Она не ответила мне взаимностью. Но это еще не значит, что убил ее я.

— Нет, ты. У меня есть доказательство.

— Интересно знать, какое?

— С чего бы начать? — Голос Изабель даже не дрогнул. — Одна из горничных развозила в ту ночь свечи по комнатам, потому что электричество отключили. Она видела, как ты выходил из номера моей матери. Ты накричал на нее, а затем набросился, чтобы отобрать фонарь. Завязалась борьба, и в руке у нее осталось твое кольцо. Это было твое обручальное кольцо, Джулиан, точную копию которого сейчас носит Грета. Представь себе!

— Да, я был там, ну и что? — На лбу Джулиана выступил пот. — Я остановился в отеле, как десятки других постояльцев. И зашел к ней в комнату, чтобы обсудить вопрос о своей галерее.

— Ты забываешь, что твоему нападению была свидетельница. — Изабель трясло от волнения и ярости. — И свидетельницей была я, Джулиан. Я была там, в той самой комнате. Я видела тебя.

Остолбенев, Джулиан вытаращил на нее глаза.

— Я видела тебя, — зловеще повторила Изабель.

— Нет, — прошептал он, недоверчиво качая головой. — Ты не посмеешь.

— Посмею, Джулиан. Я собираюсь добиться твоего ареста и привлечения к суду, на котором выступлю свидетелем. Я расскажу им все, что видела!

— Тебе никто не поверит.

— У меня есть кольцо с твоими инициалами, а горничная повторит свой рассказ. Более того, у меня есть свидетельство Греты о твоем необычном поведении, заявление Ксавьера и наброски, которые я передала в полицию.

Джулиан расхохотался. От его смеха Изабель бросило в дрожь.

— Психолог, служанка, которая видела неизвестно кого в темноте двадцать семь лет назад, и моя полоумная жена, которая настаивает на разводе, свидетелями являться не могут. Твой рассказ очень убедителен, Изабель, но кто ему поверит?

— Все поверят, потому что признание вины написано на твоем лице.

— А на твоем лице уже много лет написан страх. И что с того?

С этими словами Джулиан надвинулся на нее, схватил за руку и вывернул ее. Изабель ощутила его горячее зловонное дыхание. Главное теперь — сохранять спокойствие. Более того, ей удалось вывернуться. Джулиан тотчас снова бросился на нее, но она резко отступила и закричала. Впрочем, тут же поняв, что никто не придет ей на помощь, она не разбирая дороги бросилась вниз по лестнице. Джулиану удалось-таки схватить ее за руку. Изабель споткнулась, к тому же он наступил на длинный шлейф ее платья, и рухнула на холодный каменный пол.

Убийца матери склонился над ней и зажал ей рот рукой, но она все-таки успела крикнуть.

Нина отчетливо слышала крик. Замерев возле лестницы, она прислушалась. Второй раз крик раздался со стороны старой башни. Любопытство вынудило ее направиться туда; главное — держаться в тени и идти на цыпочках.

Нина выглянула из-за угла и поняла, что журналистское чутье ее не подвело: мужчина навалился на женщину сверху, она, по всей видимости, сопротивлялась. И вдруг женщина закричала — но не в порыве страсти, а от боли. Мужчина ударил ее по лицу. Нина тотчас отступила в тень.

— Ты не посмеешь сказать об этом, — выдохнул он.

— Мне и не надо. Потому что все знают...

Несмотря на то что женщина говорила сдавленным голосом, Нина узнала в ней Изабель. В этот момент мужчина повернулся в профиль. Джулиан Рихтер!

Нину обдало жаркой волной, в голове лихорадочно завертелись противоречивые мысли.

Не лучше ли ей потихоньку спуститься вниз, слиться с толпой приглашенных и притвориться, что она ничего не знает?

Можно, конечно, побежать на поиски Филиппа, но к тому времени, когда он придет на помощь, Изабель, видимо, будет мертва.

Попробовать остановить Джулиана? Она смертельно рискует. Судя по всему, Рихтер способен на все.

И тут Изабель снова закричала. Нина в ужасе вздрогнула и поняла: помедли она еще секунду — и Изабель погибнет.

Филиппа подташнивало от волнения. Что-то было не так. Он оставил гостей и стал расспрашивать прислугу о местонахождении Изабель или Джулиана. Кто-то на кухне сказал, что Джулиан метался в поисках туалета.

— Он сказал, что у него расстроен желудок, и попросил лекарства. Я пошел к сеньорите де Луна. Она обещала принести.

Филипп опрометью бросился из кухни к охраннику, который стоял посреди холла и перекрывал южную лестницу.

— Вы видели сеньориту де Луна? — спросил он у Кроуфорда.

— Она наверху, мистер Медина. Пошла за каким-то лекарством. — Он взглянул на часы. — Впрочем, что-то она задерживается. — Кроуфорд тут же вызвал по рации напарника. — Томпсон говорит, что она не спускалась.

— Она поднялась по лестнице? — обливаясь холодным потом, крикнул Филипп, указывая в сторону холла.

— Нет, сэр, она прошла там.

Филипп взглянул через плечо Кроуфорда на портал. Наверху лестница раздваивалась.

— По какой она пошла?

— Если честно, сэр, я не знаю, — признался Кроуфорд.

Луна вышла из облаков. Мистический синий свет наполнил башню. Критическая ситуация всколыхнула мысли и чувства Нины, привнеся в них удивительную ясность. Женщина, которая боролась за свою жизнь у нее на глазах, была ее сестра, Изабель де Луна.

Словно по волшебству годы противостояния вдруг перестали иметь значение, как и соперничество, предательство, болезненная зависть. Остались только воспоминания о прожитом вместе счастливом детстве. Нина вдруг поняла, что Изабель на ее месте не раздумывая бросилась бы ей на помощь.

— Джулиан! — громко воскликнула она. — Что, черт побери, ты делаешь?!

Рихтер вздрогнул от неожиданности и ослабил хватку. Изабель судорожно вздохнула.

— Убирайся! — в бешенстве закричал Джулиан.

Нина, возможно, и хотела бы, но не могла уйти. Она вдруг оказалась в центре кошмара, который всю жизнь мучил Изабель. Неизбывная, жуткая синева. Олицетворением этого кошмара был мужчина, который всей тяжестью навалился на Изабель и крепкой рукой сжимал ее горло.

— Это ты убил Альтею, ублюдок!

Джулиан взревел как раненый зверь и ринулся было к Нине, но побоялся выпустить Изабель.

Нина решила вынудить его броситься на нее. Она приблизилась и рассмеялась ему в лицо нахальным, саркастическим смехом.

— Я всегда говорила, что такое — я имею виду ты, Джулиан, — может присниться женщинам только в кошмарном сне.

Она была невероятно близко, и его лицо потемнело от желания добраться и низвергнуть ее.

— Изабель не даст соврать, правда? Речь ведь идет о той ночи. И тогда Изабель было не до смеха, как и теперь!

— Заткнись! — закричал Джулиан. — Убирайся, или я убью ее! — В его голосе прозвучала смертельная угроза.

— Даже если я сейчас уйду, Джулиан, твою задницу уже ничто не спасет, — хладнокровно возразила Нина, моля Бога, чтобы кто-нибудь стал разыскивать Изабель. — Я не семилетняя девочка, которая забудет то, что видела. Я в точности запомню, что ты здесь творил! А когда вернусь в Нью-Йорк, то непременно поведаю об этом в своей колонке и на телешоу. Я всем расскажу о том, что владелец художественной галереи принуждает партнеров к сексу, прежде чем продать их картины. «Рихтер: взгляды на секс» — таков будет заголовок статьи. По-моему, неплохо.

Изабель слабела. Нина тем временем переходила в активное нападение. Она подступала к Джулиану, размышляя над тем, ударить ли его ногой в живот или улучить момент и засадить ему острой шпилькой между ног? А если она тем самым ухудшит положение Изабель? Впрочем, один вид несчастной убедил ее в том, что хуже быть не может.

Нина бросилась к Джулиану, стремясь оторвать его от Изабель. Вцепившись ему в волосы, она царапала его лицо и кричала что было сил.

— Сначала я убью тебя! — воскликнул Рихтер, сжимая кулак.

— Если я не сделаю это первой, — процедила Нина сквозь зубы, нацелившись локтем ему в почки.

Ответом Джулиана был сильнейший удар в живот.

Филиппу понадобилось три минуты на то, чтобы отправить людей на поиски. Сам он в первую очередь проверил кухонную дверь и черный ход. К счастью, обе оказались закрыты.

И вдруг его осенило, что старая лестница прямиком ведет в башню замка. В два прыжка преодолев три марша лестницы, он позвал Изабель. Ответом ему было полное молчание.

Когда он оказался наконец в маленькой комнатке на вершине башни, сердце его оборвалось. Изабель и Нина, обе без сознания, лежали на полу в луже крови.

Пако сидел за рулем своего автомобиля, размышляя, не уехать ли ему немедленно, когда откуда-то сбоку появился Джулиан. Он вел себя крайне подозрительно, осматривая автомобили в поисках ключей.

Пако осторожно перебрался на заднее сиденье и затаился. Подойдя к «мерседесу» Барбы, Рихтер злорадно расхохотался и сел на место водителя. Однако прежде чем он повернул ключ зажигания, Пако успел схватить его за горло.

Изо всех сил прижав его к сиденью, он сказал Джулиану на ухо:

— Наверное, именно так чувствовала себя Альтея, когда ты душил ее. Как тебе нравится идея задохнуться насмерть?

Тем не менее Барба с радостью передал Рихтера в руки Томпсону, который уже распахивал дверцу автомобиля.

Томпсон и Кроуфорд перенесли женщин из башни. Изабель отнесли в ее комнату, Нину — в комнату Рамоны, где Миранда и Луис остались приглядывать за ней после того, как Джонас обработал ее раны.

Левый глаз Нины посинел, веко распухло, несколько зубов выбито. Глубокую рану на щеке пришлось зашивать. Кости, к счастью, оказались целы; насколько мог судить Джонас, ей также удалось избежать внутреннего кровотечения.

— Вы можете гордиться своим геройским поступком, — сказал он. — Страшно представить, что бы случилось, не окажись вы поблизости.

— Спасибо, но я не заслуживаю таких похвал, — отозвалась Нина, припомнив, что первым ее желанием по прибытии сюда было бежать на край света.

— Напротив, вы их заслуживаете! — настаивал Джонас. — Джулиан Рихтер убил Альтею и, без сомнения, поступил бы так же с Изабель, если бы вы ему не помешали.

Проверив повязку на щеке Нины, Джонас ободряюще похлопал ее по плечу и ушел. Луис приготовил лед и придвинул кресло ближе к кровати. Миранда, впрочем, не осмеливалась.

— Мама?! — прошептала Нина и повернула к ней голову. Но тут резкая боль пронзила ей висок и она охнула.

— Господи! — бросилась к ней Миранда. — Может, вернуть Джонаса?

Нина отрицательно покачала головой. Открыв глаза, она увидела обеспокоенно склонившихся над ней Дюранов. Прошедших лет словно вовсе и не было.

— Не напиши я эту идиотскую книгу, ничего бы не произошло, — прошептала Нина, мысленно открывая дверь шкафа, где много лет назад спряталась Изабель.

— Ты не виновата, Нина, — покачала головой Миранда. — Все эти годы Изабель пыталась выяснить правду, дитя мое.

— А нам надо было открыть тебе правду, пока ты была маленькой девочкой, — быстро заговорила Миранда. — Просто я не хотела, чтобы ты чувствовала себя ущербной.

Нина натянула одеяло на подбородок.

— Я жестоко поступила с вами, — сказала она, и на глаза ее навернулись слезы. — И что хуже всего, слишком долго не отдавала себе в этом отчета... — Она горько усмехнулась. — Но я всегда верила, что вы меня любите.

— Сердце подсказало тебе правильный путь, — отозвалась Миранда, сжимая руку дочери в своих. — Мы никогда не переставали любить тебя.

Нина вдруг ощутила прилив физических и душевных сил.

— Так что вы думаете? — поинтересовалась она. — Сможем мы когда-нибудь снова стать одной семьей?

— Что касается меня, я твердо знаю, что в конце концов так оно и будет, — ответил Луис.

Изабель лежала в постели, откинувшись на подушки. Филипп сидел рядом на стуле и смотрел на синяки, проступившие у нее на горле. Изабель еще с трудом говорила и страдала от легкого сотрясения мозга. Однако учитывая то, чем вообще могло закончиться ее столкновение с Джулианом, раны эти казались пустяковыми.

В дверь тихонько постучали. Пако! Он подошел к кровати, взял руку Изабель и поднес к губам.

— Я хочу извиниться перед тобой. — Изабель сжала его ладонь. — Все эти годы я...

Пако прижал палец к ее губам, не давая ей продолжить.

— Хорошо, что убийца Альтеи найден и пойман и что он вскоре предстанет перед судом.

— А что вы делали на подъездной аллее? — спросил его Филипп.

— Я не сразу понял, что этот прием — тщательно подготовленная ловушка. Когда же я сообразил, что человек, который изнасиловал и убил Альтею, сидит за столом вместе со всеми, ест и пьет как ни в чем не бывало, мне захотелось уехать.

— Весьма сожалею, что всех вас пришлось использовать в качестве наживки, — прохрипела Изабель.

— Если иметь в виду, что все эти годы я был подозреваемым, то получилось очень удачно. То, что именно я задержал его, — улыбнулся Пако.

Когда Барба ушел, на пороге появилась Нина.

Филипп проводил ее к постели Изабель и деликатно удалился.

Изабель сразу же заметила синяк под глазом у Нины и повязку на ее щеке. От ее взгляда не укрылось также то, что платье Нины разорвано, а прическа попросту уничтожена.

— Ты выглядишь так, словно тебе не удалось взять несколько последних подач, — улыбнулась Изабель, вспомнив о том, как в далеком детстве они играли в мяч на зеленом поле возле замка.

— Ты тоже не похожа на фотографию с обложки «Вог»!

— Если бы не ты, я бы даже так не выглядела, — отозвалась Изабель. — Спасибо тебе за то, что ты сделала.

— Думаю, скорее мне следует тебя благодарить, — отозвалась Нина, присаживаясь на край постели. — Знаешь, мне всегда плохо давались извинения и раскаяния. Но переживаю я искренне.

— Все мы совершали в жизни ошибки. Поверь, у меня тоже есть список грехов, за которые я никогда не расплачусь.

Слезы покатились по щекам Нины, но она не спускала взгляда с Изабель.

— Я обвиняла тебя во всех неудачах, во всех ошибках. Так было проще. Сегодня вечером, увидев вас в башне, я испугалась, что ты умерла. И в тот момент поняла, как ты дорога мне. Я не хочу терять тебя, Изабель.

Изабель прикоснулась к руке Нины и расплакалась.

— Главное, — с трудом вымолвила она, — что в этот вечер мы с тобой вновь обрели друг друга.

Нина лишь молча кивнула в ответ.

* * *

Позже, когда страсти улеглись и гости либо разъехались, либо разошлись по комнатам, Изабель попросила Филиппа проводить ее в сад на заднем дворе. Там, прислонившись к старому оливковому дереву, посаженному Флорой, она взглянула на башню, над которой проплывали облака.

Лунный свет освещал лицо и шею Изабель, напоминая Филиппу ночь на Мальорке много лет назад.

— Я собирался сказать тебе это после того, как ты разоблачишь Джулиана. — С этими словами он полез в карман и достал маленькую коробочку. Изабель открыла ее и зажмурилась от яркого света: в лучах луны блеснул огромный бриллиант. Надев ей кольцо на палец, он произнес: — Я люблю тебя, Изабель.

Она молча посмотрела на кольцо, а затем перевела взгляд на Филиппа.

— Давным-давно, — вымолвила она тихо, — я сказала тете Флоре, что не знаю, что такое любовь. А она ответила, что я должна дождаться мужчину, который не только разбудит во мне желание, но и вызовет доверие и сделает так, чтобы с ним я чувствовала себя в безопасности. Тебе удалось дать мне все это. И я тебе очень благодарна.

— Скажи, все призраки прошлого действительно ушли в небытие? — спросил Филипп, привлекая ее к себе и нежно целуя в губы.

— Я нашла убийцу матери и посмертно оправдала отца, — задумчиво вымолвила Изабель. — Теперь я свободна.

В приливе бурной радости она, безудержно смеясь, уткнулась в грудь Филиппу и благодарно поцеловала ему руки.

— Господи, какое счастье, что по истечении двадцати семи лет я избавилась от этой ужасной синевы!

Литературно-художественное издание

Мортман Дорис
Истинные цвета

Редактор Л.Г. Гагарина
Художественный редактор О.Н. Адаскина
Компьютерный дизайн: Е.Н. Волченко
Технический редактор О.В. Панкрашина
Младший редактор Е.А. Лазарева

Подписано в печать 24.10.2000.
Формат 84×108 $^1/_{32}$. Усл. печ. л. 21,84.
Тираж 11000 экз. Заказ № 2028.

Налоговая льгота — общероссийский классификатор продукции
ОК-00-93, том 2; 953000 — книги, брошюры

Гигиеническое заключение
№ 77.99.14.953.П.12850.7.00 от 14.07.2000 г.

ООО «Издательство АСТ»
Лицензия ИД № 02694 от 30.08.2000 г.
674460, Читинская область, Агинский район,
п. Агинское, ул. Базара Ринчино, д. 84
Наши электронные адреса:
WWW.AST.RU
E-mail: astpub@aha.ru

Отпечатано с готовых диапозитивов в типографии издательства
"Самарский Дом печати"
443086, г. Самара, пр. К. Маркса, 201.

Качество печати соответствует предоставленным диапозитивам.